W9-DHR-922

Claire Piché, M.Ed.

Dieter Euler, M.A.

Elver Peruzzo, M.Ed.

Copp Clark Longman Ltd.
Toronto

Developmental Editors:
Christine Anderson,
Marie Turcotte

Production Editor:
Caroline Kloss

Assistant Editor:
Aleksandra Grubor

Language Reviewer:
Doreen Bédard

Art Direction/Design:
Mary Opper

Cover Illustration:
Helen D'Souza

Design/Production:
Allan Moon

Photo Research:
Marijke Leupen

Typesetting:
Marnie Morrissey,
April Haisell

Printing and Binding:
Friesen Printers Ltd.

ISBN 0-7730-5208-9

Canadian Cataloguing in Publication Data

Destinations 1 [-5]

For English-speaking students of French as a second language.
ISBN 0-7730-5208-9 (v. 5)

1. French language — Textbooks for second language learners — English speakers.*
2. French language — Problems, exercises, etc. — Juvenile literature.
I. Clarke, Anne Burrows. II. Donat, Jacquie. III. Brown, Trish Simpson. IV. Turcotte, Marie.

PC2129.E5D48 1990 448.2'421 C93-093044-4

Disclaimer
An honest attempt has been made to secure permissions for and acknowledge contributions of materials used. If there are any errors or omissions, these are wholly unintentional and the publisher will be grateful to learn of them.

Printed and bound in Canada

5 6 7 - FP - 03 02 01

TABLE DES MATIÈRES

VOYAGES

Dans cette unité, vous allez pouvoir :

- parler de voyages à travers le Canada
- discuter de voyages d'aventure et autres
- poser des questions
- accueillir quelqu'un
- parler des actions au futur
- indiquer la route à quelqu'un
- parler d'un choix personnel
- parler de deux actions simultanées
- obtenir des renseignements
- faire une réservation

Voyages à travers le Canada

Été comme hiver, le Canada est spectaculaire! Les saisons et la géographie, loin d'être des obstacles, servent maintenant d'inspiration pour une variété d'activités.

Dans le Québec, l'hiver a façonné l'art de s'amuser. On y célèbre la neige à travers les carnavals, les festivals, et de nombreuses activités hivernales.

Le Québec : La joie de vivre, en hiver!

La Fête des neiges à Montréal

Dès la mi-janvier, les clowns et maquilleurs ambulants se promènent dans certains parcs de la ville. C'est le signal de la Fête des neiges. Plus de 125 événements et six pôles d'activités accessibles par autobus ou métro : île Notre-Dame, île Sainte-Hélène, Vieux-Montréal, Vieux-Port, Parc des Hirondelles, Parc Maisonneuve. De quoi réchauffer l'âme et le cœur pendant plus de deux semaines... Les activités familiales débutent tôt le matin et se terminent tard dans la soirée, sous l'œil attentif de la mascotte Boule de neige, gros ours polaire aux yeux rieurs. Au programme : ski de fond, ski alpin, patinage,

concours de sculptures sur neige, compétitions de toutes sortes, animation continue et spectacles variés.

Le Carnaval de Québec

Le Carnaval de Québec rivalise en popularité avec les plus grands carnavals du monde. Ces dix jours de festivités intenses s'ouvrent au début de février avec le Bal de la Reine au Château Frontenac et un majestueux défilé de chars allégoriques illuminés. Le superbe Palais de glace est le point central des fêtards. Place du Palais, le Concours international de sculptures sur neige attire des artistes de plusieurs pays. Vêtu de sa tuque rouge et de sa ceinture fléchée, le Bonhomme Carnaval déride les enfants, pendant que de braves sportifs défient les glaces du fleuve en canot. Rire et bonheur en abondance dans un décor enchanteur qui inspire peintres, poètes et sculpteurs.

Passion blanche

Les Laurentides, l'une des plus vieilles chaînes de montagnes du globe et l'un des plus grands réseaux de stations de ski en Amérique du Nord, sont situées aux portes de Montréal, à moins d'une heure de route.

Chaque hiver, il y tombe quelque 309 cm de neige, avalanche qui réjouit tout véritable skieur! Les canons à neige sont de plus en plus répandus de sorte que bon an, mal an, les conditions sont toujours remarquables.

Le soir tombé, les Laurentides s'illuminent littéralement. L'endroit réunit la plus grande concentration de pistes éclairées du monde et prend une allure de fête pour le ski de soirée. À certaines occasions, les skieurs effectuent même des descentes nocturnes, flambeau à la main. Un spectacle féerique!

Passion des grands espaces

Le Québec est chef de file incontesté dans le domaine de la motoneige. En plus d'offrir d'excellentes conditions de neige, il possède le meilleur réseau de sentiers aménagés du monde. En famille ou en groupe, parcourez forêts et montagnes sur les traces des coureurs des bois; découvrez des paysages grandioses, des champs de neige à perte de vue et des villages de carte postale.

Destination Québec : Vacances d'hiver

L'Alberta : La joie de vivre, en été!

En Alberta, vous pourrez passer des vacances d'été exceptionnelles. De vrais rodéos de l'Ouest, la beauté sauvage des Rocheuses, et même des fossiles de dinosaures vous attendent dans cette province!

LE STAMPEDE DE CALGARY

Considéré comme la plus grande manifestation extérieure au monde, le Stampede de Calgary a lieu chaque été pendant dix jours au mois de juillet. Cet événement, qui a débuté en 1912, était alors l'occasion de faire étalage de techniques de rassemblement des troupeaux. De nos jours, c'est un spectacle de renommée mondiale.

Parmi les attractions à ne pas manquer, citons la parade d'ouverture, des quadrilles dansés dans les rues, des feux d'artifice chaque soir, et des grillades à la mode des cow-boys de l'Ouest. Mais la spécialité unique de l'événement, c'est sans aucun doute le rodéo.

LES BADLANDS

La région des Badlands se trouve au sud de l'Alberta dans la vallée de la rivière Red Deer. On peut y voir un paysage frappant et aride couvert d'immenses rochers érodés en formes de champignons géants qu'on appelle *hoodoos*. On dit qu'autrefois les Badlands étaient couverts d'eau. C'est aux Badlands qu'on a découvert les plus vastes champs fossilifères du monde. Dans la ville de Drumheller, site des anciennes mines de charbon, on trouve la route des dinosaures, une autoroute circulaire de 48 km. Sur le parcours, on peut visiter le Royal Tyrrell Museum of Paleontology pour voir des reproductions grandeur nature de dinosaures découverts dans la région. On peut aussi examiner des fossiles de dinosaures au Parc provincial Dinosaur, site classé par l'UNESCO comme faisant partie du patrimoine mondial.

LA PROMENADE DES GLACIERS

La promenade des Glaciers est un parcours de 232 km qui suit les rivières et montagnes entre le lac Louise et Jasper. On y découvre la variété et la beauté des Rocheuses : glaciers, cascades, lacs et gorges.

Au Parc national Jasper, de bonnes chaussures à semelles de caoutchouc ou de crêpe sont nécessaires pour se promener sur le glacier Athabasca qui fait partie du champ de glace Columbia. Des autochenilles vous emmeneront sur la glace.

Jasper, qui était un ancien comptoir de fourrures, est aujourd'hui une magnifique station touristique où l'on peut pratiquer la descente de rivière, le canotage, le camping et les sports de montagne.

LE RODÉO, LA VEDETTE DU SPECTACLE!

- Chevauchée à cru sur un bronco (cheval non dressé).
- Chevauchée sur un taureau.
- Lutte avec un taurillon.
- Capture d'un veau au lasso.
- Rangeland Derby (les merveilleuses courses de chariots).

COMPRÉHENSION

Le Québec

1. Quelles activités prennent place :
  a) à la Fête des neiges à Montréal?
  b) au Carnaval de Québec?

2. Le Québec est un endroit idéal pour les sports d'hiver. Justifiez cet énoncé.

L'Alberta

1. a) En quelle année le Stampede de Calgary a-t-il débuté?
  b) À cette époque, quel était le but du Stampede?

2. Nommez deux autres attractions touristiques en Alberta et décrivez-les.

Le chansonnier québécois

Gilles Vigneault

APPLICATION

1. a) Chez vous, quels événements ont lieu en hiver, en été et en d'autres saisons?
  b) Préparez une description touristique de l'**un** de ces événements. Indiquez le nom de l'événement, la date, les activités au programme, et d'autres détails.

2. a) Expliquez le titre «Passion blanche».
  b) Créez un nom poétique pour un autre sport.

EXPANSION

1. a) Lisez la strophe suivante, tirée de la chanson québécoise *Mon pays*, écrite par Gilles Vigneault.

Mon pays ce n'est pas un pays c'est l'hiver
Mon jardin ce n'est pas un jardin c'est la plaine
Mon chemin ce n'est pas un chemin c'est la neige
Mon pays ce n'est pas un pays c'est l'hiver

  b) Qu'est-ce qui indique que son pays est très vaste?
  c) Qu'est-ce qui indique qu'il y neige beaucoup?
  d) Créez une autre strophe de quatre vers pour la chanson.

2. Vous voulez organiser une campagne publicitaire pour la Fête des neiges à Montréal ou le Stampede de Calgary. Préparez une liste d'idées publicitaires et présentez-les à un autre groupe.

COIN DE RECHERCHES

1. a) Préparez une fiche biographique sur Gilles Vigneault.
  b) Trouvez une autre chanson ou un autre poème de Gilles Vigneault et faites-en la description.

2. Faites des recherches sur le lac Louise et sur Banff.

JEU DE PIÈGES SUR LE CANADA

1. Connaissez-vous votre pays? Lisez les questions suivantes sur le Canada et trouvez les réponses dans la liste ci-contre.

a) Qui a été le 1er premier ministre francophone du Canada?

b) Quel animal canadien est un emblème officiel?

c) Quelle province ou quel territoire est le moins peuplé?

d) Où se trouve la patinoire extérieure la plus longue au Canada?

e) Quelle est la capitale provinciale le plus à l'ouest?

f) Quel est le groupe autochtone le plus important au nord du 60e parallèle?

g) Quelle est la plus grande île en eau douce au monde?

h) Où trouve-t-on des ossements de dinosaures?

i) Quelle est la plus grande ville du Canada?

j) Quel genre d'artistes appartenaient au «Groupe des Sept»?

des acteurs
la Nouvelle-Écosse
Laurier
des peintres
Saint-Laurent
Ottawa
l'orignal
Montréal
l'Alberta
le castor
des musiciens
Cartier
Whitehorse
Toronto
Victoria
le Yukon
les Inuit
les Mohawks
Manitoulin

2. Avec votre partenaire, créez huit questions sur le Canada que vous poserez ensuite à un autre groupe. Pour chaque question, donnez un choix de trois réponses possibles. Référez-vous à des catégories telles que, par exemple, groupes musicaux, acteurs/actrices, écrivains/écrivaines, histoire, géographie, etc.

EXEMPLE :
Lequel des sports suivants a été inventé au Canada?
le football
le tennis
le ballon-panier

POUR POSER DES QUESTIONS

Lequel/laquelle/lesquels/lesquelles des... suivant(e)s...
Quel/quelle est...
Quels/quelles sont...
Qui...

3. Choisissez une province ou un territoire du Canada et préparez une annonce touristique orale que vous allez présenter à un autre groupe. N'oubliez pas d'inclure un mot de bienvenue, des renseignements touristiques et un slogan.

POUR ACCUEILLIR QUELQU'UN

Soyez toujours les bienvenus au/en/à...
Vous serez toujours des nôtres au/en/à...
Le/la/l'... vous attendra les bras ouverts...
Un sourire chaleureux vous accueillira...

À VOUS LA PAROLE

Quelles régions du Canada avez-vous visitées? Indiquez quand vous avez visité ces régions, avec qui, ce que vous avez fait et ce que vous avez vu.

Maintenant, choisissez une région du Canada que vous aimeriez visiter et expliquez votre choix.

ON COMPOSE

Imaginez qu'un ami ou une amie va visiter votre ville ou votre région dans un mois. Écrivez-lui une lettre dans laquelle vous lui expliquez ce que vous projetez pour sa visite : par exemple, ce que vous ferez, ce que vous verrez et les gens que vous rencontrerez.

IMPRO

Après l'école secondaire, un ami ou une amie veut rester dans votre région pour continuer ses études, mais quant à vous, vous avez l'intention de poursuivre vos études ailleurs. Improvisez la conversation que vous auriez à ce sujet.

ON DISCUTE

On ne peut pas vraiment connaître son pays sans l'avoir traversé. Discutez.

PARTIE A

1. Identifiez le temps des verbes dans les phrases suivantes. Déterminez ce qu'on utilise pour former ce temps.

C'est le mois d'août. Elle **visitera** le Japon en septembre.

J'**attendrai** ton coup de téléphone la semaine prochaine.

Leur projet? Ils le **finiront** bientôt.

2. Donnez l'infinitif de chaque verbe dans les phrases suivantes.

Je n'**aurai** pas le temps de t'aider plus tard.

Tu **seras** très content ce soir.

Le travail? Il le **fera** demain.

Nous **devrons** faire le jardinage.

Vous ne **pourrez** pas venir vendredi prochain.

Ils **iront** au cinéma avec toi bientôt.

3. Complétez les phrases suivantes.
a) À l'âge de vingt ans, je...
b) À l'avenir, mes parents...
c) Après l'école, je...
d) Cet été, mes amis et moi...

LORSQUE

PARTIE B

1. a) Lisez les phrases suivantes.

Quand il sera prêt, nous sortirons pour aller au cinéma.

Je t'expliquerai la réponse **aussitôt que** je la saurai.

Téléphone-moi **dès que** tu arriveras à la maison.

Envoyez-nous les photos **lorsque** vous les aurez.

b) Dans les phrases ci-dessus, quel temps emploie-t-on après **quand**, **aussitôt que**, **dès que**, ou **lorsque**? Quel est le temps du verbe dans l'autre partie de la phrase?

2. Complétez les phrases suivantes.
a) Lorsque j'arriverai chez moi ce soir, je...
b) Quand j'aurai le temps, je...
c) Mes parents seront contents quand je...
d) Nous partirons dès que...

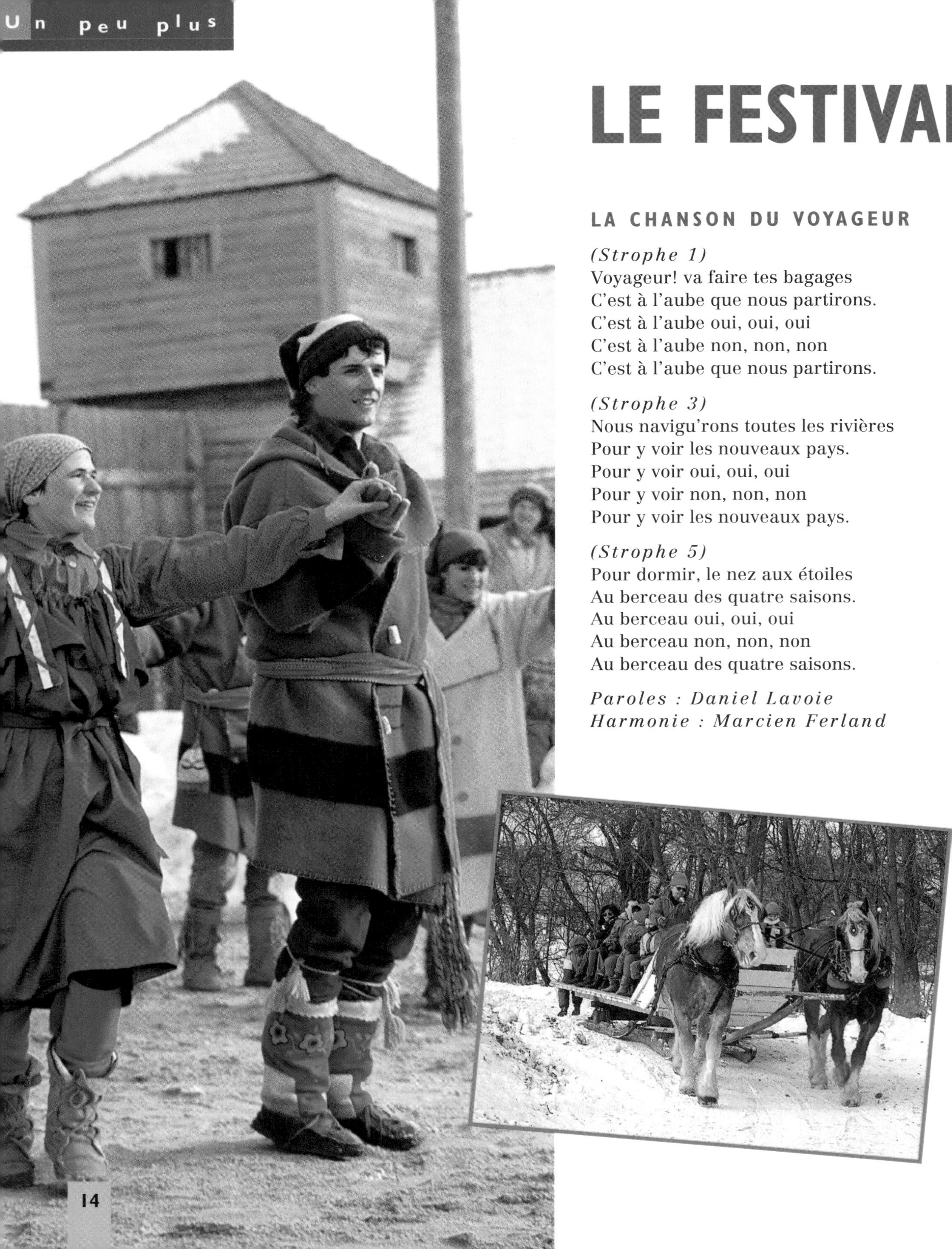

LE FESTIVAL

LA CHANSON DU VOYAGEUR

(Strophe 1)
Voyageur! va faire tes bagages
C'est à l'aube que nous partirons.
C'est à l'aube oui, oui, oui
C'est à l'aube non, non, non
C'est à l'aube que nous partirons.

(Strophe 3)
Nous navigu'rons toutes les rivières
Pour y voir les nouveaux pays.
Pour y voir oui, oui, oui
Pour y voir non, non, non
Pour y voir les nouveaux pays.

(Strophe 5)
Pour dormir, le nez aux étoiles
Au berceau des quatre saisons.
Au berceau oui, oui, oui
Au berceau non, non, non
Au berceau des quatre saisons.

Paroles : Daniel Lavoie
Harmonie : Marcien Ferland

DU VOYAGEUR

Lorsque des citoyens de Saint-Boniface, le berceau des Canadiens-Français de l'Ouest, ont décidé en 1969 de fonder une fête pour réchauffer l'hiver, ils ont choisi de rendre hommage au héros méconnu de l'histoire du Nord-Ouest, le voyageur. Le premier Festival a eu lieu en février 1970 pour commémorer le centenaire de la province du Manitoba.

Le Festival du Voyageur célèbre l'époque de la traite des fourrures dans le grand Nord-Ouest canadien, ainsi que le rôle social, culturel et économique du voyageur dans la découverte et le développement du Canada.

Les voyageurs étaient des employés recrutés par les compagnies de fourrures et pourvus d'un contrat, généralement pour trois ans. La journée de travail typique d'un voyageur était de 18 heures : il fallait ramer longtemps et faire de nombreux portages en portant sur les épaules canot et marchandises. On estime qu'en 1800, il y avait environ 5 000 voyageurs canadiens-français à l'ouest des Grands Lacs.

À mesure que la colonisation s'est avancée, les voyageurs sont devenus sédentaires et prirent pour femmes les filles du pays. C'est ainsi qu'est venue au monde la nation métisse, qui a fondé la province du Manitoba.

- Quels autres groupes ou peuples ont influencé le développement de notre pays? Comment?
- À cette époque, pourquoi voulait-on devenir voyageur?

Le Festival du Voyageur

On n'a pas besoin d'être francophone pour l'apprécier et s'amuser.

Chaque février est marqué par la plus grande fête hivernale de l'Ouest canadien, le Festival du Voyageur.

Situé à Saint-Boniface, le quartier français de Winnipeg, cet événement offre :

- **plus de 400 spectacles,**
- **plus de 80 sculptures sur neige et sur glace,**
- **des randonnées en traîneau et en charrette,**
- **des centres d'interprétation historiques,**
- **des courses de chiens de traîneau,**
- **des ventes et expositions d'artisanat,**
- **un jardin d'hiver pour les jeunes et les jeunes d'esprit,**
- **plus de 14 événements sportifs,**
- **le plus grand concours de barbus au monde,**
- **et beaucoup plus encore.**

AU VOLANT

1. a) Vous êtes en vacances au Québec. En groupes, planifiez un voyage en voiture de deux ou trois jours en vous référant à la carte ci-dessous. N'oubliez pas d'inclure :
   - la saison,
   - le point de départ et la destination,
   - les arrêts en route (au moins cinq),
   - les autoroutes,
   - d'autres détails.

   b) Présentez votre itinéraire à un autre groupe.

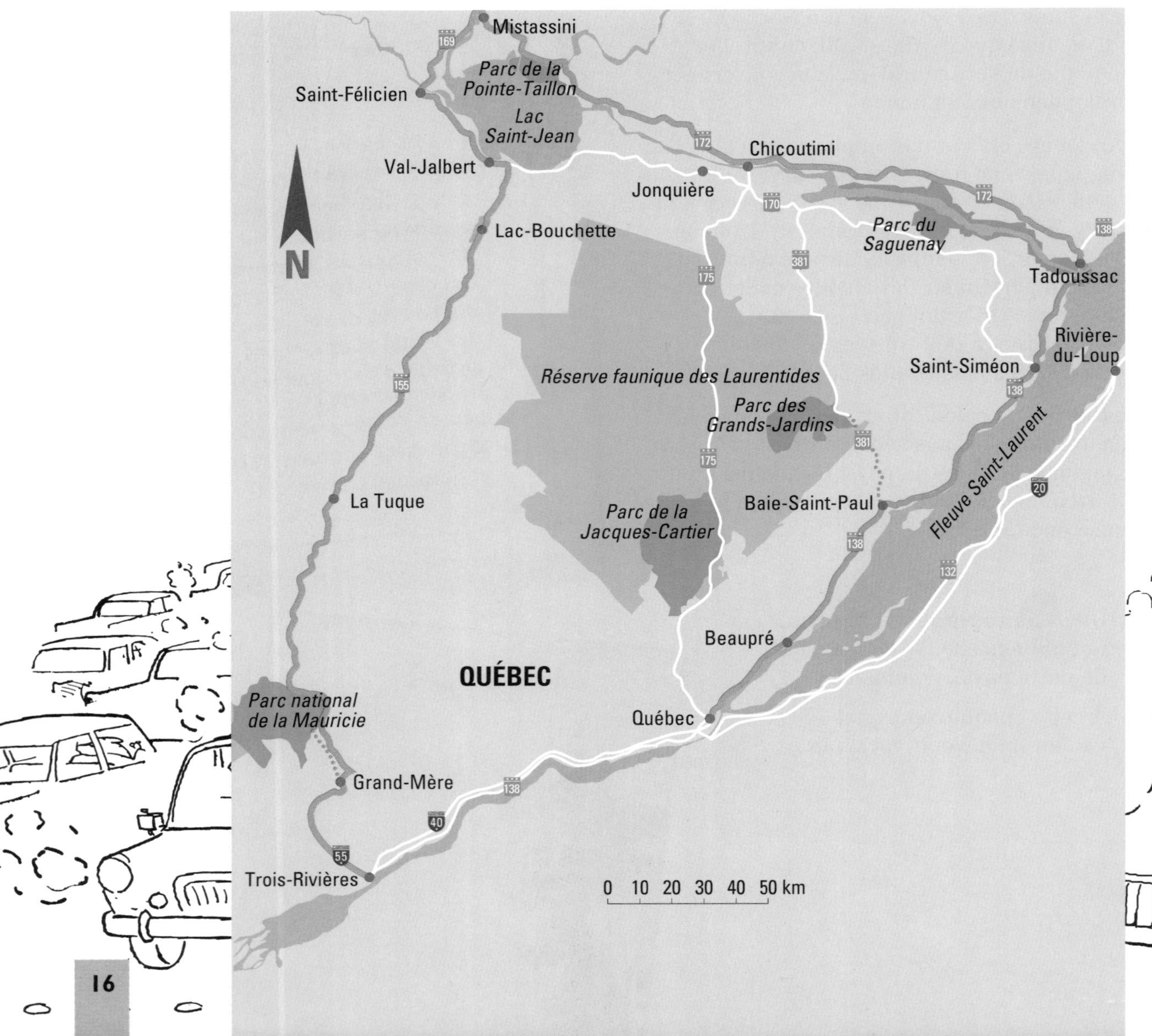

2. a) Faites le plan d'une partie de votre région ou de votre voisinage. N'oubliez pas d'inclure quelques rues ou autoroutes et des points de repère (sites importants, édifices, parcs, etc.).
   b) Maintenant, choisissez deux endroits précis sur votre plan (un point de départ et une destination). Donnez à votre partenaire des indications pour se rendre d'un endroit à l'autre.

POUR INDIQUER LA ROUTE

Pour aller à..., prenez...

Continuez/suivez... jusqu'à...

Au coin de...

Tournez à gauche/à droite...

Prenez la direction est/ouest/nord/sud...

POUR DONNER UNE EXPLICATION

Je conduis depuis... (semaines, mois)

Je ne peux pas encore conduire parce que...

Je n'ai pas envie de conduire maintenant parce que...

J'aimerais apprendre à conduire, mais...

À VOUS LA PAROLE

Savez-vous conduire? Si c'est le cas, depuis quand? Si vous ne conduisez pas, expliquez pourquoi.

IMPRO

Imaginez que votre ami(e) vous conduit chez vous après une soirée. Vous avez l'impression qu'il ou elle ne respecte pas le code de la route. Avec votre partenaire, créez une conversation qui reflète la situation.

ON DISCUTE

La personne qui conduit une auto a des responsabilités importantes. Discutez.

ATTENTION AUX PANNEAUX ROUTIERS!

Quand vous voyagerez en voiture, vous verrez sans doute quelques-uns des signaux ci-dessous.

Entrée interdite

Signal avancé de feux de circulation

Interdiction de dépasser

Virage

Cédez le passage

Perte de voie

Obligation de tourner à gauche

Chaussée glissante

Passage pour piétons

Risque de chutes de pierres

Voie de dépassement

Parc du Québec

Bureau d'information touristique

Site historique du Québec

Début d'une zone scolaire

Hôtel, motel, auberge

Passage étroit

Camping

Chaussée cahoteuse

Halte routière

 Quels panneaux routiers (ou spatiaux) verra-t-on en l'an 2075?

UNE JEUNE AUTOMOBILE...

Une jeune automobile
pour la première fois se promenait en ville,
fière de ses fraîches couleurs,
de ses chromes, de son moteur.
— Ah! disait-elle à ses sœurs,
voyez comme je suis belle!
Je peux filer pareille à l'hirondelle
plus vite que le vent et je peux m'arrêter
au moindre coup de frein. Je suis, en vérité,
la championne de la distance
de la grâce et de la prestance
et de la rapidité.
Or, sachez que je ne dépense
qu'un peu d'huile et qu'un peu d'essence.
Je glisse sur mes quatre pneus
comme sur un tapis laineux,
franchissant les coteaux, les montagnes, les plaines...
On m'admire partout; partout, je suis la Reine.
On ne saurait rêver plus splendide cadeau.
Une très vieille torpédo
qui sommeillait au garage,
grommela sur son passage :
— Je n'en disconviens pas. Tout ceci est fort bien,
tu vas, tu viens,
tu vires,
mais tu ne servirais de rien
sans un chauffeur pour te conduire.

Pierre Gamarra

- Laquelle est la plus importante : la voiture ou la personne au volant?
- Posséder une voiture présente des avantages et des inconvénients. Discutez.

L'ACADIE

Le peuple acadien est issu d'une centaine de familles françaises qui se sont établies au cours du 17e siècle autour de la Baie Française (l'actuelle baie de Fundy) au cœur d'un territoire nommé l'Acadie.

D'OÙ VIENT LE NOM ACADIE?

On a cru longtemps que le nom était d'origine indienne. Il est prouvé maintenant que le nom **Acadie** a été employé pour la première fois par l'explorateur italien, Giovanni da Verrazano. Lors du voyage qu'il a fait en 1524 pour le compte du roi de France, François 1er, il a baptisé **L'Arcadie** les terres qu'il voyait de son bateau en longeant la côte, rappelant ainsi une région de l'ancienne Grèce qui représentait alors le pays du bonheur calme et serein. Par la suite, ce nom a perdu le «r» et est devenu **Acadie**.

UN PEU D'HISTOIRE SUR L'ACADIE

En 1713, à la suite du traité d'Utrecht, la colonie française passe à l'Angleterre et une partie du territoire perd son nom d'Acadie pour s'appeler dorénavant «Nova Scotia».

Vers 1750, ces habitants d'origine française forment une communauté animée par un esprit d'indépendance, une culture et un mode de vie particuliers. Les Anglais s'inquiètent et doutent de la fidélité inconditionnelle de ces habitants. Ils entreprennent donc de leur faire signer un serment d'allégeance. Mais les Acadiens désirent rester neutres dans les luttes territoriales franco-britanniques et plusieurs refusent de signer ce serment.

1755-57, l'Angleterre décide donc de déporter tous les Acadiens de la région parce qu'ils refusent de signer le serment d'allégeance. C'est ainsi qu'environ 6 000 personnes sont transportées par bateau dans les colonies anglaises du Massachusetts, de la Pennsylvanie, du Maryland et de la Caroline du Nord.

1758-1762, un deuxième contingent est rapatrié en France. L'exode des Acadiens continue. Un troisième groupe part pour la Martinique et la Guyane Française.

À partir de 1764, beaucoup de déportés acadiens demandent de revenir «chez eux». Ils peuvent s'établir par petits groupes sur les terres inoccupées de la région de l'Atlantique à la condition de prêter le serment d'allégeance.

Un bon nombre choisissent de rester en France. D'autres choisissent le Nouveau Monde : soit la Louisiane, soit le Québec, soit un coin du Nouveau-Brunswick.

VIENS VOIR L'ACADIE

(Refrain)
Viens voir l'Acadie
Viens voir le pays
Le pays qui m'enchante
Je te le dis, je te le chante
Je te le crie, je te le montre

(Strophe 1)
Deux cents ans ont passé
On a fait qu'exister
Perdus dans le silence
Si tu regard'au loin
Tu verras qu'on revient
On remonte la pente

(Stophe 5)
Tu trouveras des copains
Des amis acadiens
Qui parlent ta langue
Si tu viens sous mon toit
Ce sera comme chez toi
On saura te comprendre.

Donat Lacroix

L'ACADIE D'APRÈS ANTONINE MAILLET

Antonine Maillet est une écrivaine célèbre qui tire une immense fierté de ses origines acadiennes. *La Sagouine*, pièce de théâtre qui a «lancé» Antonine Maillet sur la scène littéraire, est une collection de monologues sur la vie acadienne présentée par une vieille dame d'humble condition mais d'une grande sagesse. Chaque monologue traite d'un sujet différent : la perte d'un être cher, l'influence de l'Église, la vie rude et dure des Acadiens. Assise sur sa berceuse ou lavant les planchers, la Sagouine nous raconte les épisodes de sa vie, nous fait connaître les habitants de la région et nous apprend les mœurs de la société acadienne de l'époque. Philosophe, raconteuse, historienne, la Sagouine est l'âme même du peuple acadien.

Dans une entrevue accordée au *Journal Français d'Amérique*, Antonine Maillet répond à la question : Qu'est-ce que c'est que l'Acadie?

«L'Acadie n'est pas tellement un lieu, c'est un espace mobile, dit-elle. L'Acadie n'a pas de pays, elle a une histoire. Au lieu d'être un pays, c'est un peuple. Parce que (et la raison en est toute simple) le lieu géographique que l'on appelle Acadie a perdu son statut juridique d'Acadie. Il n'y a plus d'Acadie; il y a encore des Acadiens. Et c'est ça l'Acadie.»

Bouctouche

Le Pays de la Sagouine

LE PAYS DE LA SAGOUINE, C'EST AVANT TOUT BOUCTOUCHE

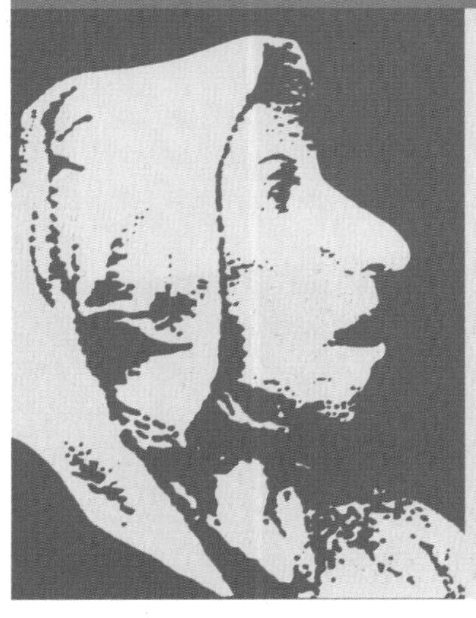

Village natal d'Antonine Maillet, Bouctouche au Nouveau-Brunswick a inspiré à cette auteure les personnages et l'univers de *La Sagouine*. «Bouctouche n'est pas la première ville du monde, mais il est le premier, l'unique, et le plus beau Bouctouche! Et puis il est le mien.»

Un projet, visant à faire revivre le monde unique du début du siècle rendu célèbre par Antonine Maillet, voit présentement le jour à Bouctouche.

À vos premiers pas au Pays de la Sagouine, vous serez plongé dans une atmosphère magique — l'univers de *La Sagouine*. Cette femme sage et sincère saura vous émerveiller et vous divertir.

Le Congrès mondial acadien symbolise le retour des Acadiens et Acadiennes de par le monde. On a vu à l'été 1994 le plus grand rassemblement acadien depuis la Déportation de 1755.

ÉVÉNEMENTS MAJEURS

Cérémonie d'ouverture : Elle a été marquée par un «frolic» acadien, à Cap-Pelé. Le frolic acadien consiste en une série de spectacles de musique continus d'une durée de 24 heures. La tradition des frolics, très vive il y a une quinzaine d'années, a redémarré en 1994 après quelques années d'interruption.

Célébration de la Fête nationale du 15 août : Les activités de la journée, se déroulant dans trois municipalités, ont abouti à la plage Parlee de Shediac, où a eu lieu un spectacle à grand déploiement réunissant les principales vedettes acadiennes de la scène nationale et internationale.

Forum de réflexion sur l'Acadie du XXIe siècle : De trois à cinq mille personnes se sont réunies afin de discuter sur quatre thèmes précis : communication, culture et patrimoine, économie et éducation.

Réunions de familles : Au moins 35 réunions de familles ont eu lieu dans le sud-est du Nouveau-Brunswick au cours des *Retrouvailles 1994*.

D'autres activités culturelles, touristiques, économiques, historiques et sportives sont venues s'ajouter au programme. Parmi celles-ci, mentionnons un festival de la gastronomie, des croisières, des visites organisées et, pour clôturer l'événement, un superspectacle.

Pour la découverte, pour l'émotion, pour la fête et pour le plaisir d'être ensemble, *Retrouvailles 1994* a donc invité les Acadiens et Acadiennes et les amis de l'Acadie de par le monde à se rassembler dans la région du sud-est du Nouveau-Brunswick, berceau de l'Acadie moderne au cœur des provinces atlantiques. Les participants ont vécu tout simplement le plus beau, le meilleur, le plus chaleureux, le plus tendre et le plus éclatant... le plus enchanteur de l'Acadie!

ÉDITO Qu'y a-t-il de commun entre les baleines du Saint-Laurent, les temples d'Angkor et le parapente? Les goûts des Français pour leurs voyages comme pour leurs loisirs ont évolué. Nos compatriotes ne veulent plus «bronzer idiot», selon l'expression consacrée. Le tourisme culturel tend à devenir à lui seul un tourisme de masse. Évolution stupéfiante pour les sociologues : 70 % de nos compatriotes associent spontanément l'idée de «se cultiver» et celle de partir en voyage. Le développement du tourisme vert n'est pas moins impressionnant : randonnées; séjours dans les fermes et gîtes d'étape; visites des parcs naturels, des zoos. Dans la rubrique «Aventure», enfin, raids, trekkings et croisières, stages d'initiation aux sports mécaniques, de glisse ou de grimpe, s'inscrivent au hit-parade des catalogues de nombreux voyagistes. Le Français aujourd'hui est curieux de tout et, en bon individualiste, marque sa préférence pour des activités éclectiques et originales. S'initier au parapente dans les Pyrénées, ou à l'observation des baleines du Saint-Laurent; ou découvrir les merveilles des temples d'Angkor au Cambodge... Le programme est riche!

Aventure : Faire du parapente dans les Pyrénées

Grâce au parapente, on se sent pousser des ailes. Voici le récit d'un premier essai de vol libre dans la haute vallée de Barèges.

Air Aventure Pyrénées, l'école qui m'a permis de m'initier au vol libre en parapente, dispose d'un site magnifique près de Barèges dans les Hautes-Pyrénées. Elle est animée par trois moniteurs diplômés. À son programme : initiation en biplaces (250 F), stages d'initiation et de perfectionnement (2 000 F la semaine). Un bon point supplémentaire : on y fait beaucoup de vols, une quinzaine par stage si le temps le permet.

D'un coup, le vent me murmure mille choses. Le ciel me soulève, le paysage me saute au visage. Les prés sont devenus des timbres-poste, les voitures ont la taille de fourmis. De petites taches noires, qui étaient encore mes semblables il y a seulement quelques instants, s'agitent tout en bas. Je me répète tout bas que c'est vraiment magique, que c'est grandiose, que j'en rêvais depuis longtemps. J'ai quand même un peu de mal à m'en convaincre. Pourtant, ça y est, je vole!

Mes mains sont crispées sur des commandes qui n'ont pas besoin de tant d'attention. Je me tiens aussi à l'aise sur ma sellette que si c'était un nœud de vipères. Pourtant, cela fait deux jours que nous transpirons pour ce seul résultat, encadrés par les moniteurs d'Air Aventure Pyrénées.

Hubert Prolongeau, *GÉO SPÉCIAL ACTION*

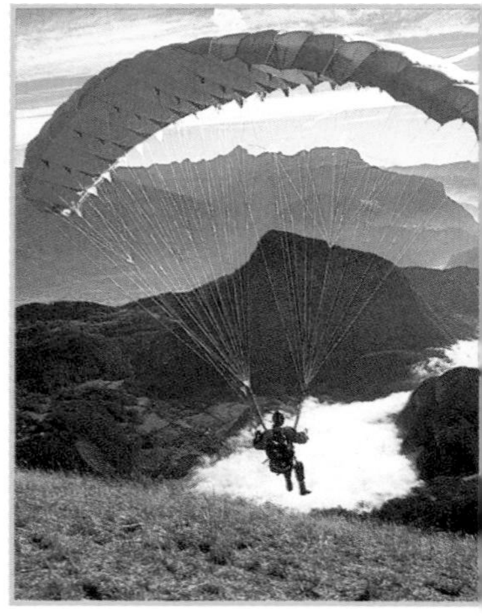

Avant le grand saut, l'élève pilote apprend à gonfler sa voile sur une pente-école, puis à la manœuvrer sur une sellette suspendue à un portique. Même pour les pilotes confirmés, le décollage et l'atterrissage restent des moments délicats.

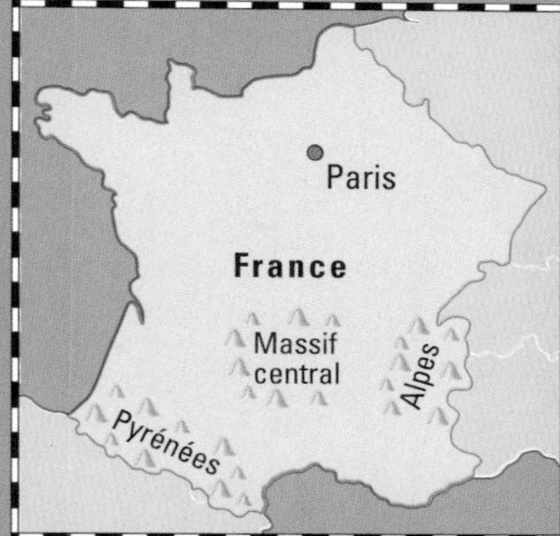

Dans l'écrin des plus belles montagnes de France

Pyrénées, Alpes, Massif central : avec ses nombreuses chaînes de montagnes, la France offre de multiples possibilités aux parapentistes. Mais la beauté du spectacle ne doit pas faire oublier que certains sites requièrent une haute technicité.

Mieussy : pour nostalgiques

C'est de là qu'en 1977 Jean-Claude Bétemps décolla avec le premier parapente. Aujourd'hui, cet endroit situé près du mont Blanc attire débutants et compétiteurs. Le site offre de nombreuses possibilités aérologiques. Gare cependant à l'atterrissage : la vallée est étroite.

Puy-de-Dôme : pour débutants

Vol au-dessus du volcan, certes. Mais pas de mauvaises surprises à craindre dans ce site ouvert de tous côtés : ni coups de vent, ni obstacles. Une route à péage permet d'accéder à la zone d'envol.

Saint-Hilaire : pour rire

Ce site de falaises situé près de Grenoble est un des plus fréquentés. Il accueille chaque année la coupe Icare. Au programme : vols insolites et déguisés.

Nature : Observer les baleines du Saint-Laurent

Le saut spectaculaire des baleines n'a cessé d'intriguer les chercheurs.

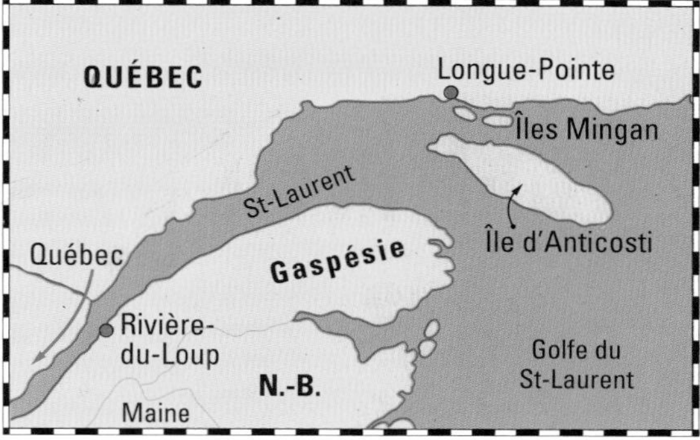

Cinq mètres à bord, H07, alias Nocturne, rorqual (baleine) à bosse de bonne taille, nage parallèlement à notre embarcation pneumatique. Comparé à la baleine, notre canot, long pourtant de huit mètres, ne fait pas le poids. Nous sommes sept à bord et, matériel compris, nous devons peser mille kilogrammes au mieux. H07, lui, pèse quarante tonnes, soit le poids d'un troupeau de dix éléphants! Je n'ose imaginer ce qui se passerait si nous devions entrer en collision, lui et nous... J'en ai le souffle coupé. Ce n'est pas le cas du rorqual! Avec le chahut d'une locomotive, il émet un jet de buée blanchâtre et nauséabond qui s'élève à cinq mètres de hauteur. William, l'un des équipiers de la station des îles Mingan que j'accompagne dans leur Zodiac, m'en donne la raison : ces relents sont dus aux fines gouttes d'huile et de mucus présentes dans les poumons du mammifère.

Nous vivons une expérience hors du commun : l'observation scientifique de baleines en pleine mer. Nous nous trouvons dans le détroit de Jacques-Cartier, près de l'embouchure du Saint-Laurent, au nord-ouest du Québec. Déjà trois heures que nous avons quitté le port de Longue-Pointe.

Nous avons commencé à nous rapprocher de H07, la baleine à bosse que William connaît bien. William se couche à plat ventre à l'arrière du bateau et, de la main droite, tapote cette énorme île flottante. Je suis éberlué. Je me demande si notre baleine, avec sa peau épaisse et ses 15 centimètres de graisse, perçoit la caresse. «Elle est hypersensible, affirme William, essayez vous-même, vous sentirez sa réaction.» Il nous explique ensuite que la partie de son cerveau qui enregistre les informations tactiles est fortement développée. Spectacle éblouissant, et pas seulement pour le regard. H07 se manifeste à notre attention par de nombreux bruits. Les sons qu'il émet vont du gargouillement intense au bruit d'un gong métallique. Voici qu'émerge son énorme tête conique et nous entendons un orchestre à lui seul. Quelle aventure inoubliable!

William se penche pour caresser la tête de la baleine. Le monstre marin sentira la caresse car, en dépit d'une couche de 15 cm de graisse, il possède une sensibilité tactile remarquable.

Démonstration de force

La baleine à bosse est championne du saut et surpasse même la baleine grise et la baleine blanche. Certaines baleines à bosse «s'envoient ainsi en l'air» des dizaines de fois à la suite, le record étant de 130 sauts en 75 minutes.

Une abondance d'énergie

Lourde comme 500 hommes, la baleine à bosse peut survoler l'eau de plusieurs mètres, à la vitesse de 15 nœuds (28 km/h). Elle dépenserait ainsi l'équivalent de 2 500 kilocalories, soit la ration alimentaire quotidienne d'un être humain. C'est par les temps turbulents que les baleines sautent le plus, peut-être pour signaler leur position quand le bruit des vagues couvre leurs vocalises. Le saut peut aussi marquer une allégresse ou un défi entre mâles. Cette démonstration de puissance dérive en parade nuptiale.

Drôle de ponctuation

Selon des témoignages de baleiniers, le saut servirait aussi à désigner un danger à ses semblables. Plus qu'un discours, ce serait une sorte de «point d'exclamation physique» sur des expressions d'inquiétude, de plaisir ou de colère.

Yves de Saint Agnès et Hervé Gloaguen, *GÉO SPÉCIAL ACTION*

Culture : Découvrez les merveilles d'Angkor au Cambodge

Angkor ne se dévoile pas en un jour. Prenez le temps de visiter le vaste ensemble dispersé dans la jungle.

La campagne cambodgienne respire la tranquillité d'une fin d'après-midi bucolique. Pas moi. J'ai rendez-vous avec Angkor. Et j'ai le trac. J'ai peut-être trop lu, trop rêvé d'Angkor pour ne pas être déçu. Enfin j'aperçois le sommet des tours d'Angkor Vat au-dessus des palmiers. Encore quelques mètres et les cinq tours en forme de tiares apparaissent entièrement. Face au soleil couchant, le grès s'enflamme aux teintes oranges, pourpres et mauves. J'ai l'impression étrange d'avoir atterri sur une planète abandonnée.

Angkor fascine par un mélange de science-fiction et d'archéologie. Maintenant, je n'ai plus peur d'être déçu. Le nom d'Angkor vient du sanscrit *nagara* qui signifie «la ville» ou «la capitale». C'est le cœur de l'une des civilisations les plus passionnantes de l'histoire de l'humanité, le cœur d'un empire qui a dominé l'Asie du Sud-Est pendant six siècles. Sur un site de 300 kilomètres carrés, fertilisé par les eaux du Tonlé Sap, «le grand lac», tout proche, les rois khmers ont installé leurs capitales successives entre le IXe et le XVe siècle. De toutes ces villes riches et peuplées, il ne reste que les vestiges d'un extraordinaire système d'irrigation fondé sur un réseau de canaux et de bassins monumentaux, les *barays*. Et bien sûr, les temples de brique, de latérite et de grès.

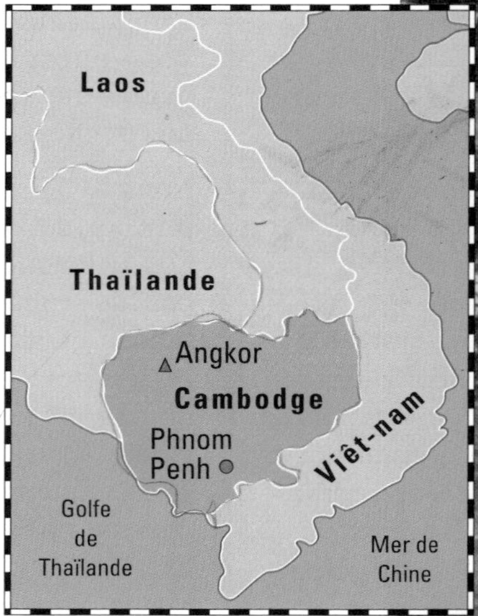

Angkor, à 300 kilomètres de la capitale de Phnom Penh.

Christophe Cachera et Christophe Loviny, *GÉO SPÉCIAL ACTION*

LES ROIS QUI ONT FAIT ANGKOR

802 La fondation
Souverain d'un petit royaume khmer, Jayavarman se fait sacrer «roi des rois» et installe sa capitale à Angkor.

877 La puissance
Indravarman élargit le royaume vers la Thaïlande et quadrille la région de canaux qui assurent la richesse d'Angkor.

889 La prospérité
Yasovarman fait creuser le baray oriental et multiplie par six les surfaces cultivables.

1010 L'expansion
Suryavarman 1er annexe à l'empire une partie du Siam et le sud de l'actuel Laos.

1050 La rébellion
Udayadityavarman II inaugure une période de luttes pour le pouvoir et de raids chams.

1181 L'apothéose
Jayavarman VII, le grand souverain bouddhiste, relève Angkor de ses ruines et couvre sa capitale de monuments : le Bayon, Ta Prohm, Preah Khan.

1432 L'oubli
Après Jayavarman, c'est la décadence. Au terme de décennies de combats contre les Thaïs, Angkor est abandonnée par les rois khmers. Une nouvelle capitale est choisie : elle deviendra Phnom Penh.

COMPRÉHENSION

Édito

1. Expliquez l'expression «bronzer idiot».
2. a) Les Français d'aujourd'hui s'intéressent à trois genres de voyages. Nommez-les.
   b) Donnez quelques exemples pour chaque genre.
3. Pourquoi dit-on que les touristes français préfèrent des activités éclectiques et originales?
4. Qu'est-ce que les baleines, le parapente, et les temples représentent pour les touristes français d'aujourd'hui?

Aventure

1. Où le parapentiste a-t-il appris à faire du parapente?
2. Décrivez le paysage vu par le parapentiste lors de son premier essai.
3. Quels sont les moments les plus délicats pour les parapentistes?

Nature

1. À quoi pouvez-vous comparer le poids de la baleine à bosse
2. Nommez quelques faits intéressants sur la baleine.
3. Expliquez l'expression «un orchestre à lui seul».
4. Pourquoi les baleines sautent-elles?

Culture

1. Où se trouve Angkor et pourquoi est-ce un endroit célèbre?
2. Décrivez ce que l'auteur voit lorsqu'il arrive à Angkor.
3. Quelle image vient à l'esprit de l'auteur quand il voit Angkor pour la première fois?
4. Que signifie le nom «Angkor»?
5. Choisissez trois rois et dites ce qu'ils ont fait pour Angkor.

APPLICATION

1. Pensez à d'autres voyages qui tombent dans les catégories d'aventure, de culture ou de nature. Choisissez un de ces voyages et expliquez vos préférences pour un tel voyage à votre partenaire.

2. Dans votre région, qu'est-ce qui pourrait être une attraction intéressante pour des touristes? Expliquez pourquoi.

3. a) À quels pays associez-vous les merveilles suivantes?

le Rocher Percé	**l'Angleterre**
les pyramides	**la France**
le château de Versailles	**l'Inde**
le Grand Canyon	**le Canada**
la Grande Muraille	**l'Italie**
le Taj Mahal	**la Chine**
le monument de Stonehenge	**l'Égypte**
le Colisée de Rome	**les États-Unis**

b) Laquelle de ces merveilles aimeriez-vous visiter? Pourquoi?

4. Nommez une personne qui est devenue célèbre à cause d'un voyage extraordinaire qu'elle a fait. Décrivez ce voyage.

le Rocher Percé

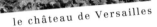

le château de Versailles

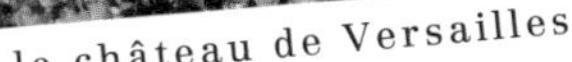

Stonehenge

EXPANSION

1. Quelles seraient certaines caractéristiques des voyageurs qui recherchent :
a) l'aventure?
b) la culture?
c) la nature?

2. Pensez à un voyage d'aventure extraordinaire. Puis préparez la page couverture d'un magazine qui traite de ce voyage.

COIN DE RECHERCHES

1. Faites de la recherche sur **une** merveille du monde et décrivez-la (par exemple, une des Sept Merveilles de l'ancien monde, une merveille naturelle, etc.).

2. Planifiez un voyage d'aventure. Choisissez votre destination et faites de la recherche sur l'endroit (les éléments culturels, historiques, géographiques, touristiques, etc.).

le Colisée

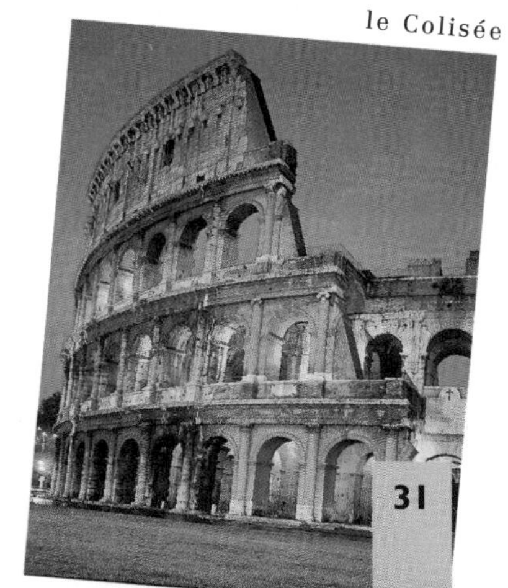

PARTONS À L'AVENTURE

1. a) Voici une liste de voyages d'aventure. Choisissez **trois** voyages qui vous intéressent.

- un safari au Kenya
- le rafting en Nouvelle-Zélande
- le vélo tout-terrain au Colorado
- une croisière en Alaska
- l'escalade d'une montagne dans les Alpes
- une excursion en train à travers la Sibérie
- une promenade dans le Sahara à dos de chameau
- un voyage en canot sur l'Amazone

b) Maintenant, présentez-les à votre partenaire et justifiez vos choix.

2. a) En groupes, choisissez **une** aventure dans la liste ci-dessus. Planifiez votre voyage (durée, itinéraire, équipement et vêtements nécessaires, etc.).

b) Décrivez ce que vous allez faire en arrivant à destination.

POUR PARLER D'UN CHOIX PERSONNEL

Depuis longtemps je veux voir/faire/aller... parce que...
Je veux depuis longtemps voir/faire/aller... parce que...
J'ai toujours voulu voir/faire/aller... parce que...
Cela m'a toujours intéressé(e) de voir/faire/aller... parce que

POUR PARLER DE DEUX ACTIONS SIMULTANÉES

En arrivant..., on doit/il faut aller/échanger/vérifier/obtenir...

À VOUS LA PAROLE

Avez-vous déjà vécu une aventure ou une expérience intéressante? Décrivez-la. Qu'est-ce que cette expérience vous a enseigné?

ON COMPOSE

Un voyage d'aventure vous amène dans un lieu extraordinaire. Écrivez une carte postale de cet endroit.

MINI-PROJET

En groupes, créez un jeu basé sur des endroits intéressants à visiter. Référez-vous aux faits géographiques, historiques, touristiques, etc.

nathalie *Mon premier tour du monde*

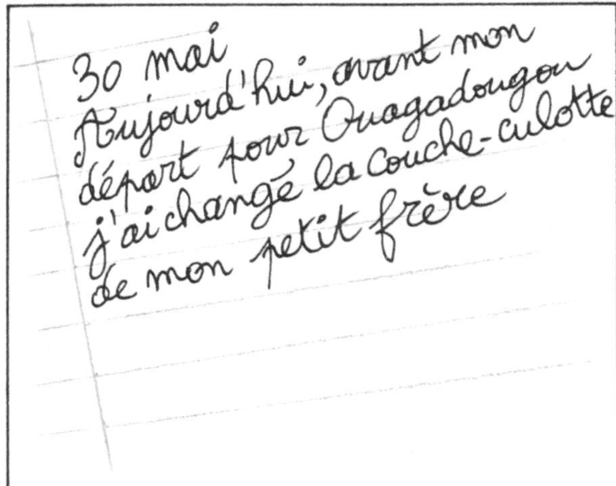

PARTIE A

1. a) Lisez les phrases suivantes. Combien d'actions y a-t-il dans chaque phrase?

Je me détends **en lisant** des romans.

Elle regardait la télé tout **en parlant** au téléphone.

b) Ces actions se passent-elles simultanément ou successivement? On appelle **lisant** et **parlant** des participes présents. Quand peut-on donc utiliser des participes présents?

2. a) Comment forme-t-on le participe présent d'un verbe? Référez-vous au tableau suivant.

présent		participe présent
nous travaillons	➡	(en) travaillant
nous choisissons	➡	(en) choisissant
nous voyons	➡	(en) voyant
nous mangeons	➡	(en) mangeant

b) Quel mot peut-on utiliser devant le participe présent?

3. Complétez les phrases suivantes.
a) Je fais mes devoirs en...
b) Nous parlons au téléphone tout en...
c) J'aime regarder un film en...
d) Je m'amuse en...

PARTIE B

1. a) Lisez les phrases suivantes.

En **lui parlant**, j'ai reçu de bonnes nouvelles de sa famille.

En **y arrivant**, j'étais émerveillé par la beauté des jardins.

b) Si le participe présent a un complément d'objet, où met-on le pronom?

2. a) Lisez les phrases suivantes.

En **me promenant**, j'ai vu des canards.

En **te reposant** maintenant, tu seras moins fatigué plus tard.

Nous arriverons à l'heure en **nous dépêchant**.

b) S'il y a un pronom réfléchi devant le participe présent, avec quoi correspond-il?

3. Quel est l'infinitif de chaque participe présent suivant?

En **étant** généreux, vous aurez des amis.

Ayant besoin d'argent, il en a demandé à son frère.

Sachant que sa tante viendrait la voir, elle a décidé de lui acheter un cadeau.

4. Complétez les phrases suivantes.
a) En me dépêchant, je...
b) En nous promenant, nous...
c) En leur parlant, je...
d) Étant très..., je...
e) Ayant faim, je...

Parlant

LES SEPT TRAVAUX DE CHRISTINE

L'alpiniste Christine Janin est en passe de réussir son pari : gravir les sept plus hauts sommets de la Terre. Avant elle, aucune femme ne l'avait encore tenté.

Christine Janin est déjà la première Française sur le toit du monde, puisqu'elle a vaincu le mythique Everest (8 848 m) le 5 octobre 1990. Depuis, elle s'est attaquée, non pas à une, mais aux sept montagnes les plus hautes des cinq continents.

Un ennemi, le froid Après l'Himalaya, c'est le mont Vinson (5 140 m), point culminant de l'Antarctique, qu'elle gravit en décembre 1991. Là, elle endure le «blizzard» et les températures extrêmement basses du pôle Sud. Puis c'est le McKinley (6 194 m), en Amérique du Nord, bien connu des montagnards confirmés. Elle doit y supporter les vents violents, les orages fréquents, et le froid, toujours le froid...

Tout comme en juillet dernier, dans le Caucase (ex-URSS), avec le plus haut sommet européen, qui n'est pas le mont Blanc (4 807 m), mais le mont Elbrouz (5 643 m). Cette fois, elle avait emmené avec elle des adolescents parisiens jusqu'au camp de base afin de leur faire partager sa passion.

Le mois suivant, Christine, médecin dans le civil, emmène cinq autres jeunes jusqu'en Afrique où elle retrouve le célèbre Kilimandjaro (5 895 m).

Un sommet qu'elle avait déjà atteint avec une autre grande montagnarde, Catherine Destivelle... avant de redescendre en parapente!

Dans la foulée, elle réussit brillamment l'ascension du mont Cartensz (4 884 m, en Océanie), surnommé «Fleur blanche» par les habitants d'Indonésie et de Nouvelle-Guinée.

Le toit des Andes Et ce n'est pas terminé. La mangeuse d'étoiles est repartie pour son septième sommet : l'Aconcagua (6 959 m, Amérique du Sud), appelé aussi «Le toit des Andes» par les Incas. Si tout se passe bien, c'est là-haut qu'elle passera le réveillon du premier de l'an. Un proverbe dit qu'«il n'y a que les montagnes qui ne se rencontrent jamais». Christine Janin, elle, est en train de le démentir...

Guillaume Chérel

- Qu'est-ce qui pousse une personne à vouloir battre un record mondial ou réaliser un exploit extraordinaire?
- Quel record mondial aimeriez-vous battre? Pourquoi?

EN ROUTE

1. a) Imaginez que vous êtes en France et que vous voulez voyager par train. Avec votre partenaire, examinez l'horaire ci-dessous et répondez aux questions suivantes.

- À quelle heure le premier train part-il de Strasbourg?
- Quels jours circule-t-il et quels services offre-t-il?
- À quelle heure le dernier train arrive-t-il à Grenoble? Quels services offre-t-il?
- Combien d'arrêts y a-t-il en route?
- Lequel des trains est un TGV?
- Lesquels des trains circulent le dimanche?

Symboles

Arrivée .... A
Départ .... D
Train de grande vitesse .... TGV

Services

Voiture-lits ....
Bar ....
Train Famille ....
Facilités handicapés ....
Vélo ....
Voiture-restaurant ....
Restauration à la place ....
Couchettes ....

Horaire

Numéro de train		115	225	320	480
Notes à consulter		1	2	3	4
Strasbourg	A				
	D	06.10	08.15	13.45	16.55
Colmar	A	06.40			17.25
	D	06.45			17.37
Besançon	A	08.33		15.54	19.20
	D	08.45		16.05	19.33
Bourg-en-Bresse	A	11.05		18.19	21.37
	D	11.15		18.27	21.48
Aix-les-Bains	A	12.19		19.33	22.59
	D	12.28		19.42	23.07
Grenoble	A	13.23	11.33	20.30	23.49
	D				

Notes

(1) Circule : tous les jours sauf les samedis, dimanches et fêtes

(2) Circule : les lundis, mercredis et vendredis sauf les 24, 25, 31 décembre, 1er janvier, 15 et 16 avril
- TGV

(3) Circule : à partir du 1er septembre tous les jours

(4) Circule : les vendredis et dimanches sauf les 2 novembre, 26 décembre, 2 janvier, 7 avril, 2 et 9 mai

* Tous les trains offrent des places assises en 1re et 2e classe, sauf indication contraire dans les notes.

b) Maintenant, téléphonez pour commander un billet. Jouez les rôles d'un client ou d'une cliente et d'un agent ou d'une agente qui discutent des détails. N'oubliez pas d'inclure :

- l'heure du départ et de l'arrivée,
- le genre de billet (aller simple ou aller-retour),
- le prix des billets,
- comment vous allez payer (comptant, avec une carte de crédit ou par chèque).

c) Présentez votre conversation à un autre groupe.

POUR OBTENIR DES RENSEIGNEMENTS

Pourriez-vous me dire si/quand/à quelle heure, etc. ...
Je voudrais savoir si/quand, etc. ...
Est-ce que je pourrais/devrais...
Un billet pour... ça fait combien?

a) Lisez les renseignements ci-contre sur les hôtels.
b) Répondez aux questions suivantes.
   - Quel est le prix le plus modeste et le plus cher?
   - Quel établissement offre le petit déjeuner?
   - Quel lieu a les meilleurs services pour les jeunes?
c) Quel endroit choisiriez-vous? Pourquoi? Référez-vous aux activités et services offerts.
d) Déterminez combien il faudrait payer pour trois nuits à cet hébergement.

Maintenant, faites une réservation. Jouez les rôles d'une personne qui téléphone à un de ces hébergements et de la personne préposée à la réception. N'oubliez pas d'inclure :
- la sorte de chambre,
- la date et l'heure de votre arrivée,
- le nombre de nuits,
- le mode de paiement.

HÔTEL DU STADE

- un centre conçu pour l'accueil des sportifs
- situé près du site olympique de 1992
- randonnées pédestres guidées dans les montagnes
- tennis couvert
- piscine
- table tous régimes
- chambres tout confort à partir de 315 F par semaine

AUBERGE INTERNATIONALE

- 70, rue Voltaire
- auberge supérieure de 200 lits
- tout près de la gare, à quelques minutes du centre-ville
- ouverte 24 heures par jour
- à la portée des jeunes bourses : chambre double à partir de 75 F par jour; chambre individuelle : 80 F (petit déjeuner compris)
- prix forfaitaires pour groupes
- usage des machines à laver (15 F)
- guides multilingues disponibles pour groupes de plus de 10 personnes
- Centre régional d'Information Jeunesse situé tout près de l'auberge

HÔTEL DE GRENOBLE

- 48, rue de la République
- chambres climatisées, téléviseur, téléphone, radio; 450 F par jour en pleine saison; principales cartes de crédit
- restaurant panoramique
- les mets régionaux sont la spécialité du chef
- carte de vins fins (dégustation et possibilité d'achat sur place)
- animation de soirée
- coiffeur
- terrain de golf

AUBERGE CAMPAGNARDE

- 8, rue de la Poste
- un château dans les montagnes
- des paysages à couper le souffle
- chambres privées avec douche à partir du 120 F par jour, petit déjeuner compris
- un Centre de Plein Air international
- un véritable paradis du vélo : des kilomètres de pistes cyclables
- des vélos à louer
- toute une gamme d'activités au choix : de la parapente à la peinture

GÎTE À L'ARBRE VERT

- pension de famille Luttenbacher
- situé dans le cadre idéal d'une magnifique forêt, loin de la ville et de la pollution, pour ceux qui préfèrent le calme et le repos en plein air
- accès facile aux sports d'hiver fond et alpin
- toutes sortes d'animaux domestiques sur les lieux
- en plus : une école d'équitation renommée
- 30 F par personne; 25 F pour une promenade à cheval
- ambiance intime

VOUS LA PAROLE

vez-vous eu l'occasion de rester ans un hôtel? Si oui, lequel? Pour ombien de nuits? Décrivez cet ôtel. Sinon, vous pouvez décrire un utre hébergement où vous avez gé pendant vos vacances.

N COMPOSE

omposez un journal intime de cinq jours dans lequel vous décrivez un oyage d'aventure ou une excursion que vous avez faite.

LES ÎLES

Saint-Pierre et Miquelon :

Un coin de France en Amérique

Dès qu'on débarque de l'avion d'Air Saint-Pierre, pas moyen de se tromper. La France républicaine, ou du moins son administration, est partout présente. À trois heures trente d'avion de Montréal ou une heure trente d'Halifax, cet archipel de quelque 6 300 habitants a de quoi surprendre : des automobiles aux timbres-poste, de la baguette de pain aux petits déjeuners «à l'européenne», des programmes scolaires à la monnaie et aux allocations familiales, tout ici est à l'image de ce qui se fait en «métropole», c'est-à-dire de l'autre côté de l'Atlantique. Si les édifices administratifs sont aussi très européens par leur style, beaucoup de maisons de bois peintes de couleurs claires — roses, vertes, blanches ou grises — ressemblent à toutes celles qu'on rencontre dans les petits ports des provinces maritimes, en particulier de Terre-Neuve, la plus proche voisine.

Mais les Saint-Pierrais, qui se trouvent un peu à l'étroit sur leur île, et adorent faire une virée sur le continent, surtout à Halifax, Moncton et Montréal, font quand même de petites concessions à leur appartenance nord-américaine.

L'archipel de Saint-Pierre et Miquelon est un agréable endroit où passer quelques jours de dépaysement, parmi des gens sympathiques et accueillants qui adorent bavarder avec les touristes.

On peut faire de la pêche en mer, des balades dans les collines environnantes ou de plus longues excursions (une journée) dans les îles de Miquelon et Langlade où vivent de petites communautés de pêcheurs (service de bateau et d'avion au départ de Saint-Pierre et forfaits «tout compris»).

Côté hébergement, l'archipel français est plutôt bien équipé avec huit hôtels de bon confort et une bonne douzaine de pensions de famille et petits établissements de quelques chambres tenus par les propriétaires. La restauration est bien représentée et l'on trouve le genre snack rapide à côté d'endroits plus sophistiqués où l'on sert, bien entendu, de la cuisine française.

par Étienne Ozan-Groult
Bulletin Voyages

La Corse :

L'île de beauté

C'est un rocher dans la mer. Son paysage est unique. Ses montagnes sont presque aussi hautes que les Alpes.

Formant deux départements français, la Corse se situe à 170 kilomètres de Nice. Elle est longue de 185 kilomètres et large de 85 kilomètres. Autrefois, l'île était italienne, génoise. En 1768, Gênes a vendu la Corse à la France. Cela s'est passé un an avant la naissance sur l'île de Napoléon Bonaparte.

Les gens des villages parlent encore le corse (un dialecte italien). Mais les jeunes parlent le français. Depuis quelques années pourtant, certains Corses rêvent d'une Corse ni française, ni italienne. Ils voudraient une Corse indépendante.

Beaucoup de jeunes découvrent la Corse à pied. En une semaine environ, si on est en bonne forme physique et si on aime la marche, on peut traverser le parc naturel de la Corse. Mais la Corse se découvre aussi en bateau, en canoë-kayak ou en rafting. Les fous de planche à voile et de surf se retrouvent dans la Corse du Sud, dans le golfe de Saint-Florent.

Dans les forêts, il y a beaucoup de cochons sauvages, d'ânes et de moutons. Les animaux marins sont aussi très nombreux. Dans les eaux, on peut aussi voir des dauphins et des cachalots (genre de baleine).

On appelle la Corse l'île de beauté, quelquefois l'île des corsaires (à cause de son drapeau à tête de corsaire). C'est un endroit encore sauvage, idéal pour les vacances des sportifs ou des amoureux de la nature.

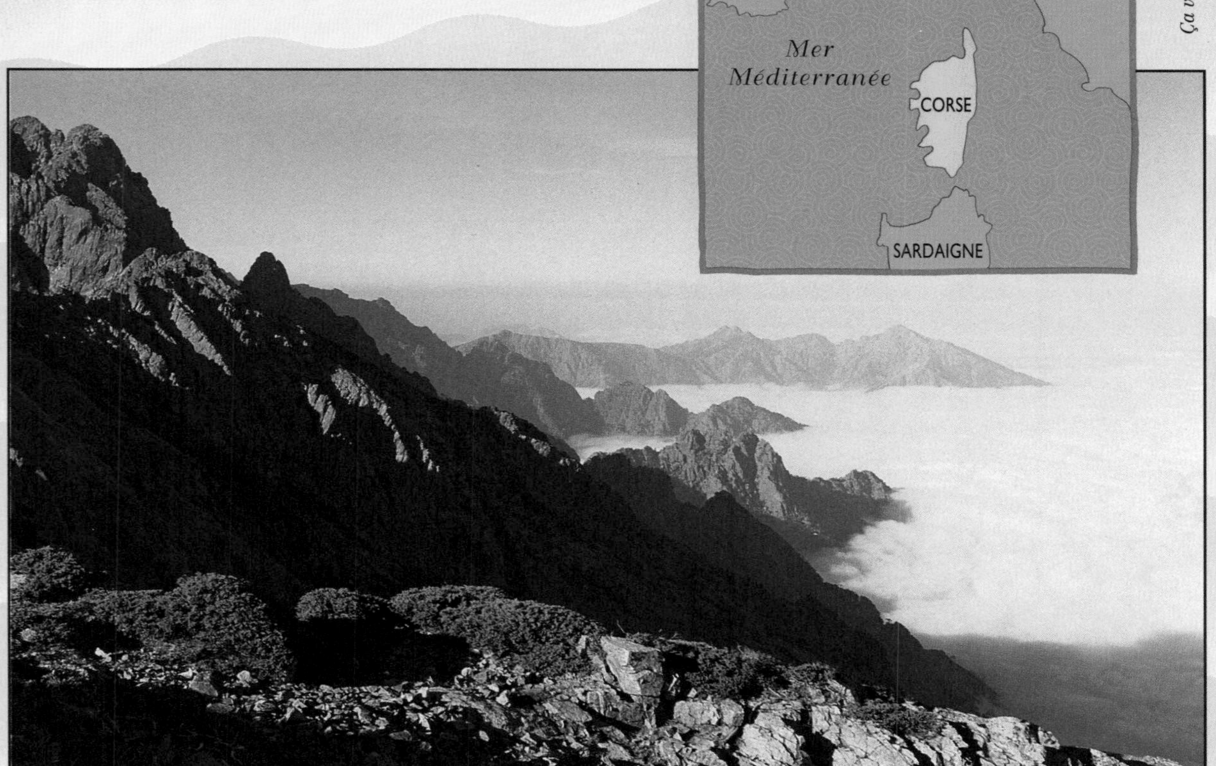

Ça va, été 1992

LES ÎLES

Tahiti :
Un festival au paradis

Imagine une île si belle qu'on l'appelle «le pays de l'éternel printemps». Imagine des centaines de plages magnifiques, des fleurs tropicales de toutes couleurs, une mer turquoise et des montagnes immenses... ce paradis, c'est l'île de Tahiti. Située au centre de l'océan Pacifique, à 6 400 km de Los Angeles, Tahiti est l'une des 115 îles qui font partie du territoire français de la Polynésie.

Chaque été, durant le mois de juillet, un grand festival a lieu à Papeete. C'est la plus grande ville de Tahiti et aussi la capitale de la Polynésie. Ce festival, le *Heiva I Tahiti,* est une célébration joyeuse de deux cultures différentes : l'une tahitienne et l'autre française. Chaque jour, par exemple, il y a des concours tahitiens traditionnels, tels que le «lancer des javelots» et le «lever des pierres». Mais, le 14 juillet, il y a également un grand défilé, des fêtes et un bal en l'honneur de la Bastille.

Un événement important du *Heiva* est la Course de Pirogues. Une pirogue ressemble à un long canoë et peut contenir 1, 3, 6 ou 16 personnes. Gaston Lau est un Tahitien de 18 ans qui, chaque été, participe à cette course. «Les Tahitiens sont des navigateurs réputés depuis longtemps, dit-il. La course perpétue cette tradition ancienne.»

En fait, il y a deux sortes de courses, qui ont lieu sur plusieurs jours : des courses sur le lagon et des courses en haute mer. Les hommes et les femmes participent à des compétitions différentes. Gaston fait partie d'une équipe de 16 personnes dans la catégorie junior et il participe dans la course «marathon» en haute mer.

Chaque juillet, des milliers de touristes visitent Papeete pour prendre part au *Heiva.* «La culture tahitienne, c'est une culture de danses, de chansons, de sourires, dit Gaston. Nous adorons accueillir des visiteurs. Alors, venez un jour nous voir. Vous ne serez pas déçus!»

Mélissa Hayes

Encore!, mai/juin 1992

Martinique :

Une histoire d'amour entre ciel et terre

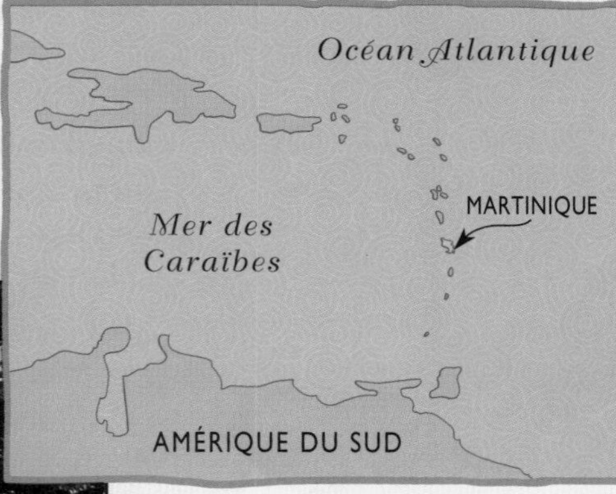

La Martinique est une île de l'archipel des Antilles, située dans la mer des Caraïbes à plus de 7 000 km de Paris. Mais c'est aussi un département français! Sa capitale, Fort-de-France, est une jolie ville francophone.

L'histoire de ce paradis tropical? Christophe Colomb découvre l'île en 1502. Quelques années plus tard, les colonisateurs européens font venir des esclaves d'Afrique pour cultiver la canne à sucre. En 1848 l'esclavage est aboli.

«Être martiniquais», qu'est-ce que cela veut dire? Trois ados martiniquais répondent à cette question.

Linda : Être martiniquaise, c'est être une Française du pays du soleil. Nous parlons français et créole, mais le créole, c'est plus vivant. Quand on se dispute, c'est toujours en créole!

Rosalie : Le créole est basé sur le français. Par exemple, pour dire «pas de problème» on dit : «pani pwoblèm».

Hervé : Notre culture, c'est aussi aimer «zouker» ou danser. Nous avons beaucoup de danses traditionnelles, comme *la biguine* et *le mazurka.* De plus, nous avons de délicieuses spécialités! Par exemple, nous mangeons beaucoup de poisson, de langoustes et de fruits tropicaux comme le goyave.

Rosalie : La Martinique, c'est également le soleil, la mer, les barques, les fleurs et prendre le temps de vivre...

Linda : Nous sommes de couleurs différentes et nous sommes tous amis.

Rosalie : Oui. Ici, être avec sa famille et ses amis, c'est très important. On aime partager la joie.

Hervé : Je suis fier d'être martiniquais. Notre île, ce n'est qu'une partie de la France, mais c'est la plus belle!

Daniel Jardin

Copains, mars/avril 1992

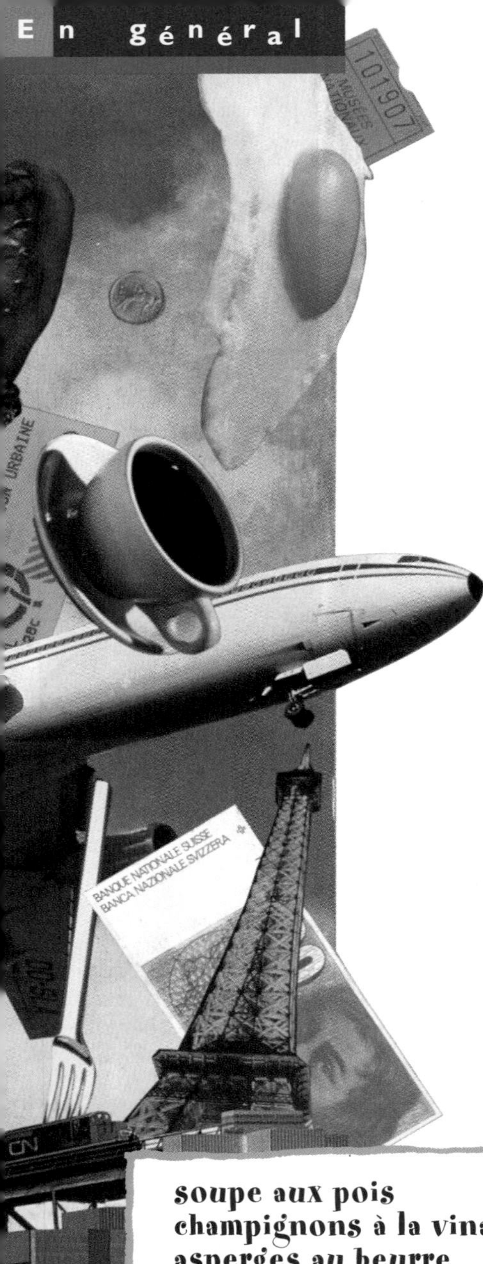

SITUATIONS DE VOYAGE

1. Lisez les phrases ci-dessous et déterminez dans quelles situations vous pouvez les utiliser : à la station-service, au magasin de vêtements, à l'aéroport, ou au bureau de change. À l'aide d'un dictionnaire, classez ces phrases selon les catégories précédentes.

   a) Faites le plein, s'il vous plaît.
   b) Je voudrais une place dans la section non-fumeurs.
   c) Pourriez-vous m'aider? Les phares ne marchent pas.
   d) Je voudrais encaisser ce chèque, s'il vous plaît.
   e) J'aimerais avoir un aller-retour en classe économique.
   f) Le chandail et le pantalon, ça fait combien?
   g) Voulez-vous vérifier l'huile?
   h) Est-ce que je peux changer ces chèques de voyage?
   i) Est-ce que vous avez le même modèle dans une taille plus grand•
   j) Où est la salle d'essayage?
   k) Ma voiture est tombée en panne. Faites-vous des réparations?
   l) Pouvez-vous me confirmer l'heure de départ du vol 123 à destination de Rome?
   m) Donnez-moi 40 litres d'essence ordinaire, s'il vous plaît.
   n) Je cherche un chandail en laine ou en coton.

2. a) Lisez la liste de mets ci-dessous qui se trouvent sur un menu. Classez chaque mets sous la rubrique appropriée : hors d'œuvres plats principaux, légumes, desserts et consommations.

soupe aux pois
champignons à la vinaigrette
asperges au beurre
tarte au sucre
glace à la vanille
chou-fleur au gratin
crème caramel
pommes frites

pâté de foie gras
crevettes à l'ail
escargots de Bourgogne
lapin à la moutarde
eaux minérales
mousse au chocolat
café au lait
baba au rhum

canard à l'orange
escalope de veau
soupe à l'oignon
coq au vin
café ou thé
tarte aux pommes
bifteck au poivre

   b) Quelle préposition voit-on souvent dans la description d'un mets sur un menu? Quelle est la règle de l'emploi de cette préposition?

3. En utilisant les rubriques précédentes, créez un menu pour les personnes suivantes :
   a) une personne qui n'aime pas les légumes
   b) un végétarien ou une végétarienne
   c) quelqu'un qui est allergique aux fruits de mer
   d) une ou un de tes amis (ou toi-même)

Pour poser des questions, on dit :
Lequel des sports suivants a été inventé au Canada : le football, le tennis ou le ballon-panier?
Laquelle est la plus grande île du Canada : l'île de Baffin, l'île de Vancouver ou l'île de Terre-Neuve?

Pour accueillir quelqu'un, on dit :
Soyez toujours les bienvenus au Québec!
Entrez! Entrez! On vous attend à bras ouverts!

Pour parler des actions au futur, on dit :
Aussitôt que tu arriveras, je te ferai visiter le centre-ville.
N'oublie pas de m'envoyer une carte postale quand tu seras à Paris.

Pour indiquer la route à quelqu'un, on dit :
Pour aller à la gare centrale, prenez la direction sud à la rue Rideau et tournez à gauche à la rue Morin. Vous verrez la gare à votre droite.

Pour parler d'un choix personnel, on dit :
J'ai toujours voulu voir les baleines dans leur habitat naturel.
Depuis très longtemps je rêve de visiter les magnifiques châteaux de la Loire.

Pour parler de deux actions simultanées, on dit:
En sortant de l'école, j'ai vu mon ami qui m'attendait.
En lui parlant, j'ai vite compris qu'elle ne voulait pas assister au concert.
Sachant que je ne pouvais pas sortir, mes amis sont venus chez moi.

Pour obtenir des renseignements, on dit :
Pourriez-vous me dire à quelle heure le train part pour Winnipeg?
Est-ce que je devrais payer mon billet d'avance?

Pour réserver une place ou une chambre, on dit :
Je voudrais commander un billet aller-retour à destination de Calgary.
Est-ce que je pourrais réserver une chambre pour deux nuits?

Mots utiles

Description (adjectifs)
ambulant, ambulante
aménagé, aménagée
animé, animée
déguisé, déguisée
éberlué, éberluée
éblouissant, éblouissante
éclectique
enchanteur, enchanteresse
étroit, étroite
fléché, fléchée
frappant, frappante
hivernal, hivernale
incontesté, incontestée
répandu, répandue
rieur, rieure

Identification (noms)
cascade *(f)*
char *(m)*
chef *(m, f)* de file
compatriote *(m, f)*
comptoir *(m)*
embouchure *(f)*
falaise *(f)*
flambeau *(m)*
parcours *(m)*
patrimoine *(m)*
piste *(f)*
pré *(m)*
stage *(m)*
tache *(f)*
vestige *(m)*
voyageur *(m)*, voyageuse *(f)*

Action (verbes)
défier
se dévoiler
disposer de
effectuer
s'enflammer
façonner
s'initier à
parcourir
se pencher
peser
réjouir
survoler
tendre à

Expressions
à perte de vue
avoir le trac
en dépit de
faire étalage de
gare à
Soyez les bienvenus!

LE MONDE QUI BOUGE

Dans cette unité, vous allez pouvoir :

discuter des sports et des athlètes professionnels

parler de la rapidité et du stress de la vie moderne

exprimer un choix

interviewer quelqu'un et rapporter ce que la personne a dit

décrire une action habituelle au passé

faire une description au passé

exprimer une action qui se produit seulement si une condition est remplie

exprimer une action au passé qui précède une autre action au passé

rapporter ce qu'une personne a dit pour indiquer au passé une action antérieure à une autre

Bienvenue à nos «élèves»!

Cette fin de semaine passée, l'école Lasalle a accueilli deux anciens élèves, Patricia Walsh, patineuse artistique, et Marc Beaulieu, joueur de hockey. Ces athlètes renommés sont «rentrés» pour participer au marathon de charité organisé par l'école. *Le Bulletin de Lasalle* les a interviewés.

Le Bulletin : Bonjour, Marc et Patricia! Soyez les bienvenus! Comment vous sentez-vous de retour à l'école Lasalle?

Marc : C'est un grand plaisir d'être de retour. Je garde toujours de très bons souvenirs des années que j'ai passées ici.

Patricia : Et moi aussi! Ça fait du bien de revoir les profs qui ont soutenu mon intérêt dans le patinage artistique.

Le Bulletin : Entre-temps, Patricia et Marc, vous êtes devenus des vedettes célèbres. Dites-nous ce qui s'est passé dans votre carrière récemment.

Patricia : Eh bien, on vient de me nommer à l'équipe olympique. J'en suis très fière! Mais maintenant je dois travailler très fort; l'entraînement sera dur, mais aussi passionnant!

Marc : Et moi, je viens de signer un très bon contrat avec mon équipe de hockey, Les Bombardiers.

Le Bulletin : Félicitations! Mais expliquez à nos lecteurs ce que vous avez fait pour devenir vedettes.

Marc : Eh bien, moi, je voulais toujours devenir joueur de hockey professionnel. Même quand j'étais jeune, je n'étais pas très grand, mais j'étais très rapide et déterminé. Et à force de courage et d'entraînement, alors, j'ai réussi.

Le Bulletin : Et toi, Patricia?

Patricia : La danse et le patinage m'ont toujours fascinée. Je patinais beaucoup — même enfant. Souvent, je commençais à 5 heures le matin, même si j'avais envie de rester au lit!

Le Bulletin : Évidemment votre carrière a ses avantages et ses inconvénients. D'abord, dites-moi ce que vous aimez de votre profession.

Patricia : Ohhhh, c'est fantastique! La compétition me passionne. De plus, j'ai l'occasion de voyager et de rencontrer le public. Le public et les médias nous portent beaucoup d'attention. C'est un travail qui en vaut la peine!

Marc : Et moi aussi, j'adore mon travail! Et puis, il offre des avantages financiers, sans mentionner la publicité, la célébrité...

Le Bulletin : Et maintenant, y a-t-il des inconvénients? Par exemple, le stress... la compétition...?

Patricia : Ah... oui... il y en a certainement! La pression constante, les longues heures de répétition. Quelquefois on ne réussit pas et on est très frustré. Au niveau mondial, dans plusieurs sports, la compétition est féroce et quelquefois injuste...

Marc : Oui. Il y a certainement du stress et de la tension; il y a aussi les longs entraînements et les conflits de personnalité. Il y a ceux qui ont plus d'ambition que de talent... et qui essaient d'arriver par tous les moyens... Le hockey est un sport physique, mais la violence ce n'est pas une bonne affaire!

Le Bulletin : Vous parliez d'argent et de contrats. Ne trouvez-vous pas que les athlètes sont trop payés ces jours-ci?

Marc : Ça dépend du public, de la demande... si on offre ces contrats, pourquoi les refuser?

Patricia : Oui, d'autant plus que la télé popularise les vedettes du sport et que tout le monde veut vous voir...

Le Bulletin : Alors, qu'est-ce que vous ferez cette fin de semaine à l'occasion du marathon de charité?

Patricia : On assistera aux événements et on parlera à tout le monde.

Marc : Oui. Et on encouragera les jeunes à participer aux activités. On est ici pour ça!

Le Bulletin : Finalement, quels conseils donneriez-vous à nos jeunes athlètes?

Marc : On leur dirait : entraînez-vous, étudiez bien, soyez déterminés...

Patricia : ... et surtout gardez toujours votre bonne humeur! C'est ce qu'il y a de plus important!

Le Bulletin : Merci beaucoup et bonne chance dans vos futures carrières!

ÉDITO: LES $PORT$ ET L'ARGENT

Autrefois, les sports étaient beaucoup moins compliqués! On faisait du sport pour l'exercice physique, pour la compétition, bref, pour le plaisir et pour la passion.

Aujourd'hui, en partie à cause de la télé et des médias, les sports professionnels sont devenus de grosses affaires pour tous. Non seulement pour les athlètes eux-mêmes, mais aussi pour leurs agents, leurs avocats et leur personnel de soutien. Le monde des affaires y trouve son profit. Les propriétaires de clubs en bénéficient, ainsi que les spectateurs et les agences de publicité. Bref, ce n'est plus une question de jeu, c'est plutôt une question d'argent!

Alors on offre des sommes extraordinaires aux meilleurs athlètes, comme, par exemple, huit millions de dollars à un joueur de base-ball, une bourse dans les six chiffres aux champions de Wimbledon ou 14 millions pour un contrat de trois ans à un joueur professionnel de football. De plus, ces athlètes peuvent toucher un revenu considérable pour endosser des produits qui n'ont souvent rien à voir avec les sports!

Bien entendu, ce sont les meilleurs joueurs qui reçoivent les sommes énormes, mais voyons donc! Ces contrats pour lancer ou frapper une balle, pour se promener au beau soleil (pardon, je voulais dire «jouer au golf»), pour conduire comme un fou. Ça, c'est du talent?!

Évidemment, j'exagère un peu. C'est mon manque de talent sportif qui me fait parler ainsi. Autrement, je nagerais dans l'argent moi aussi! Tout le monde sait qu'il faut un talent et un dévouement extraordinaires pour réussir dans les sports. Mais quand même — des millions??? La plupart d'entre nous ne gagneront jamais dans notre vie ce que gagnent ces joueurs dans une seule année!

Paule Gagnon-Thibeault

Rédactrice en chef

COMPRÉHENSION

Bienvenue à nos «élèves»!

1. Quel événement a eu lieu à l'école Lasalle la fin de semaine dernière?
2. Qu'est-ce qui s'est passé récemment dans la carrière de Marc et de Patricia?
3. Nommez un avantage et un inconvénient qui découle de leur situation.
4. Quel rôle Marc et Patricia ont-ils joué à l'occasion du marathon?
5. Quels conseils donnent-ils aux jeunes athlètes d'aujourd'hui?

Édito : Les sports et l'argent

1. Quelle différence y a-t-il entre les sports d'hier et ceux d'aujourd'hui?
2. Qui profite des sports aujourd'hui? Comment?
3. Comment les grands athlètes peuvent-ils augmenter encore davantage leur revenu déjà élevé?
4. Que faut-il posséder pour réussir dans les sports?

APPLICATION

1. Pensez à un sport. Votre partenaire doit deviner à quel sport vous pensez. Donnez-lui quelques indices. Pensez à d'autres sports et répétez l'exercice. Ensuite changez de rôles.

   EXEMPLE

   On a une raquette et on frappe une balle. C'est...

2. a) Nommez cinq personnes qui sont célèbres aujourd'hui.
   b) Dans quels domaines sont-elles célèbres?
   c) Quels sont leurs accomplissements ou les honneurs qu'elles ont mérités dans ces domaines?

EXPANSION

1. a) Préparez un tableau classant les sports ci-dessous par ordre d'importance dans votre vie. Indiquez s'ils sont très importants, assez importants ou pas importants.

le hockey
le tennis
le karaté
la danse
le vélo
le ballon-panier
le tir à l'arc
le volley-ball
l'athlétisme
le patinage
la motoneige
la natation
l'équitation
le base-ball
le football
le patin à roulettes alignées
la voile
le ski
la course à pied
le golf
le soccer

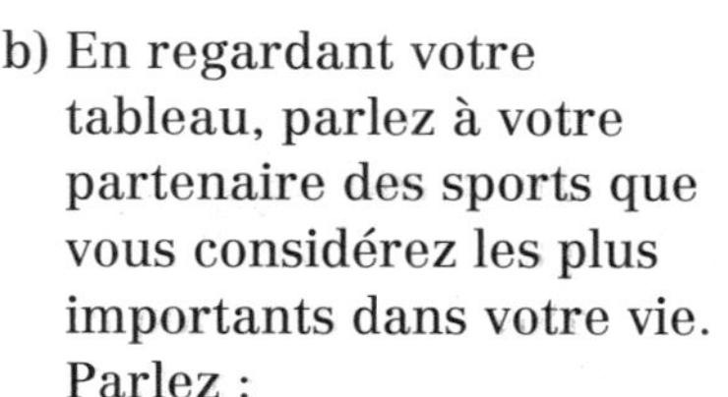

   b) En regardant votre tableau, parlez à votre partenaire des sports que vous considérez les plus importants dans votre vie. Parlez :
   - du temps que vous passez à les regarder ou à les pratiquer;
   - de votre habileté dans ces sports;
   - des raisons pour lesquelles vous les pratiquez ou les regardez.

2. Regardez les pages sportives d'un journal ou d'un magazine. Choisissez un article sur un sport de votre choix et faites-en le résumé.

COIN DE RECHERCHES

1. Préparez une fiche biographique sur votre athlète favori ou favorite.
2. Tracez les origines d'un sport de votre choix ou des Jeux olympiques.

☛ À votre avis, que veut dire l'expression «l'unité par le sport»?

LES JEUX DU CANADA : 26 ANS

C'est souvent à l'occasion de grands défis que les Canadiens de toutes les provinces se serrent les coudes. Et le sport a souvent servi d'élément moteur à ce mouvement de masse. Nous parlons avec fierté des exploits des Silken Laumann, Sylvie Fréchette et Mark Tewksbury sur la scène mondiale. Les succès que nous y avons connus et notre vision du sport comptent parmi les plus fortes expressions de l'unité canadienne. Quelle que soit notre origine, nous suivons les performances des athlètes canadiens avec intérêt.

Depuis les premiers Jeux du Canada, tenus à Québec en 1967, ce n'est un secret pour personne que ce rendez-vous sportif biennal est un outil de promotion de l'unité canadienne. Son slogan est «L'unité par le sport». Ces Jeux rassemblent en compétition de jeunes athlètes des dix provinces et des deux territoires du pays afin qu'ils apprennent à se connaître. Ce sont «nos» Jeux olympiques présentés tous les deux ans, faisant alterner jeux d'hiver et jeux d'été.

Les Jeux du Canada ont été tenus dans treize villes moyennes d'un bout à l'autre du pays : de l'insulaire Saint-Jean de Terre-Neuve, en 1977, à la verdoyante Kamloops, en Colombie-Britannique, en 1993. Au cours des ans, 30 000 athlètes ont profité du labeur de plus de 75 000 bénévoles.

«Les gens, voilà ce qui rend uniques les Jeux du Canada, souligne Pierre Cadieux, ex-ministre fédéral de la Condition physique et du sport amateur. Le vaste réseau d'athlètes, entraîneurs, officiels, dirigeants, commanditaires et bénévoles, les familles et les amis forment le moteur de chaque édition des Jeux.»

«Depuis plus de 25 ans, des milliers de Canadiens ont contribué à l'esprit des Jeux par leurs initiatives et leur fierté nationale», confie Jack Pelech, président du Conseil des Jeux du Canada.

«Il s'agit d'une rencontre sportive avant toute chose, évidemment. Mais on ne doit pas mésestimer le rôle que les Jeux exercent en rassemblant des jeunes Canadiens de tous les coins du pays», dit Lane MacAdam, président-directeur général du Conseil des Jeux du Canada.

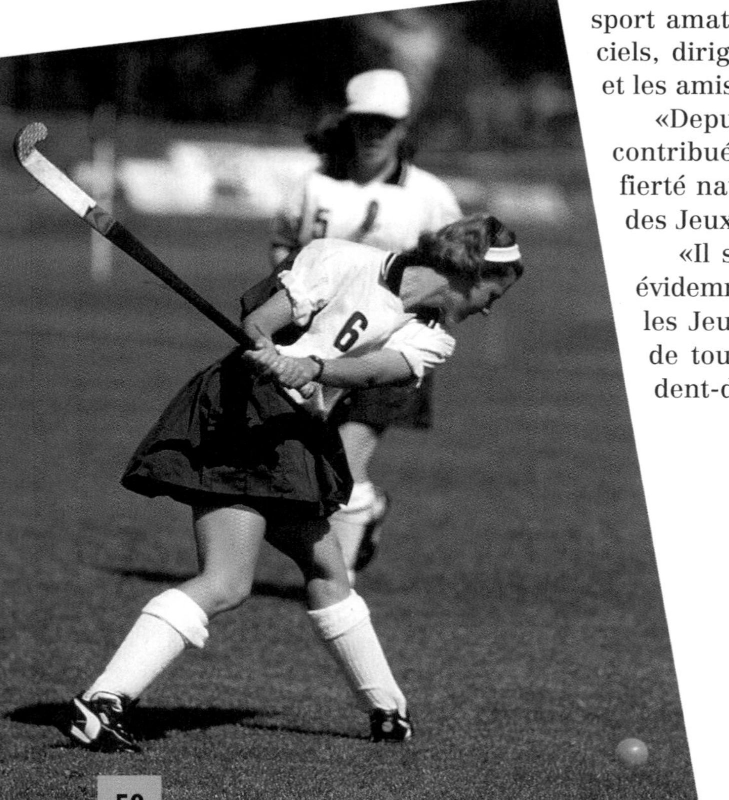

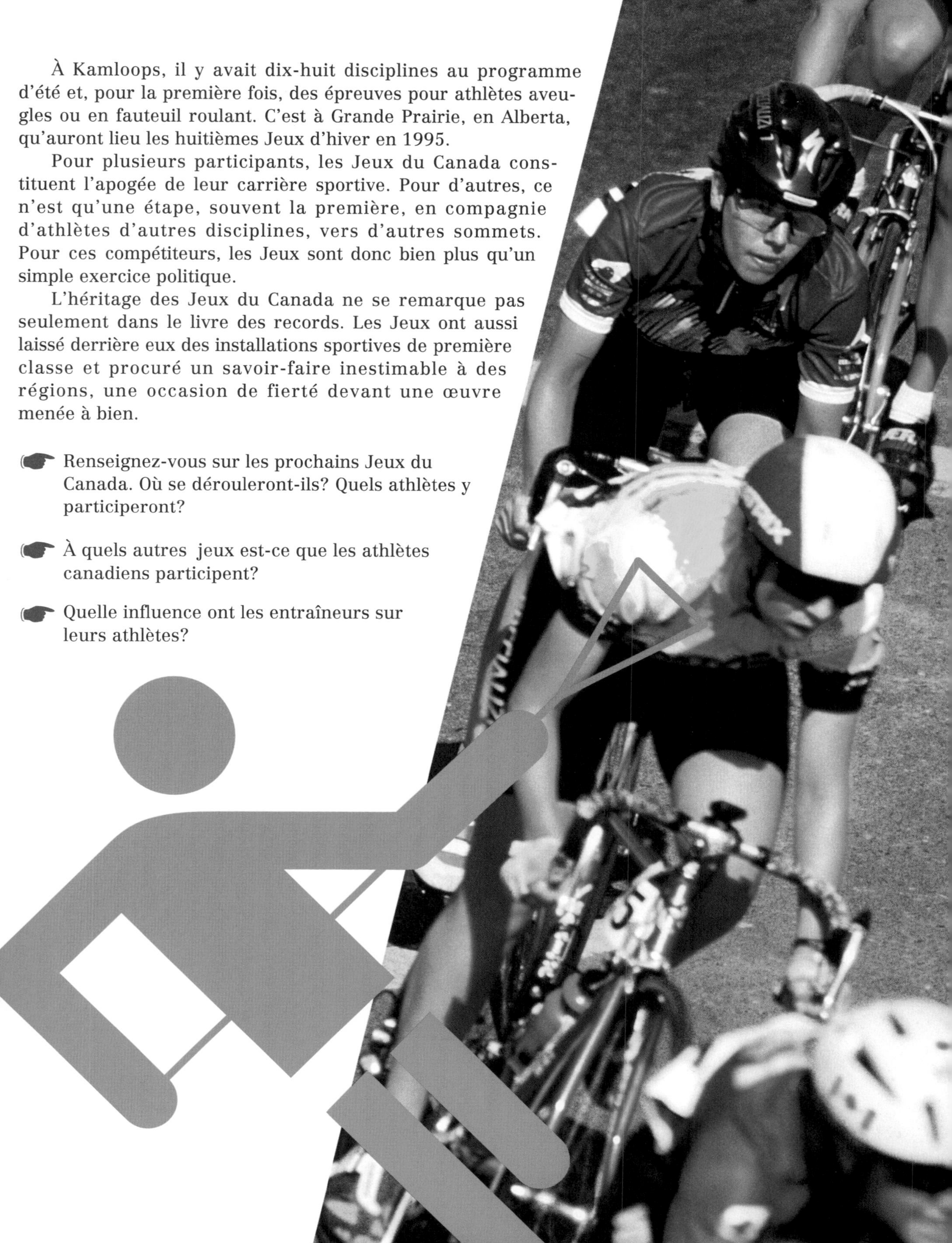

À Kamloops, il y avait dix-huit disciplines au programme d'été et, pour la première fois, des épreuves pour athlètes aveugles ou en fauteuil roulant. C'est à Grande Prairie, en Alberta, qu'auront lieu les huitièmes Jeux d'hiver en 1995.

Pour plusieurs participants, les Jeux du Canada constituent l'apogée de leur carrière sportive. Pour d'autres, ce n'est qu'une étape, souvent la première, en compagnie d'athlètes d'autres disciplines, vers d'autres sommets. Pour ces compétiteurs, les Jeux sont donc bien plus qu'un simple exercice politique.

L'héritage des Jeux du Canada ne se remarque pas seulement dans le livre des records. Les Jeux ont aussi laissé derrière eux des installations sportives de première classe et procuré un savoir-faire inestimable à des régions, une occasion de fierté devant une œuvre menée à bien.

☛ Renseignez-vous sur les prochains Jeux du Canada. Où se dérouleront-ils? Quels athlètes y participeront?

☛ À quels autres jeux est-ce que les athlètes canadiens participent?

☛ Quelle influence ont les entraîneurs sur leurs athlètes?

JOUEZ LES JOURNALISTES!

1. a) Dressez une liste de six athlètes célèbres que vous admirez en indiquant le sport qu'ils pratiquent.
b) Dites pourquoi vous avez choisi chaque athlète.

2. a) Préparez huit questions qui amèneront un ou une athlète à parler de sa vie (du passé, du présent et de l'avenir). (Exemple : Quelles ambitions aimeriez-vous réaliser?)
b) Maintenant, choisissez un ou une athlète que vous connaissez bien. Jouez le rôle de l'athlète et demandez à votre partenaire de vous poser les questions que vous avez préparées. Pratiquez ce dialogue et, ensuite, changez de rôles.
c) Présentez vos deux entrevues à un autre groupe.

POUR EXPRIMER UN CHOIX

On a choisi... parce qu'il/elle...
- pratique...
- a beaucoup d'enthousiasme...
- a un bon esprit d'équipe...
- est chaleureux/chaleureuse...

etc.

POUR RAPPORTER CE QU'UNE PERSONNE VOUS A DIT

Je voudrais vous parler de...
Quand il/elle était jeune, il/elle jouait/faisait/aimait...
Il/elle a dit qu'il/elle voudrait/ferait...
Plus tard, il/elle aimerait...
À son avis...
D'après lui/elle...

À VOUS LA PAROLE

Interviewez un ou une camarade de classe. Posez-lui des questions sur sa vie (son passé, son présent et son avenir), et notez ses réponses. À l'aide de ces renseignements, préparez ensuite une brève présentation orale dans laquelle vous rapportez ce que la personne vous a dit. Parlez de ses expériences, de ses projets et de ses opinions.

Changez de rôles.

ON DISCUTE

1. Une bonne formation scolaire n'est pas importante pour les athlètes professionnels. Discutez.
2. Le patinage artistique — un sport ou un art? Discutez.

ON COMPOSE

Imaginez que vous êtes le rédacteur ou la rédactrice du journal de votre école. Écrivez un «édito» sur **un** des sujets suivants : le salaire des athlètes, la violence dans les sports, l'influence des médias dans les sports, ou les exigences du sport.

SAVIEZ-VOUS QUE...

- **les petites dépressions sur les balles de golf ont pour but d'ajouter à la précision et à la longueur de la trajectoire?**
- **le soccer est le sport le plus populaire au monde?**
- **avant 1960, seuls les hommes pouvaient concourir aux Jeux olympiques en patinage de vitesse?**
- **le tennis est d'origine française et remonte au XIIe siècle? Ce sport s'appelait alors le «jeu de paume», parce que les joueurs se renvoyaient la balle avec la paume de la main de part et d'autre du filet.**
- **ce sont des soldats britanniques qui ont joué les premières parties de hockey au Canada vers 1855?**
- **la danse sur glace est devenue une compétition olympique en 1976?**

PARTIE A

1. a) Lisez les phrases suivantes. Quel est le temps du verbe utilisé dans chaque situation?

Chaque samedi matin, Jacqueline **jouait** au tennis.

Dans les années 60, Paul **avait** les cheveux longs.

b) Dans la première phrase, est-ce une action qui s'est passée une fois seulement, ou est-ce une action habituelle?

c) Dans la deuxième phrase, est-ce une action ou une description?

2. Maintenant, donnez les deux raisons pour lesquelles on utilise l'imparfait.

3. Complétez les phrases suivantes.

a) Quand j'étais jeune, je... toujours...

b) Je me rappelle quand mes amis et moi...

c) Quand on était en vacances...

d) Quand j'allais à la petite école, je... beaucoup de fois.

PARTIE B

1. a) Lisez les phrases suivantes. Identifiez le temps des verbes en caractères gras.

Pourrais-tu m'expliquer comment installer cet appareil?

Françoise nous a dit qu'elle **partirait** plus tard.

b) Dans la première phrase, est-ce qu'on donne ou demande poliment des renseignements?

c) Dans la deuxième phrase, la citation est-elle directe ou rapportée?

2. Maintenant donnez les deux raisons pour lesquelles on utilise ici le conditionnel.

3. Complétez les phrases suivantes en utilisant le conditionnel.

a) À propos de l'avenir, ma mère a dit que...

b) Ma prof m'a dit que...

c) Hier soir aux nouvelles de 18 heures, l'annonceur a dit que...

d) Ce matin, l'athlète que j'admire le plus a annoncé que...

e) Excusez-moi, monsieur... me dire où se trouve...

PARTIE C

1. a) Lisez les phrases suivantes. Identifiez le temps des verbes utilisés.

   Si je **faisais** du patinage artistique, je **m'entraînerais** à tous les jours de la semaine.
   On **gagnerait** plus d'argent si on **était** plus célèbre.

   b) Dans les phrases ci-dessus, il y a une action qui se produit seulement si une condition est remplie. Identifiez donc :
   - la condition elle-même;
   - l'action qui se produit si la condition est remplie;
   - le temps du verbe utilisé dans chaque partie.

2. Complétez les phrases suivantes.
   a) Si j'étais riche...
   b) Mes parents m'achèteraient une belle auto rouge si...
   c) Si on allait en Europe...
   d) Si mes amis étaient...
   e) Je dormirais si...

Imaginez un jeune enfant qui songe à participer aux Jeux olympiques. Que doit-il faire pour réaliser son rêve et sur quelles personnes doit-il compter?

LE PRIX DE LA PERFORMANCE

Bruny Surin est champion canadien du 100 mètres. Il est arrivé quatrième aux Jeux olympiques de 1992 à Barcelone.

Québec Science, nov. 1992

On ne devient plus champion du monde en s'entraînant tout seul, sans autre aide que sa volonté. Parlez-en à Bruny Surin, qui est passé à quelques centièmes de seconde d'une médaille aux Jeux olympiques de 1992. De l'alimentation à l'état psychologique de l'athlète, tout est étudié, soupesé, contrôlé. «En ce qui concerne l'entraînement psychologique, je n'y croyais pas beaucoup jusqu'à récemment, dit-il. J'ai changé d'avis l'été dernier, à Barcelone, en voyant travailler des gens comme Carl Lewis. Je crois que j'aurais pu mieux réussir si j'avais pu mieux me concentrer. De tels événements sont très stressants, il est facile de se laisser distraire.»

L'entraînement a changé de façon radicale. «Autrefois, on ne pensait qu'à la quantité, dit Bruny Surin. Plus on passait d'heures à s'entraîner, mieux cela valait. Maintenant, on connaît beaucoup mieux les possibilités et les limites du corps humain. C'est la qualité de l'entraînement qui compte. On cherche à rendre les efforts aussi productifs que possible. Par exemple, certaines périodes sont plus propices que d'autres pour différents types d'entraînements.»

Les athlètes font partie d'une véritable industrie, à cause des commanditaires et des sommes d'argent investies. «Au niveau international, il y a de moins en moins de différences entre les athlètes, dit Bruny Surin. Ce sont d'autres facteurs qui font la différence. L'an dernier, pour me remettre d'une blessure, j'ai mis beaucoup plus de temps que si j'avais eu mon propre masseur. Je n'ai pas mon entraîneur, mon diététiste, mon psychologue... Nous sommes dépendants des ressources extérieures, et donc de l'argent des commanditaires.»

«Au niveau international, il y a de moins en moins de différences entre les athlètes. Ce sont d'autres facteurs qui font la différence.» Discutez.

Il y a à peine un an, personne ne connaissait son nom, encore moins son talent. Puis, tout à coup, la télévision japonaise, la presse marocaine et les *talk-shows* américains, sans compter tout le gratin sportif d'ici, se sont mis littéralement à s'arracher Manon Rhéaume. «Comment vous dire... c'était comme une invasion de fourmis», explique sa mère encore sous le choc.

Les journées sont déjà trop courtes pour cette jeune femme de 20 ans qui, comme tout athlète, a besoin de dormir huit heures, de bien s'alimenter et de se ménager des moments de détente, pour pouvoir donner le meilleur d'elle-même.

À Tampa, en septembre, Phil Esposito, le pdg du Lightning de Tampa Bay, a invité Manon à participer au camp d'entraînement, et s'est servi d'elle pour faire parler de son club. Elle, en revanche, s'est servie de ce tremplin pour montrer ce qu'elle valait. Si elle n'avait pas été bonne, elle n'aurait pas aujourd'hui en poche son contrat avec les Knights d'Atlanta.

MANON RHÉAUME : DROIT AU BUT

Première hockeyeuse professionnelle en Amérique, Manon Rhéaume réussit grâce à sa prodigieuse force de concentration.

Manon Rhéaume est née en 1972 à Lac-Beauport au Québec. Quand elle était enfant, elle jouait toujours contre des garçons, raconte sa mère. Sur la patinoire familiale, contre ses frères d'abord, puis contre leurs amis. Elle aimait tous les sports et était «bonne dans tout». Cette première de classe à l'école a fait du ski de compétition, du ballet, de la gymnastique, de la natation. C'est une liseuse, elle aime le cinéma, les bons petits plats, et «adore les enfants».

Les succès de Manon au hockey ne datent pas d'hier, ni la fascination des médias pour sa personne. À 11 ans, déjà, elle faisait la manchette des journaux québécois comme première fille à participer, devant 15 000 personnes, au tournoi pee-wee annuel du Carnaval de Québec.

Puis se produisit l'événement qui a fait d'elle une vedette des médias sportifs, du jour au lendemain : le 26 novembre 1991, pendant 17 minutes mémorables, elle gardait le filet des Draveurs de Trois-Rivières, et la foule du Colisée lui réservait une ovation délirante. Six mois plus tard, quand le Canada a remporté le championnat du monde de hockey féminin, en Finlande, c'était encore Manon Rhéaume qui était gardienne de but pour l'équipe canadienne.

Même si Manon réussissait à s'imposer durablement au hockey professionnel masculin, sa carrière serait courte — quelques années à peine — et elle aurait sans doute à repenser son avenir avant longtemps. Mais, chose certaine, quelle que soit la voie dans laquelle elle s'engagera, son talent et sa détermination lui assureront le succès.

 Le fait que Manon est une fille a grandement influencé sa carrière. Discutez.

AU JEU!

1. Est-ce que vous préférez les sports individuels ou les sports d'équipe? Les sports compétitifs ou récréatifs? Justifiez vos réponses.

2. Maintenant, examinez un sport d'équipe : le hockey. Avec votre partenaire, utilisez l'esquisse ci-dessous pour créer votre propre jeu. Ensuite, faites un reportage sur ce jeu.

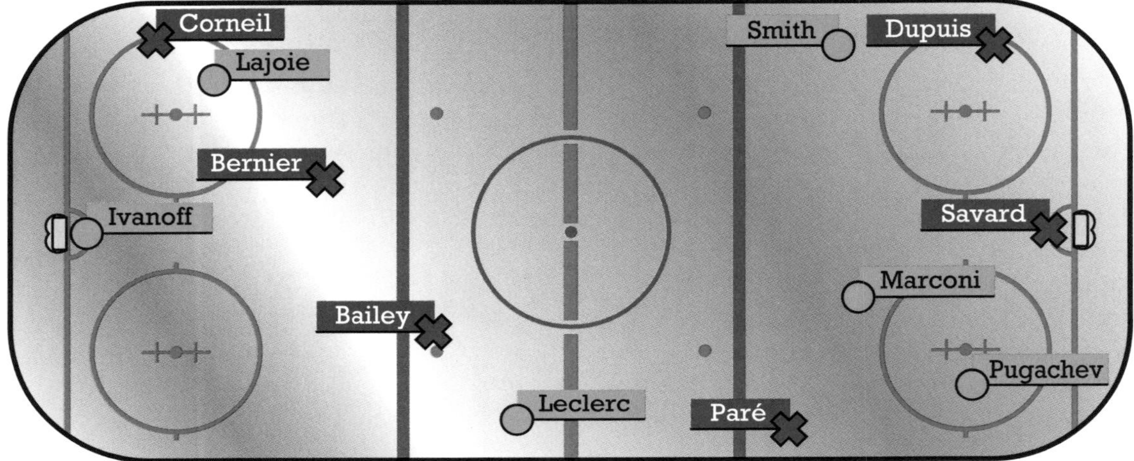

EXEMPLE
(...) attrape la rondelle et...

À VOUS LA PAROLE

Pensez à un sport ou à une activité que vous aimez beaucoup. Parlez de cette activité à votre partenaire.

IMPRO

À l'issue d'un match de championnat, un ou une journaliste interviewe l'athlète qui a le plus contribué à la victoire de son club. Le ou la journaliste lui pose des questions et ajoute des commentaires sur le match. L'athlète répond aux questions et donne ses impressions sur le match et sa performance. Jouez les deux rôles.

ON DISCUTE

Il est plus important de subventionner les sports compétitifs que les sports récréatifs. Discutez.

☛ Quand vous étiez jeune, rêviez-vous de rencontrer un athlète professionel? Lequel? Qu'avait fait cet athlète pour captiver votre imagination?

UNE ABOMINABLE FEUILLE D'ÉRABLE SUR LA GLACE

PAR ROCH CARRIER

Les hivers de mon enfance étaient des saisons longues, longues. Nous vivions en trois lieux : l'école, l'église et la patinoire; mais la vraie vie était sur la patinoire. Les vrais combats se gagnaient sur la patinoire. La vraie force apparaissait sur la patinoire. Les vrais chefs se manifestaient sur la patinoire. L'école était une sorte de punition. Les parents ont toujours envie de punir les enfants et l'école était leur façon la plus naturelle de nous punir. De plus, l'école était un endroit tranquille où l'on pouvait préparer les prochaines parties de hockey, dessiner les prochaines stratégies. Quant à l'église, nous trouvions là le repos de Dieu : on y oubliait l'école et l'on rêvait à la prochaine partie de hockey. À travers nos rêveries, il nous arrivait de réciter une prière : c'était pour demander à Dieu de nous aider à jouer aussi bien que Maurice Richard.

Tous, nous portions le même costume que lui, ce costume rouge, blanc, bleu des Canadiens de Montréal, la meilleure équipe de hockey au monde; tous, nous peignions nos cheveux à la manière de Maurice Richard et, pour les tenir en place, nous utilisions une sorte de colle, beaucoup de colle. Nous lacions nos patins à la manière de Maurice Richard, nous mettions le ruban gommé sur nos bâtons à la manière de Maurice Richard. Nous découpions dans les journaux toutes ses photographies. Vraiment nous savions tout à son sujet.

Sur la glace, au coup de sifflet de l'arbitre, les deux équipes s'élançaient sur le disque de caoutchouc; nous étions cinq Maurice Richard contre cinq autres Maurice Richard à qui nous arrachions le disque; nous étions dix joueurs qui portions, avec le même brûlant enthousiasme, l'uniforme des Canadiens de Montréal. Tous, nous arborions au dos le très célèbre numéro 9.

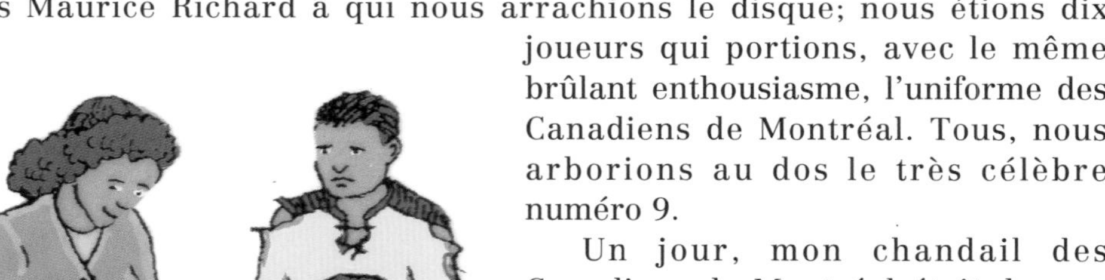

Un jour, mon chandail des Canadiens de Montréal était devenu trop étroit; puis il était déchiré ici et là, troué. Ma mère me dit : «Avec ce vieux chandail, tu vas nous faire passer pour pauvres!» Elle fit ce qu'elle faisait chaque fois que nous avions besoin de vêtements. Elle commença de feuilleter le catalogue que la compagnie Eaton nous envoyait par la poste chaque année. Ma mère était fière. Elle n'a jamais voulu nous habiller au magasin général; seule pouvait nous convenir la dernière mode du catalogue Eaton. Ma mère n'aimait pas les formules de commande incluses dans le catalogue; elles étaient écrites en anglais et elle n'y comprenait rien. Pour commander mon chandail de hockey, elle fit ce qu'elle faisait d'habitude; elle prit son papier à lettres et elle écrivit de sa douce calligraphie d'institutrice : «Cher Monsieur Eaton, auriez-vous l'amabilité de m'envoyer un chandail de hockey des Canadiens pour mon garçon qui a dix ans et qui est un peu trop maigre? Je vous envoie trois piastres et retournez-moi le reste s'il en reste. J'espère que votre emballage va être mieux fait que la dernière fois.»

Monsieur Eaton répondit rapidement à la lettre de ma mère. Deux semaines plus tard, nous recevions le chandail. Ce jour-là, j'eus l'une des plus grandes déceptions de ma vie! Je puis dire que j'ai, ce jour-là, connu une très grande tristesse. Au lieu du chandail bleu, blanc, rouge des Canadiens de Montréal, M. Eaton nous avait envoyé un chandail bleu et blanc, avec la feuille d'érable au devant, le chandail des Maple Leafs de Toronto. J'avais toujours porté le chandail bleu, blanc, rouge des Canadiens de Montréal; tous mes amis portaient le chandail bleu, blanc, rouge; jamais, dans mon village, quelqu'un n'avait porté le chandail de Toronto, jamais on n'y avait vu un chandail des Maple Leafs de Toronto. De plus, l'équipe de Toronto se faisait terrasser régulièrement par les triomphants Canadiens. Les larmes aux yeux, je trouvai assez de force pour dire :

— J'porterai jamais cet uniforme-là.

— Mon garçon, tu vas d'abord l'essayer! Si tu te fais une idée sur les choses avant de les essayer, mon garçon, tu n'iras pas loin dans la vie...

Ma mère m'avait enfoncé sur les épaules le chandail bleu et blanc des Maple Leafs de Toronto et, déjà, j'avais les bras enfilés dans les manches. Elle tira le chandail sur moi et s'appliqua à aplatir tous les plis de cette abominable feuille d'érable sur laquelle, en pleine poitrine, étaient écrits les mots Toronto Maple Leafs. Je pleurais.

— J'pourrai jamais porter ça.

— Pourquoi? Ce chandail-là te va bien... Comme un gant...

— Maurice Richard se mettrait jamais ça sur le dos...

— T'es pas Maurice Richard. Puis, c'est pas ce qu'on se met sur le dos qui compte, c'est ce qu'on se met dans la tête...

— Vous me mettrez pas dans la tête de porter le chandail des Maple Leafs de Toronto.

Ma mère eut un gros soupir désespéré et elle m'expliqua :

— Si tu gardes pas ce chandail qui te fait bien, il va falloir que j'écrive à M. Eaton pour lui expliquer que tu veux pas porter le chandail de Toronto. M. Eaton, c'est un Anglais; il va être insulté parce que lui, il aime les Maple Leafs de Toronto. S'il est insulté, penses-tu qu'il va nous répondre très vite? Le printemps va arriver et tu auras pas joué une seule partie parce que tu auras pas voulu porter le beau chandail bleu que tu as sur le dos.

Je fus donc obligé de porter le chandail des Maple Leafs. Quand j'arrivai à la patinoire avec ce chandail, tous les Maurice Richard en bleu, blanc, rouge s'approchèrent un à un pour regarder ça. Au coup de sifflet de l'arbitre, je partis prendre mon poste habituel. Le chef d'équipe vint me prévenir que je ferais plutôt partie de la deuxième ligne d'attaque. Quelques minutes plus tard, la deuxième ligne fut appelée; je sautai sur la glace. Le chandail des Maple Leafs pesait sur mes épaules comme une montagne. Le chef d'équipe vint me dire d'attendre; il aurait besoin de moi à la défense, plus tard. À la troisième période, je n'avais pas encore joué; un des joueurs de défense reçut un coup de bâton sur le nez, il saignait; je sautai sur la glace : mon heure était venue! L'arbitre siffla; il m'infligea une punition. Il prétendait que j'avais sauté sur la glace quand il y avait encore cinq joueurs. C'en était trop! C'était trop injuste!

C'est de la persécution! C'est à cause de mon chandail bleu! Je frappai mon bâton sur la glace si fort qu'il se brisa. Soulagé, je me penchai pour ramasser les débris. Me relevant, je vis le jeune vicaire, en patins, devant moi :

— Mon enfant, ce n'est pas parce que tu as un petit chandail neuf des Maple Leafs de Toronto, au contraire des autres, que tu vas nous faire la loi. Un bon jeune homme ne se met pas en colère. Enlève tes patins et va à l'église demander pardon à Dieu.

Avec mon chandail des Maple Leafs de Toronto, je me rendis à l'église, je priai Dieu; je lui demandai qu'il envoie au plus vite des mites qui viendraient dévorer mon chandail des Maples Leafs de Toronto.

☛ Dans votre enfance, avez-vous jamais éprouvé une grande déception? Discutez de cette expérience.

Le Tour de France

LE TOUR DE FRANCE, course cycliste annuelle, a été créé en 1903 par Henri Desgrange, directeur du journal *L'Auto*. Lors de la première compétition, les coureurs participaient individuellement et devaient faire le tour du pays en six étapes, séparées par plusieurs jours de repos. Les six étapes comprenaient : Paris-Lyon, Lyon-Marseilles, Marseilles-Toulouse, Toulouse-Bordeaux, Bordeaux-Nantes, Nantes-Ville d'Avray, un parcours de 2 426 kilomètres. Un peloton de soixante coureurs assurait le succès de cette première épreuve sportive qui allait devenir la plus célèbre compétition cycliste au monde.

Le Tour a lieu tous les ans au début de l'été et dure environ trois semaines. Divisé en étapes, le parcours couvre environ 4 à 5 000 kilomètres

En 1993, le Tour de France est revenu à son trajet «hexagonal» : un parcours de 3 800 km en 20 étapes.

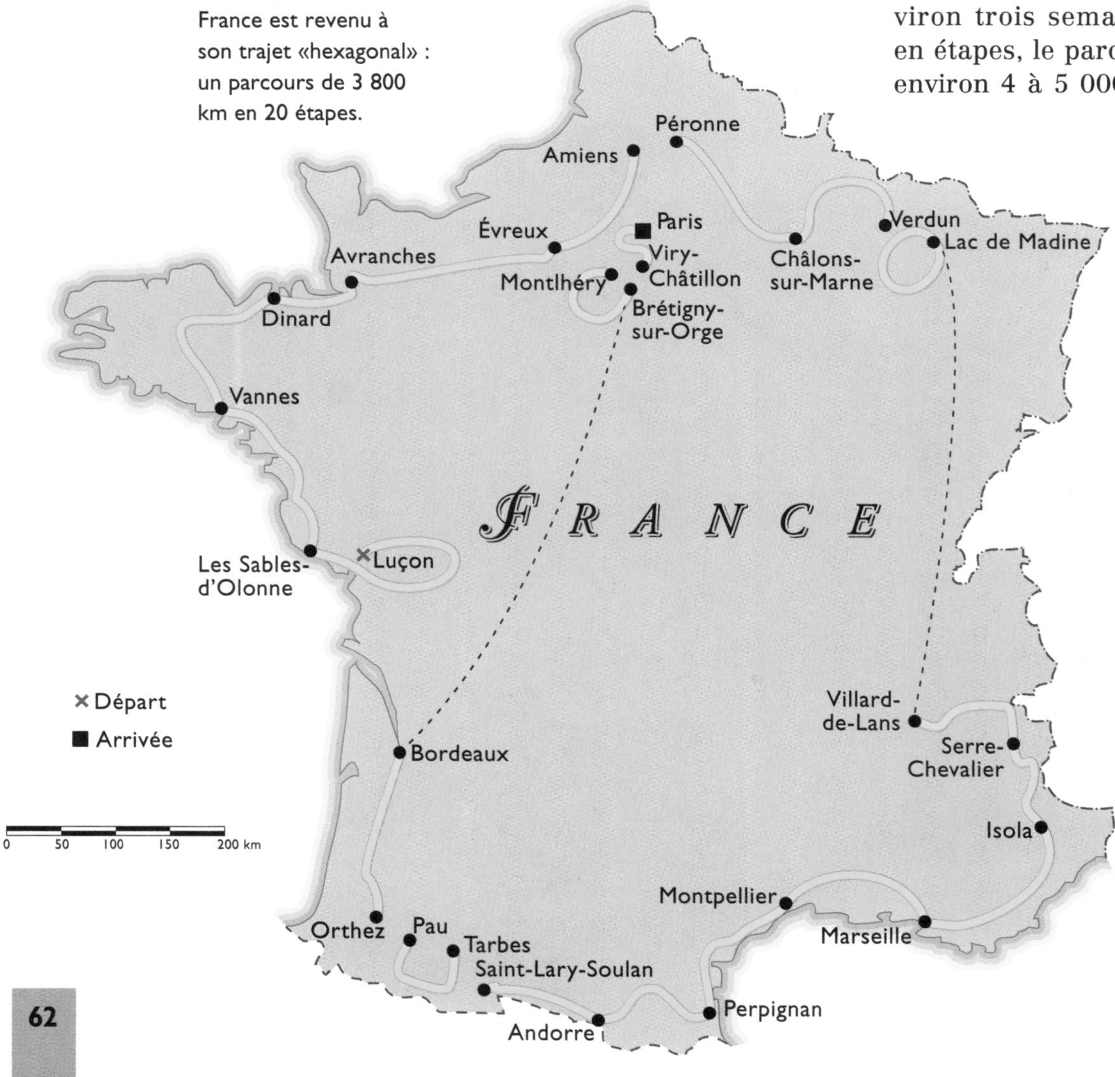

FRANCE
Péronne
Amiens
Paris
Évreux
Viry-Châtillon
Montlhéry
Brétigny-sur-Orge
Avranches
Dinard
Verdun
Lac de Madine
Châlons-sur-Marne
Vannes
Les Sables-d'Olonne
Luçon
Bordeaux
Villard-de-Lans
Serre-Chevalier
Isola
Montpellier
Marseille
Orthez
Pau
Tarbes
Saint-Lary-Soulan
Andorre
Perpignan
× Départ
■ Arrivée
0 50 100 150 200 km

et traverse un terrain extrêmement varié. Le leader de chaque étape (celui qui enregistre le meilleur temps) reçoit une distinction spéciale, le maillot jaune. À la fin de chaque étape, des points sont accordés aux coureurs selon leur classement. On décerne le maillot vert au coureur qui a accumulé le plus de points depuis le début de la course. Par ailleurs, on donne le maillot blanc à pois rouges au coureur qui a accumulé le plus de points pour la montée d'une montagne.

Disputé au début par des concurrents individuels, le Tour est maintenant couru par des équipes commanditées par les grandes firmes industrielles. Aujourd'hui, le Tour de France est une vaste entreprise de publicité qui attire des millions de spectateurs enthousiastes.

En 1975, pour la première fois dans son histoire, le Tour de France se termine sur les Champs-Élysées.

L'histoire du Tour de France

LE 15 JUILLET 1903

Le premier Tour de France

MAURICE GARIN, né à Arviers dans le Val d'Aoste le 23 mars 1871, de nationalité italienne, a remporté aujourd'hui l'épreuve cycliste dite «Tour de France» avec une avance de 2 h 49' 45" sur Charles Pothier.

LE 28 OCTOBRE 1909

Le Tour de l'Amour

François Faber, le vainqueur du Tour de France, n'est pas seulement un très grand coureur mais aussi un sportif à bon caractère. Il lui arrive souvent d'aider un concurrent malheureux à réparer son vélo et il n'hésite jamais à offrir une partie de ses provisions à un collègue qui en a moins que lui. Deux jours avant la fin de ce tour qu'il allait gagner, réparant son vélo au bord de la route, il a aperçu une très jolie spectatrice et, déposant sa casquette à ses pieds, il lui a demandé sa main. Le mariage a eu lieu samedi dernier, le 25 octobre, trois mois après.

LE 16 JUILLET 1928

LE TOUR DE FRANTZ!

Depuis cette année on parle plutôt de «tour de Frantz» que de «Tour de France». Après l'édition de 1926 qui entrera sans doute dans l'histoire comme le Tour de France le plus long jamais couru (17 étapes, 5 745 km), ceux de 1927/28 ont été dominés par le Luxembourgeois Nicolas Frantz. Cette année, il a pris le maillot jaune le premier jour, à Caen, et l'a gardé jusqu'à la fin des 22 étapes, à Paris.

LE 20 JUILLET 1947

La renaissance du Tour

À cause de la Seconde Guerre mondiale, on a dû interrompre le Tour de France pendant sept ans. Cet été, c'est le petit Breton Jean Robic qui est sorti vainqueur de l'épreuve. Fort populaire, Jean Robic a démontré du courage et de la tenacité pendant toute la course.

LE 19 JUILLET 1952

UN CHAMPION LÉGENDAIRE!

Lors du Tour de France 1952, l'Italien Fausto Coppi devançait tellement le peleton que les organisateurs ont dû recourir à un truc pour maintenir l'intérêt des spectateurs. Ils ont donc décidé d'offrir une prime spéciale à celui qui terminerait en deuxième place! Coppi a gagné cette course avec quasiment une demi-heure d'avance sur le Belge Stan Ockers. C'était un triomphe sans précédent pour ce cycliste chevronné, le *campionnissimo dei campionnissimi*, le champion des champions. À cause de son charisme, Coppi était le favori de tous les spectateurs, jeunes et moins jeunes.

LE 18 JUILLET 1974

Eddy Merckx, «le cannibale» de la Belgique

«Il rit pas, il cause pas, mais il gagne!» Vainqueur en 1969, 1970, 1971, 1972 et maintenant 1974, Eddy Merckx est sans conteste le plus grand champion cycliste de tous les temps! La détermination incroyable et le besoin de gagner ont assuré le succès d'Eddy Merckx encore une fois!

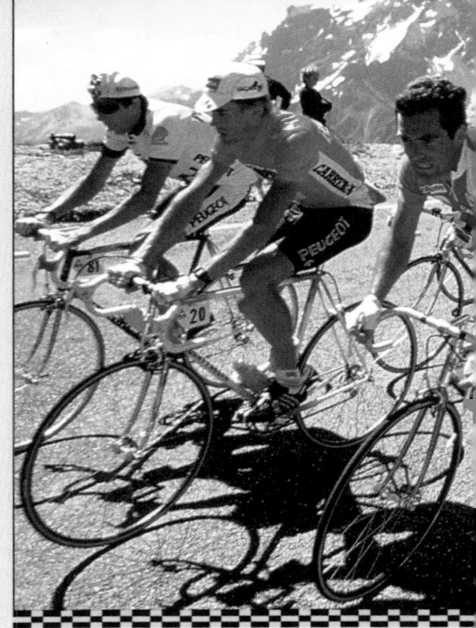

LE 1ER AVRIL 1984

Premier Tour de France féminin

Enfin, la décision attendu depuis longtemps a été pris À partir de cette année, il y aura nc seulement un Tour de France comm toujours, mais également un Tour d France féminin. Notre compatriot Marianne Martin part favorite pou le premier maillot jaune dames. Nor ce n'est pas un poisson d'avril. L nouvelle est vraie, malgré la date laquelle nous la publions.

LE 21 JUILLET 1985

Son cinquième Tour de France

Bernard Hinault vient de remporter un cinquième Tour de France! Vainqueur en 1978, 1979, 1981, 1982 et maintenant 1985, notre champion possède un palmarès qui le place juste derrière Eddy Merckx. Il excelle dans tous les domaines et ne recule devant aucun défi.

LE 25 JUILLET 1989

Pionnière du cyclisme

VICTORIEUSE en 1987, 1988 et 1989, la cycliste française Jeannie Longo s'est battue avec une rare détermination pour donner à son sport ses lettres de noblesse. Si le vélo féminin est déjà une réalité, c'est grâce à Jeannie Longo, cette pionnière qui a imposé le Tour de France féminin en 1984. Le Tour féminin est maintenant disputé annuellement tout comme l'épreuve masculine.

LE 24 JUILLET 1989

L'ÉQUIPE INOUBLIABLE!

AUJOURD'HUI, LE TOUR de France a connu un dénouement sensationnel et dramatique. L'Américain Greg Lemond l'a remporté sur Laurent Fignon avec huit secondes d'avance seulement (le plus faible écart jamais enregistré). Huit secondes! Moins de cent mètres! L'arrivée du Tour 89 restera inoubliable!

LE 27 JUILLET 1992

Une première au Tour de France

Pour la première fois dans l'histoire du Tour de France, des étapes de cette prestigieuse épreuve sportive se sont disputées dans six pays étrangers. En cette année olympique, le Tour 92 couvrira un parcours sillonnant l'Espagne, la Belgique, les Pays-Bas, l'Allemagne, le Luxembourg et l'Italie.

LE 26 JUILLET 1993

UNE TROISIÈME VICTOIRE DE SUITE POUR INDURAIN

Le cycliste espagnol Miguel Indurain a facilement remporté son troisième Tour de France d'affilée. Seuls le Français Jacques Anquetil, qui a dominé la course de 1961 à 1964, et Eddy Merckx, coureur belge qui s'est classé premier à cette épreuve de 1969 à 1972, ont gagné plus de Tours successifs. On attribue les victoires d'Indurain à un esprit de concentration et à un amour de la routine que rien n'ébranle. Toujours affable envers ses compétiteurs, le champion n'insiste pas pour devancer le peloton à chaque étape du Tour. On lui prédit une 4e victoire pour l'été prochain!

ÇA BOUGE, LE MONDE!

Je cours, tu cours, il court, elle court — il semble que tout le monde court aujourd'hui, mais après quoi, et pourquoi? On parle de «la course au bifteck», c'est-à-dire d'une vie qui bouge sans cesse. La vie au 21ᵉ siècle comporte des avantages, bien sûr, mais aussi des inconvénients. Comment est-ce que les jeunes et les adultes s'adaptent à la vie de plus en plus rapide? On a parlé à plusieurs personnes, et voilà leurs réponses.

Élisabeth Duchamp, étudiante

«Moi, j'habite à la campagne. Chaque matin, je me lève tôt et je cours pour attraper l'autobus scolaire. Après une journée pleine d'activités, j'ai des répétitions avec l'orchestre ou une réunion du club Vert. Quand je rentre à la maison, je dois toujours faire ma part des travaux de la ferme. Après ça, je prends mon souper. À table, on discute des événements de la journée — c'est une petite pause bien appréciée! Ensuite, je fais mes devoirs et je planifie mes activités pour le lendemain. J'ai aussi mon travail à temps partiel. Quand on habite à la campagne, chaque sortie prend du temps parce que les distances sont très grandes! On pense que la vie à la campagne est calme et paisible, mais ce n'est pas vraiment le cas — on n'a pas souvent le temps de se reposer!»

ARTHUR PAVLONI, ÉTUDIANT

«Ma vie? Je suis toujours à la course. Eh bien, c'est normal, je suppose, car je veux aller à l'université, et pour ça, j'ai besoin de bonnes notes. Alors, j'étudie beaucoup. Mais la vie dans une grande ville, enfin ça bouge, on a besoin d'argent. Alors je travaille aussi. Ma mère n'a pas les moyens de m'acheter les vêtements à la mode ou les choses dont j'ai besoin. Et l'université, ça coûte cher aussi! Pour aider ma mère, je garde ma petite sœur souvent après l'école. Et quand j'ai du temps libre, il y a toujours des amis... des sports... mais d'abord des tâches à faire. En effet, je viens de rentrer du supermarché!»

MME HÉLÈNE BRISEBOIS, ENTREPRENEUSE

«Bonjour! Je suis en route pour Montréal, alors j'ai le temps de vous parler quelques minutes. Est-ce que je cours du matin au soir? Bien sûr, parce que j'ai ma propre entreprise qui exige beaucoup de temps et d'énergie. De plus, je voyage souvent; alors, grâce aux inventions technologiques, j'apporte mon bureau avec moi. J'ai toujours mon téléphone portatif avec moi dans ma chambre d'hôtel; il est équipé d'un répondeur automatique; puis j'ai mon ordinateur portatif avec imprimante attachée à un télécopieur... Je ne manque jamais d'appels, même si je sors pour manger. C'est essentiel, parce que je dois toujours rester en contact avec mes employés au bureau, et avec ma famille. Oui, je dois utiliser chaque minute de ma journée. C'est comme ça, la compétition dans le monde des affaires!»

M. Jérôme Loisel, journaliste

«Ma journée commence à 6 h. J'aide à préparer le petit déjeuner pour la famille. Ensuite, je planifie ma journée. Je suis journaliste à la pige — j'écris des articles pour les journaux et les magazines. Alors, souvent, je travaille à la maison. De plus, je donne des cours de journalisme à temps partiel. Le soir, je conduis un de nos enfants à ses leçons de danse et l'autre à ses leçons de musique. Une fois par semaine, je fais du bénévolat à notre club sportif où je suis arbitre pour les matchs de football des jeunes. (Ça me tient aussi en bonne forme, parce que je cours beaucoup!) Et puis les responsabilités à la maison m'attendent aussi : faire les courses, préparer les repas, faire la lessive... On partage le ménage chez nous, mais il y a toujours quelque chose à faire. Ce que j'ai appris de plus important, c'est de bien gérer mon temps. Je suis plus efficace et ça me donne beaucoup de satisfaction... même si je ne me couche pas d'habitude avant minuit!»

Et voilà, chers lecteurs, un petit aperçu de styles de vie différents, mais qui sont tous typiques de «la course au bifteck». Êtes-vous toujours à la course ou menez-vous une existence plutôt tranquille? Quel genre de vie préférez-vous? Écrivez-nous pour nous parler de votre style de vie — nous publierons votre lettre dans un prochain numéro!

ÉDITO : HOURRA POUR LA TECHNOLOGIE MODERNE!

Autrefois, pour envoyer une lettre en Europe, ça prenait trois semaines en paquebot, puis, plus récemment, une semaine en avion. Mais aujourd'hui, ça prend une minute par télécopieur!

Personnellement, je suis un adepte passionné de toutes ces nouvelles inventions qui nous sauvent du temps. Par exemple, je n'ai jamais besoin d'aller à la banque — je me sers des guichets automatiques et de mon système de télébanque — c'est plus commode que de toujours courir à une banque, faire la queue, puis attendre et attendre...

Et ma voiture — quel plaisir! Avant de sortir, je pousse sur ma télécommande automatique et le moteur démarre. Quand j'arrive à la voiture, elle est toute confortable — climatisée en été et chauffée en hiver.

J'apporte toujours mon ordinateur de poche et mon téléphone cellulaire avec moi. Alors, j'ai toujours tout ce qu'il me faut au bout des doigts — les numéros de téléphone, mon horaire, une banque de données, un télécopieur...

À l'heure du dîner, la cafetière prépare mon café, le micro-onde fait chauffer mon repas, la machine à laver fait la lessive, et mon ordinateur envoie par modem le rapport que je viens de finir!

Ensuite, je peux regarder un match de championnat de tennis sur ma télé portative pendant que le magnétoscope enregistre mon film favori que je vais regarder plus tard.

Puis j'ai du temps pour faire un peu de jardinage. Alors je prends mon téléphone portatif et le mets sur la véranda. J'allume le barbecue à gaz pour faire cuire le dîner, et j'écoute de la musique sur ma radiocassette.

Ça, c'est la belle vie!

Bruno Sanchez

Rédacteur

COMPRÉHENSION

Ça bouge, le monde!

1. C'est quoi «la course au bifteck»?
2. Que fait Élisabeth d'habitude après l'école?
3. Comment Arthur aide-t-il sa mère?
4. Comment Mme Brisebois reste-t-elle compétitive dans le monde des affaires?
5. Que fait M. Loisel pour ses enfants?

Édito : Hourra pour la technologie moderne!

1. Le rédacteur dit qu'il est un adepte passionné de la technologie moderne. Donnez des exemples qui justifient son enthousiasme.
2. Que fait le rédacteur pendant son temps libre?

APPLICATION

1. Les jeunes et les adultes ont tous les deux des raisons différentes de mener une vie rapide. Énumérez ces raisons.
2. Donnez cinq autres exemples de produits ou d'appareils qui vous sauvent du temps. Expliquez vos exemples.

EXPANSION

1. a) En groupes, comparez trois avantages et trois inconvénients de la vie à la campagne et de la vie dans une grande ville.
   b) Partagez vos idées avec un autre groupe.
2. Identifiez trois sources de stress dans la vie moderne. Justifiez vos choix.
3. D'après vous, est-ce que le stress fait nécessairement partie de la vie? Si vous êtes d'accord, expliquez pourquoi. Si vous n'êtes pas d'accord, dites ce qu'on peut faire pour contrôler le stress.

OÙ COURENT-ILS?

L'artiste (entrant) :
Excusez-moi, je suis un peu essoufflé!
Je viens de traverser une ville
où tout le monde courait...
Je ne peux pas vous dire laquelle...
je l'ai traversée en courant.
Lorsque j'y suis entré, je marchais
normalement.
Mais quand j'ai vu que tout le monde courait...
je me suis mis à courir comme tout le monde,
sans raison!
À un moment, je courais au coude à coude
avec un monsieur...
Je lui dis :
«Dites-moi... pourquoi tous ces gens-là
courent-ils comme des fous?»
Il me dit :
«Parce qu'ils le sont!»
!!!
Il me dit :
«Vous êtes dans une ville de fous ici...
vous n'êtes pas au courant?»
Je lui dis :
«Si, des bruits ont couru!»
Il me dit :
«Ils courent toujours!»
Je lui dis :
«Qu'est-ce qui fait courir tous ces fous?»
Il me dit :
«Tout! Tout!
Il y en a qui courent au plus pressé.
D'autres qui courent après les honneurs...
Celui-ci court pour la gloire...
Celui-là court à sa perte!»
!!!
Je lui dis :
«Mais pourquoi courent-ils si vite?»
Il me dit :
«Pour gagner du temps!
Comme le temps, c'est de l'argent...
plus ils courent vite, plus ils en gagnent!»
Je lui dis :
«Mais où courent-ils?»
Il me dit :
«À la banque!
Le temps de déposer l'argent qu'ils ont gagné
sur un compte courant... et ils repartent
toujours courant, en gagner d'autre!»
Je lui dis :
«Et le reste du temps?»
Il me dit :
«Ils courent faire leurs courses...
au marché!»
!!!

Je lui dis :
«Pourquoi font-ils leurs courses en courant?»
Il me dit :
«Je vous l'ai dit... parce qu'ils sont fous!»
Je lui dis :
«Ils pourraient aussi bien
faire leur marché en marchant...
tout en restant fous!»
Il me dit :
«On voit bien que vous ne les connaissez pas!
D'abord, le fou n'aime pas la marche...»
Je lui dis :
«Pourquoi?»
Il me dit :
«Parce qu'il la rate!»
!!!
Je lui dis :
«Pourtant, j'en vois un qui marche!»
Il me dit :
«Oui, c'est un contestataire!
Il en avait assez de toujours courir comme un fou.
Alors, il a organisé une marche de protestation!»
Je lui dis :
«Il n'a pas l'air d'être suivi!»
Il me dit :
«Si! Mais comme tous ceux qui le suivent courent,
il est dépassé!»
!!!

Je lui dis :
«Et vous, peut-on savoir ce que vous faites
dans cette ville?»
Il me dit :
«Oui! Moi, j'expédie les affaires courantes.
Parce que même ici, les affaires
ne marchent pas!»
Je lui dis :
«Et où courez-vous là?»
Il me dit :
«Je cours à la banque!»
Je lui dis :
«Ah!... Pour y déposer votre argent?»
Il me dit :
«Non! Pour le retirer!
Moi, je ne suis pas fou!»
Je lui dis :
«!! Si vous n'êtes pas fou,
pourquoi restez-vous dans une ville
où tout le monde l'est?»
Il me dit :
«Parce que j'y gagne un argent fou!...
C'est moi le banquier!!!»

Raymond Devos

☛ Connaissez-vous des endroits où on est plus pressé ou moins pressé que chez vous? Aimeriez-vous habiter dans ces endroits?

ON EST PRESSÉ!!!

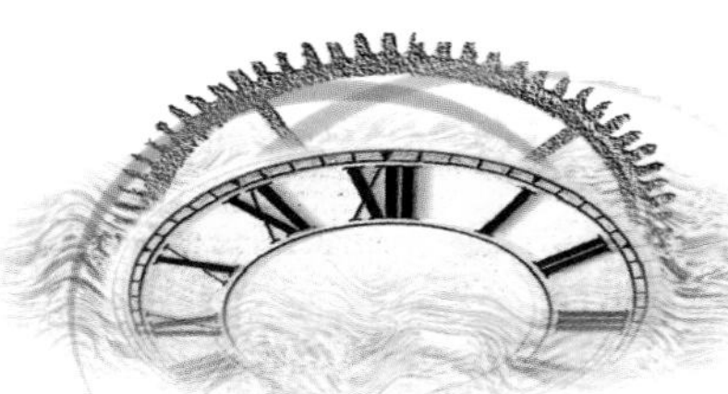

1. a) Que veut dire «On est pressé»?
   b) En groupes, donnez des exemples de ce que fait une personne pressée au cours d'une journée.
   c) Présentez vos exemples à un autre groupe.

2. a) Faites l'horaire de votre journée d'hier. Ensuite, parlez à votre partenaire de toutes les activités que vous avez indiquées dans cet horaire. Votre partenaire prend des notes.
   b) Maintenant, votre partenaire raconte à un membre d'un autre groupe ce que vous avez dit.

   EXEMPLE
   Richard a dit qu'il avait gardé sa sœur hier. Il a dit aussi qu'il était allé chez son ami.

   c) Changez de rôles.

À VOUS LA PAROLE

À votre avis, est-ce que votre partenaire est toujours pressé(e)? Justifiez votre réponse.

Et vous, êtes-vous de ceux qui sont toujours pressés? Si c'est le cas, quand est-ce que vous êtes le plus pressé(e)? Si ce n'est pas le cas, que faites-vous pour ne pas être pressé(e)?

ON DISCUTE

Parlez des avantages et des inconvénients d'être toujours à la course.

ON COMPOSE

Décrivez ce que vous faites en fin de semaine ou ce que vous faites en général pour vous détendre.

MINI-PROJET

1. Connaissez-vous bien vos camarades de classe? Faites des prédictions sur les sujets suivants.
   a) **Le travail à temps partiel**
      Quel pourcentage d'élèves dans votre classe ont un travail à temps partiel?
      Combien d'heures par semaine travaillent-ils?
   b) **Les activités sportives**
      Quel est le pourcentage d'élèves qui participent aux sports organisés?
      Pendant combien d'heures par semaine participent-ils?
   c) **Les autres passe-temps, clubs, etc.**

2. Maintenant, faites une petite enquête pour voir jusqu'à quel point vos prédictions sont correctes. Composez le sondage, posez les questions aux membres de votre classe, puis organisez les résultats.

PARTIE A

1. a) Dans les phrases suivantes, une action se passe avant l'autre. Identifiez les verbes qui expriment l'action antérieure.

   Claude avait fini de laver la vaisselle quand sa mère est arrivée.

   M. Duclos est rentré à la maison à 18 h, mais les enfants étaient déjà partis pour le stade de base-ball.

   b) Donnez la raison pour laquelle on emploie le **plus-que-parfait**.
   c) Comment se forme le plus-que-parfait? Pour vous aider, regardez les verbes ci-dessus.

2. Répondez aux questions suivantes en utilisant le **plus-que-parfait.**
   a) Hier soir, je suis rentré vers... (heure). Avant ça, j'...
   b) Cette fin de semaine passée, je... La fin de semaine précédente, j'...
   c) Nous avons... Avant ça...
   d) Je suis allé(e)... Avant ça...

PARTIE B

1. a) Dans chacune des phrases suivantes, s'agit-il d'un discours direct ou indirect? Justifiez vos réponses.

   Paul a dit qu'il avait couru six kilomètres avant de rentrer à la maison.

   Martine a dit qu'elle était allée faire du ski à Mont-Sainte-Anne l'hiver passé.

   b) Identifiez les verbes ci-dessus qui expriment l'action antérieure.

2. Expliquez pourquoi on emploie le plus-que-parfait dans ces phrases.

3. a) Lisez le dialogue suivant.

   Alex : Marie, qu'est-ce que tu as fait hier soir?

   Marie : Je suis allée au cinéma avec mes amis.

   Alex : Quoi? Qu'est-ce qu'elle a dit?

   Caroline : Marie a dit qu'elle était allée au cinéma avec ses amis.

   b) En suivant le modèle ci-dessus, créez trois dialogues personnels qui utilisent le discours indirect et le plus-que-parfait.

L'ART DE PERDRE SON TEMPS

Reconnais-tu certaines de tes habitudes dans les situations suivantes? Quelle excuse trouves-tu le plus souvent pour remettre ton travail à plus tard?

1. **Coups de téléphone.** Tu viens de t'installer pour entreprendre un devoir important quand le téléphone sonne. C'est un copain. Bavarder avec lui est tellement plus agréable que la tâche à accomplir.
2. **Ennuis imprévus.** Tu as attendu à la dernière minute pour faire un devoir. Tu voudrais te servir de l'ordinateur de la bibliothèque, mais le système est en panne. Tu n'avais pas prévu de marge pour ce genre de situation.
3. **Manque de planification et d'organisation.** Au lieu de prendre le temps de dresser un plan et un calendrier d'exécution au départ, tu te lances dans toutes les directions mais, à part remuer la poussière, tu n'accomplis pas grand-chose.
4. **Vouloir en faire trop d'un coup.** Tu commences tous tes travaux en même temps au lieu d'établir un plan d'attaque. Tu touches un peu à chacun, au lieu d'en faire un au complet.
5. **Prévisions irréalistes.** Une fois le travail commencé, tu constates que la recherche demande beaucoup plus de temps que tu ne l'avais prévu.
6. **Mauvaise compréhension des instructions.** Tu croyais avoir compris ce qu'il fallait faire mais tu constates que tu n'es pas sur la bonne voie. Tu dois maintenant te renseigner sur la véritable nature du travail, et il te reste peu de temps.
7. **Manque de discipline personnelle.** Au lieu de te mettre à la tâche, tu te laisses distraire. Tu as toujours le nez dans le réfrigérateur au lieu de te réserver une récompense pour la fin de telle ou telle partie du projet.
8. **Procrastination.** Tu te promets de te mettre au travail aussitôt la partie de hockey terminée, ou dès que le chat venu se blottir sur tes genoux aura fini son somme; ou encore à cinq heures demain matin puisque tu penses beaucoup mieux après une bonne nuit de sommeil; là, tu seras à ton meilleur!
9. **Surface de travail encombrée.** Le bureau sur lequel tu fais habituellement tes devoirs est couvert de chaussettes et de chandails. Il n'y a pas un coin de libre pour t'installer.
10. **Ton propre stratagème pour perdre du temps.** Tu te rends compte que les soi-disant experts s'y connaissent très peu en gaspillage de temps. Ta méthode remporterait le premier prix!

Des trucs pour bien employer son temps

Quelle habitude te sert le plus souvent d'excuse pour remettre ton travail à plus tard? Peut-être t'es-tu reconnu souvent dans cette liste. Si c'est le cas, les trucs ci-dessous pourraient t'être utiles. Ces trucs t'aideront à organiser ton emploi du temps, à renforcer l'habitude de faire une seule chose à la fois et à te libérer du sentiment agaçant d'avoir oublié quelque chose d'important.

Définis tes buts

Pour employer ton temps de façon plus efficace, il te faut tout d'abord définir tes buts. Une fois que tu sais où tu dois aboutir, tu pourras décider du chemin à prendre. Voici quelques principes qui t'aideront à établir des buts, ou des objectifs.

Tes objectifs devront être :

- précis,
- réalistes,
- concrets,
- mesurables,
- liés à des échéances.

EXEMPLE

«Je commencerai mes devoirs à 19 h 30 les lundi, mercredi et jeudi chaque semaine et ne terminerai pas plus tard que 22 h 30, avec une pause de 20 minutes pour faire des exercices au son de la musique.»

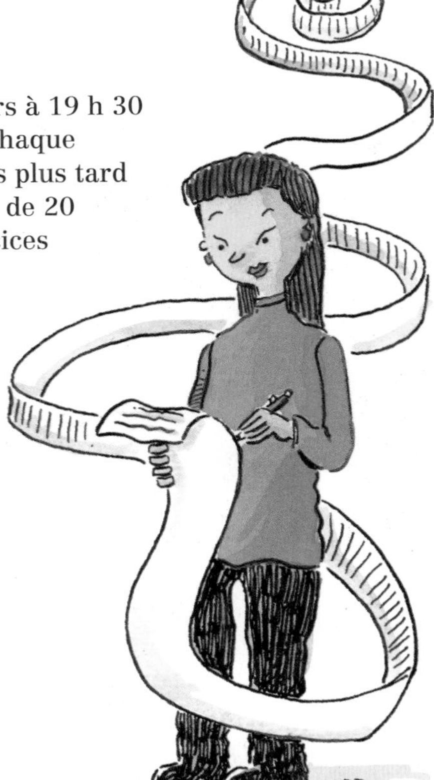

Fais l'essentiel

Décide quelles sont tes priorités et dresse une liste de choses à faire pour chaque jour — une «liste d'action». Divise tes priorités en trois catégories :

A. Ce que je dois absolument faire.
B. Ce que je devrais faire.
C. Ce que je ferais si j'avais le temps.

Assure-toi de faire la liste A.

Apprends à organiser ton temps

Si tu sais organiser ton temps, tu pourras non seulement mieux réussir à l'école, mais tu pourras également mieux jouir de ton temps libre.

☛ Quels événements avez-vous vécus en direct instantanément grâce au réseau de communication planétaire?

VIVRE DANS LE VILLAGE GLOBAL

Les médias électroniques, tels que le téléphone, la radio et tout particulièrement la télévision, ont transformé l'univers dans lequel nous vivons en un «village global», pour reprendre l'expression de Marshall McLuhan. Même si des continents nous séparent, nous pouvons encore nous voir les uns les autres et tenir une conversation comme si nous étions de simples voisins. Le temps que prend un message pour parvenir à destination ne dépend plus de la rapidité d'un moyen de transport comme le bateau ou le train. Au même titre que la communication de personne à personne, la transmission électronique est instantanée.

En tant que téléspectateurs, nous avons l'impression que notre vue et notre ouïe s'étendent au monde entier. Notre point de vue se déplace avec le mouvement de la caméra. La distance et les délais sont abolis. Pour la première fois dans l'histoire, nous pouvons être informés sur-le-champ de ce qui se passe dans le monde ou encore voir défiler sous nos yeux des événements qui se sont produits au siècle dernier. À l'écran, des événements qui se sont déroulés il y a 100 ans ou à l'autre bout de la planète paraissent tout aussi d'actualité que s'ils survenaient dans les rues avoisinantes. Aussi, la télévision peut-elle susciter beaucoup d'émotions chez les téléspectateurs sur lesquels elle exerce sa séduction. Il nous est souvent difficile, devant le petit écran, de garder nos distances face au jeu des acteurs, aux messages publicitaires ou encore face aux correspondants à l'étranger qui décrivent «à chaud» des situations de crise comme la démolition du mur de Berlin ou les manifestations de la place Tiananmen. Quelque 45 000 amateurs de base-ball peuvent s'entasser dans le Skydome de Toronto et encourager les *Blue Jays* à remporter la Série mondiale même si, de fait, le match se déroule à Atlanta!

La télévision est au cœur même de l'action. Pour la

plupart d'entre nous, en cette dernière décennie du XXe siècle, l'imprimé n'est plus la principale source d'information. Nous prenons connaissance des événements qui se produisent dans le monde, non pas en les lisant mais en les regardant.

Ni bonnes ni mauvaises en soi, nos technologies électroniques sont en voie de transformer rapidement, et en profondeur, notre mode de vie. Il y a vingt ans, nous étions loin de rêver d'objets tels que les télécopieurs, les jeux Nintendo et les guichets automatiques. Encore aujourd'hui, nous prêtons peu d'attention aux puces électroniques qui rendent nos appareils à la fois plus efficaces et puissants, et souvent plus difficiles à utiliser. Sera-t-il possible de nous adapter à ces changements, d'exploiter ces nouveaux outils pour l'affranchissement et le progrès social, ou nous asserviront-ils comme dans quelque scénario tragique d'une science-fiction?

Jadis, l'imprimé exerçait une solide emprise sur l'esprit humain. Pour le lecteur naïf, l'écrit confère une certaine véracité aux faits. Aujourd'hui, nous regardons le petit écran pour valider notre expérience. Si nous sommes témoins d'un événement qui passe peu après aux nouvelles télévisées, il acquiert alors une nouvelle dimension : transmis par la télévision, il devient indubitablement réel à nos yeux.

Les technologies électroniques ont fait pleuvoir sur nous une telle quantité d'information que celle-ci menace maintenant notre équilibre. Le traitement de l'information, son tri et sa transformation en connaissances utiles, et surtout la complexité croissante que cette technologie introduit dans nos vies, sont autant de défis à relever dans le village global.

 Comment votre vie aurait-elle été différente si vous aviez vécu avant l'ère électronique?

MARSHALL McLUHAN

Professeur de littérature anglaise à l'Université de Toronto, Marshall McLuhan a fait irruption sur la scène internationale, au cours des années 1960, comme le maître à penser du monde des médias. Il a imposé l'idée selon laquelle les médias ont un effet déterminant sur nos vies, notre culture et le cours de l'histoire.

Dans son œuvre, *Pour comprendre les médias*, McLuhan note que l'apparition de l'électronique est en voie de bouleverser la perception que nous avons de nous-mêmes et du monde. Les moyens technologiques comme le téléphone, la radio et la télévision réduisent les distances, entraînent une accélération des communications et nous ouvrent un univers complètement différent de celui qu'ont connu les générations précédentes. «Nous façonnons nos outils, disait-il, et ceux-ci, à leur tour, nous façonnent.»

McLuhan a joué un rôle capital dans l'élaboration de la théorie moderne des communications. Grâce à lui, nous sommes maintenant un peu plus avertis face à la technologie et à ses répercussions dans notre vie quotidienne.

Le Courrier du Patrimoine, N° 8, 1992/93

Bruxelles : Une ville qui bouge

La Grand-Place

Bienvenue et *Welkom* à Bruxelles, capitale de la Belgique et reconnue pour son hospitalité, sa joie de vivre et sa bonne humeur! Bruxelles, ville officiellement bilingue (on y parle le français et le néerlandais) est aussi très cosmopolite en raison de la présence de nombreuses organisations et entreprises internationales. La capitale de la Belgique comprend une population d'environ un million d'habitants dont un quart sont étrangers. Bruxelles est au cœur de l'Europe à quelques heures seulement de vol ou de route de toutes les principales capitales européennes (300 km de Paris, 390 km de Londres, et 210 km d'Amsterdam).

À Bruxelles, la vie sociale est particulièrement développée. Les sports sont très populaires et généralement organisés dans le cadre de clubs. C'est le cas du football, du cyclisme et du billard. Les Bruxellois adorent faire la fête surtout pendant les mois de juin à septembre où les festivals de Flandre et de Bruxelles offrent un grand choix de concerts et de récitals. Bruxelles possède une dizaine de théâtres où l'on donne des pièces en français et en néerlandais.

Bruxelles offre à tous ses citoyens et visiteurs une richesse en histoire et en souvenirs de son passé. Il ne faut pas manquer de visiter la Grand-Place, une des plus belles places au monde dont chaque façade est différente, mais dont l'ensemble possède une parfaite harmonie. La Place est entourée par la Maison du roi et les Maisons des corporations aux façades dorées et richement décorées de style baroque flamand. On y trouve aussi l'Hôtel de ville, le plus beau bâtiment de la ville à cause de son style gothique flamboyant. La tour de l'Hôtel (97 m) est dominée par une statue de saint Michel, patron de Bruxelles. Chaque dimanche matin, la Place est occupée par un marché aux oiseaux et chaque jour des marchands de fleurs animent le site par la vente de leurs bouquets multicolores.

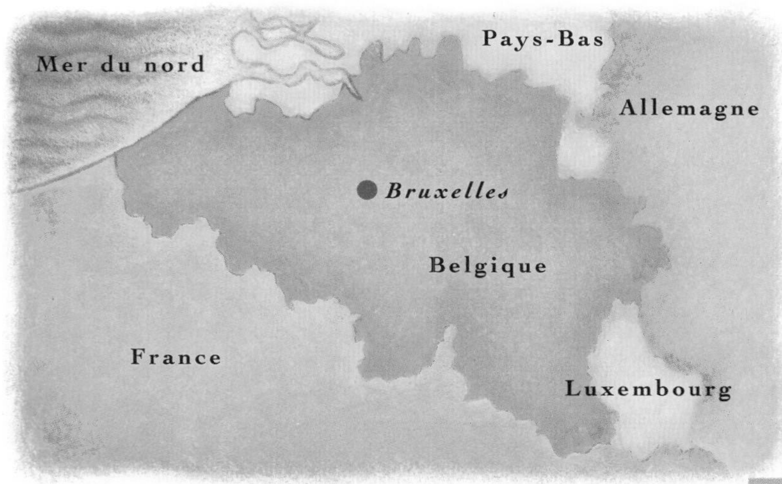

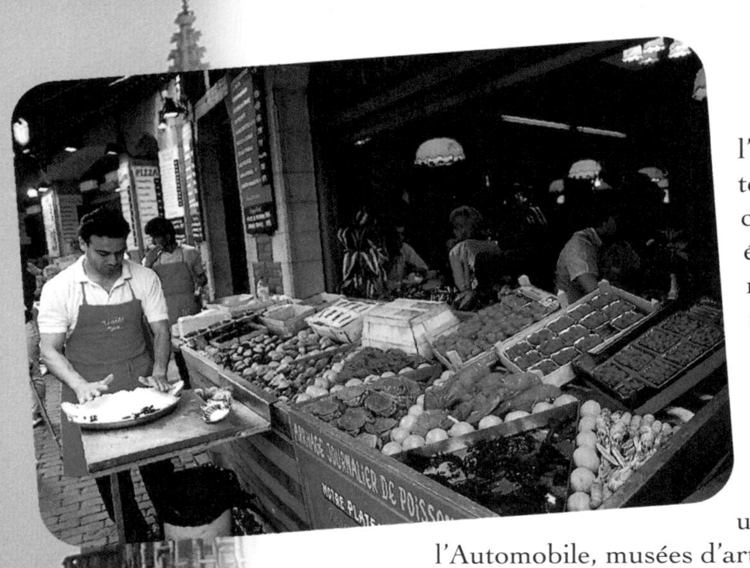

Au nord-est de la Grand-Place se trouve l'Îlot Sacré, un des endroits les plus pittoresques et animés de la ville. Ce quartier comprend tout un réseau de petites rues étroites contenant commerces, boutiques, magasins de souvenirs, cafés et surtout de nombreux restaurants de toutes les catégories. Vous pouvez y faire une pause à toute heure du jour et de la nuit.

Bruxelles, la ville des musées, possède environ 70 musées qui offrent des collections dans tous les domaines : musée du Transport urbain, musée des Enfants, musée de l'Automobile, musées d'art ancien, moderne, nouveau, déco...

Bruxelles est aussi appelée la capitale mondiale de la bande dessinée (B.D.). Une des plus célèbres séries de B. D. est *Tintin*. Qui est Tintin? C'est un jeune journaliste fictif qui, avec son chien Milou, a traversé le monde entier. Tintin est «né» en 1929 à Bruxelles dans le studio du dessinateur belge Hergé (1907-1983). Le vrai nom d'Hergé était Georges Rémi (ses initiales inversées, R.G., ont donné Hergé). Son studio était une véritable usine. Hergé ne dessinait pas tout lui-même. Les détails étaient souvent dessinés par de jeunes artistes. *Tintin* est très populaire en Europe, aux États-Unis et au Canada. C'est au Centre de la Bande que l'on peut trouver *Tintin* et aussi plus de soixante ans de créations belges.

Pour ceux qui aiment la nature, Bruxelles offre plusieurs espaces verts. Mentionnons le plateau du Heysel, site de l'Exposition universelle de 1958. Son célèbre Atomium simule une molécule de cristal de fer agrandie 165 milliards de fois. C'est un témoin toujours aussi spectaculaire de l'audace architecturale de l'homme du vingtième siècle.

Les gastronomes considèrent Bruxelles comme l'une des villes au monde où l'on mange le mieux. Non seulement à cause de la quantité de ses restaurants (plus de 1 800), mais surtout en raison de la qualité supérieure des repas qui y sont servis. Toutes les cuisines du monde entier se retrouvent à Bruxelles. Citons au passage quelques plats typiquement belges : le fameux *waterzooi* (à base de volaille ou de poisson), le *stœmp* (sorte de râgout), le lapin à la bière, l'anguille au vert, les célèbres moules préparées de différentes façons. On dit que les frites viennent de la Belgique, mais attention, on les mange avec de la mayonnaise! Pour ceux qui aiment les desserts, il y a les spécialités bruxelloises telles que les gaufres de Bruxelles, les spéculoos (gâteau sec), le pain à la grecque, le chocolat et les célèbres pralines.

L'Atomium

LES HOMONYMES

1. a) Comment se prononcent les mots suivants?

cour cours court

b) Maintenant, à l'aide d'un dictionnaire, associez les trois homonymes ci-dessus aux définitions suivantes. Prenez garde! Si c'est un nom, faites attention au genre du mot.

EXEMPLE
la résidence d'un roi — la cour

- un espace ouvert entouré de murs
- le contraire de long
- un terrain de tennis
- le mouvement de l'eau qui coule
- le tribunal
- deux formes du verbe *courir*
- enseignement suivi sur une certaine matière
- une avenue servant de promenade

2. a) Associez les deux listes suivantes pour trouver des homonymes. Attention! Il y a des mots qui ne sont pas des homonymes.

liste A	liste B	
tente	maire	temps
faim	père	chiot
mer	fin	tante
dans	dent	fois
sot	seau	
paire	verre	
vers	dont	
foi	fine	

b) Maintenant, donnez le sens de chaque mot ci-dessus que vous avez classé comme homonyme. Référez-vous à un dictionnaire, si nécessaire.

3. Lisez les phrases suivantes et observez les homonymes.

La salle **où** tu étudies est très obscure.
Mon père **ou** ma mère viendra au match.

Ses amis l'attendent.
Il n'aime pas **ces** cadeaux.

Cette étoile filante, elle **l'a** vue.
Cette auto est en panne mais je **la** répare.

Il pleut **à** Montréal.
Il **a** trop de bonbons.

4. Complétez les phrases suivantes par un des homonymes ci-dessus.

a) Le professeur a donné une explication et Paul —— comprise.
b) Paul est fier de —— chaises; il les a faites lui-même.
c) Voulez-vous prendre le train —— l'avion?
d) Il —— peur des fantômes.
e) On a pris —— boîte et on —— mise dans l'autre chambre.
f) J'ai une bicyclette —— la campagne.
g) Tu trouveras —— réponses dans le dictionnaire.
h) Je ne sais pas —— me cacher.
i) —— parents la grondaient beaucoup.
j) Je n'aime pas trop penser —— l'avenir.

Notions importantes

Pour exprimer un choix, on dit :

J'ai choisi cette athlète parce qu'elle a un bon esprit d'équipe et une grande force de caractère.

On a choisi ce joueur à cause de l'enthousiasme qu'il déploie dans toutes les parties.

Pour rapporter ce qu'une personne vous a dit, on dit :

Je voudrais vous parler de mon ami Maurice. Quand il était jeune, il aimait lire des romans policiers. Plus tard, Maurice aimerait travailler comme agent policier. À son avis, c'est une profession passionnante et très importante.

Pour décrire une action habituelle au passé, on dit :

Chaque vendredi soir, Lucie travaillait à la pharmacie.

Pour faire une description au passé, on dit :

Dans les années 60, tout le monde portait des jeans et des sandales.

Pour exprimer une action qui se produit seulement si une condition est remplie, on dit :

Si je participais à toutes ces activités, je n'aurais pas le temps de faire mes devoirs.

Si vous pouviez rencontrer une de vos vedettes préférées, laquelle choisiriez-vous?

Pour exprimer une action au passé qui précède une autre action au passé, on dit :

Quand je suis arrivé chez lui, il était déjà parti pour le centre commercial.

Marie ne pouvait pas répondre. Elle n'avait pas compris la question.

Pour rapporter ce qu'une personne a dit pour indiquer au passé une action antérieure à une autre, on dit :

Jacques nous a dit qu'il était allé au magasin avant de rencontrer sa petite amie, Mireille.

Quand nous sommes arrivés au stade, on nous a dit que le concert avait déjà commencé.

Mots utiles

Identification (noms)

adepte *(m, f)*
bourse *(f)*
course *(f)* au bifteck
dévouement *(m)*
entraînement *(m)*
esprit *(m)* d'équipe
exigence *(f)*
formation *(f)* scolaire
guichet *(m)*
habileté *(m)*
imprimante *(f)*
paquebot *(m)*

Description (adjectifs)

chaleureux, chaleureuse
climatisé, climatisée
commode
paisible
portatif, portative
récréatif, récréative

Action (verbes)

bénéficier
comporter
démarrer
endosser
passionner
se reposer
subventionner

Expressions

à force de
bref
ça bouge!
d'autant plus
entre-temps
être à la course
gérer son temps
il vaut la peine
nager dans l'argent
on est pressé!
sans cesse

LES VISAGES DE L'AMOUR

Dans cette unité, vous allez pouvoir :

▼

discuter de la famille moderne et des relations familiales

▼

parler de l'amour à travers les arts

▼

exprimer une réaction possible

▼

exprimer une action au passé qui n'a pas été réalisée à cause de certaines circonstances

▼

exprimer une action au passé qui pourrait avoir lieu si une condition était remplie

parler de vos premières rencontres

▼

parler de vos actions au passé

☛ À votre avis, qu'est-ce qu'une famille?

LA FAMILLE D'AUJOURD'HUI

Jeunesse Mag a demandé à des jeunes de nous décrire leur situation familiale. Quelle sorte de famille ont-ils? En quoi leur vie familiale reflète-t-elle les réalités actuelles? Comment s'adaptent-ils à une vie de plus en plus changeante? Voici quelques extraits des lettres que *Jeunesse Mag* a reçues.

« Deux fois par semaine, après le souper, maman s'en va à son deuxième travail, et moi, je garde ma petite sœur. Je fais mes devoirs, et puis je range la cuisine. Si mon père n'avait pas eu son accident, il aurait pu continuer à travailler, mais c'est impossible maintenant. Alors nous nous entraidons. Tout le monde s'est adapté à notre nouvelle situation et on est heureux. Et mon frère, qui faisait de l'équitation, se contente maintenant de jouer au tennis qui coûte moins cher... »

Roland N., Fredericton (Nouveau-Brunswick)

« J'ai une très bonne famille. J'adore mon beau-père. Il est très gentil et il m'emmène souvent aux matchs de base-ball. Il m'aide aussi avec mes devoirs, mais ce que j'aime le plus, c'est qu'il aime ma mère. Ils sortent souvent ensemble. Oui, on est très heureux... »

Gabrielle B., Saskatoon (Saskatchewan)

« J'ai beaucoup de chance d'avoir des parents qui s'aiment. Parfois mes amis me racontent des histoires tristes de leur famille. Bien sûr, chez nous on a des problèmes aussi; c'est tout à fait normal. Alors on en discute. Mes parents me traitent en adulte. Pendant ces discussions, ma mère reste toujours calme. D'après elle, on ne devrait jamais dire de mauvaises choses quand on est en colère, car plus tard on le regrettera. Ma mère est une personne que j'admire beaucoup. »

Monique T., Granby (Québec)

« Pour moi, ma famille c'est mon petit village agricole où je connais tout le monde. Je passe beaucoup de temps avec mes parents comme avec mes amis. Tout le monde participe aux fêtes et aux foires locales et on s'amuse beaucoup... Oui, on est heureux; je suppose parce qu'on fait beaucoup de choses ensemble! »

Joey B., Forestburg (Alberta)

« Nous sommes des immigrants établis au Canada depuis deux ans. Je vois que mes amis sortent souvent et qu'ils ont beaucoup plus de liberté que moi parce que mes parents sont très stricts. Quand je leur demande la permission de sortir, mes parents me disent que je dois aller avec la famille chez les tantes et les oncles. Ils parlent de «leur pays», me montrent des photos de «là-bas». Cependant, moi, je leur dis qu'ici c'est différent, mais pour eux c'est presque impossible de comprendre cela... »

Ana G., Toronto (Ontario)

« J'habite avec mon père. Ma mère habite avec sa nouvelle famille, pas loin de chez nous. Je la vois chaque fin de semaine, et on se parle au téléphone à tous les jours. Et maintenant, j'ai un beau demi-frère tout mignon! Chez moi, mon père fait tout dans la maison, alors je suis obligé de l'aider, ce que je n'aime pas toujours, mais ça va. Tous mes amis pensent que mon père est très sympa, ce qui me fait beaucoup plaisir. »

Richard T., Kamloops (Colombie-Britannique)

« Quand je pense à ma famille, je pense également à mes grands-parents. Mes grands-parents jouent un rôle très important dans ma vie. Ils sont de bons conseillers; ils m'encouragent quand j'ai des difficultés et ils me consolent quand j'ai de la peine. Ceux qui n'ont pas l'occasion de connaître leurs grands-parents perdent quelque chose de très précieux. Pour la fête de Noël l'an dernier, ma grand-mère a fait notre arbre généalogique avec des photos. C'était très intéressant d'apprendre l'histoire de la famille de cette façon. »

Paul D., Corner Brook (Terre-Neuve)

« Ma mère et moi sommes en train de nous adapter à la vie monoparentale. Elle est très courageuse et elle m'encourage beaucoup, mais je sais que c'est très difficile pour elle. Nous en parlons beaucoup; je lui explique que mon père me manque, mais que je comprends bien la situation. Quelques-uns de mes amis ont passé par là et maintenant ça va beaucoup mieux. Dans un sens, nous sommes devenues de bonnes amies. Oui, ça va bien aller... »

Marianne N., Brandon (Manitoba)

L'ESPRIT DE FAMILLE

À votre avis, que faut-il faire pour encourager l'esprit de famille? Lisez les suggestions suivantes de parents et grands-parents. Êtes-vous d'accord avec eux? Quelles sont vos propres opinions?

« Pour créer un esprit de famille, il faut lâcher la télé, y mettre du temps et faire des choses ensemble. Par exemple, c'est tellement plus agréable et plus facile de faire le ménage en groupe. C'est important de souligner les anniversaires de chacun. »

M. Hagan, père de deux garçons de 11 et 15 ans

« Il ne faut pas se perdre de vue. J'ai une petite-fille de 14 ans. Nous sommes amies. J'essaie de la comprendre. Elle m'a dit que c'est plus facile de se confier à moi parce que je ne panique pas à propos de tout et de rien. C'est normal, j'ai un recul sans avoir la responsabilité. Je suis sincère avec elle, c'est ça le secret. »

Mme Bouthiller, grand-mère

« À partir du moment où nous sommes deux personnes, on peut dire que nous sommes une famille. Pour ne pas que ça devienne une prison, on doit avoir chacun ses activités, développer ses intérêts; c'est la base de l'esprit de famille. Par périodes, nous n'avons pas le goût d'être ensemble. »

Mme DeFalco, mère monoparentale

« Il faut respecter les individus malgré les divergences d'opinion. Si on s'aime, on va trouver des moments pour se rencontrer, avoir du plaisir ensemble. Les grands-parents aimeraient ça jouer au Nintendo avec leurs petits-enfants; il faut juste nous montrer. »

M. Comeau, grand-père

« L'esprit de famille, c'est surtout difficile à conserver parce qu'il faut concilier les activités de tout le monde. Il faut savoir planifier et s'organiser. Chacun doit trouver son épanouissement personnel. »

M. Sénéchal, père de deux enfants

« S'il y a de l'amour à la base, ce n'est pas difficile. Le secret, c'est de garder des liens. Se téléphoner, écrire. Nous sommes tous gagnants. Moi, comme grand-mère, ça m'oblige à évoluer, à avoir l'esprit plus large. J'accepte mes enfants et mes petits-enfants comme ils sont, avec leurs valeurs. L'adolescence est un moment difficile à passer. Je peux comprendre parce que j'ai donné du fil à retordre à mes parents, beaucoup plus que mes filles m'en ont donné. »

Mme Chartrand, grand-mère

COMPRÉHENSION

La famille d'aujourd'hui

1. Que fait la famille de Roland pour s'adapter à leur nouvelle situation?
2. Pourquoi Gabrielle aime-t-elle son beau-père?
3. Comment la famille de Monique résoud-elle ses problèmes?
4. Comment Joey et ses amis s'amusent-ils?
5. Ana trouve la vie très différente au Canada. Expliquez.
6. Décrivez la situation familiale de Richard.
7. Nommez des points positifs dans la relation entre Marianne et sa mère.
8. Quel rôle est-ce que les grands-parents jouent dans la vie de Paul?

L'esprit de famille

Choisissez trois témoignages dans l'article et dites comment leurs auteurs encouragent l'esprit de famille dans leur milieu familial.

APPLICATION

1. a) Quelles sont les difficultés familiales mentionnées dans l'article «La famille d'aujourd'hui»?
   b) Quels sont les aspects positifs de l'article?
2. Discutez des éléments et des attitudes qui peuvent contribuer à de bons rapports et à de mauvais rapports entre membres de la famille.
3. À votre avis, est-ce que les témoignages contenus dans les articles représentent la réalité de nos jours? Justifiez votre réponse.
4. Selon vous, quelles différences y a-t-il entre la famille d'aujourd'hui et celle d'autrefois?

EXPANSION

1. Avec votre partenaire, interviewez une personne du troisième âge. Demandez-lui de parler de ses expériences familiales pendant son enfance. Présentez ses histoires à la classe.
2. Avec votre partenaire, faites un sondage auprès de quatre de vos camarades de classe. Posez-leur des questions sur la façon dont ils entrevoient leur propre famille à l'avenir. (Par exemple : «As-tu l'intention de te marier?») Partagez vos réponses avec la classe.
3. Écrivez un poème d'au moins huit vers qui décrit un aspect de la vie familiale. Vous pouvez utiliser les mots tirés des deux articles.
4. Écrivez un paragraphe qui réflète le portrait d'une famille différente de celles qui sont mentionnées dans les articles.

 Quels souvenirs ou objets précieux rattachent votre famille au passé?

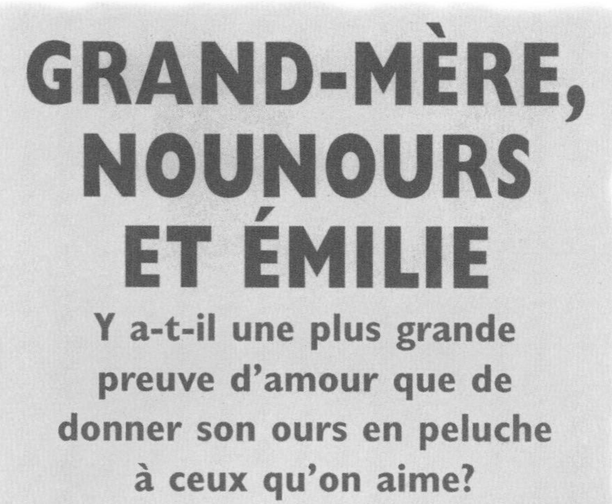

GRAND-MÈRE, NOUNOURS ET ÉMILIE

Y a-t-il une plus grande preuve d'amour que de donner son ours en peluche à ceux qu'on aime? Une grand-maman raconte.

Un jour, au hasard de ses courses, Grand-Mère tombe en arrêt, dans un grand magasin, devant les soldes de janvier, section jouets. Une force invisible l'a sans doute menée là, car, au cœur de l'effarant désordre des objets en plastique coloré et des jeux de société tripotés par mille mains, trône, l'air ahuri de se retrouver en si piteux équipage, un superbe ourson brun qui la fixe droit dans les yeux.

— Achète-moi, lui ordonne-t-il.

— D'accord!, acquiesce Grand-Mère, qui se promet d'offrir ce cadeau de choix au premier de ses petits-enfants en manque de tendresse.

À dire vrai, c'est pour elle qu'elle le prend. Elle en est très consciente. Petite, elle n'a jamais eu de toutous en peluche : que des poupées aux membres rigides qu'on habille et déshabille mais qu'on ne serre pas contre soi parce qu'on se blesserait. Elle a tâté Nounours : il est doux et malléable.

Grand-Mère apporte Nounours boulevard Saint-Germain et le dépose sur son lit, parmi les coussins. Jamais, par le passé, il n'est venu à l'idée de Grand-Mère de serrer l'un de ses coussins sur son cœur. Avec Nounours, elle a moins de retenue. Nounours se laisse tripoter : il est là pour ça, sauf qu'habituellement, les amis des oursons ont sept ans. Comme Émilie. Ou trois ans. Comme Laurence.

Émilie et Laurence. Les petites-filles. Elles ont des antennes, ces chéries, et ne mettent pas longtemps à s'aviser qu'il y a un nouveau venu dans le lit de Grand-Mère. Elles l'adoptent d'emblée. Chaque fois qu'elles viennent à la maison, avant de tirer du placard les Lego, les Barbies et la petite horloge qui joue du Mozart, elles vont cueillir Nounours à l'étage et le déposent sur le tapis du salon pour, ensuite, l'y oublier et s'en aller dessiner dans la cuisine.

À la Noël de cette année-là, Grand-Mère est alitée. Pneumonie. Pas la force de bouger. Moulue de partout. La fête a lieu quand même. C'est Grand-Père qui s'en charge, avec les tantes. Elle entend d'en haut les rires et les exclamations du rez-de-chaussée. Quand les petites-filles arrivent, le bal commence. Laurence regarde de ses grands yeux bleus Grand-Mère, allongée sous les couvertures. Elle ne l'a jamais vue autrement que debout avec son tablier dans la cuisine ou alors, dans son jardin, en pantalon usé, à engraisser ses rosiers. Qu'est-ce que c'est, pense Laurence que cette vieille mère-grand pas maquillée, pas coiffée, en robe de nuit de flanellette?

À la pauvre épave, elle offre l'objet le plus rassurant de la pièce : Nounours, qui attend sagement sur le fauteuil Louis XV, au milieu des coussins empilés.

Émilie s'informe :

— Est-ce que tu vas mourir, grand-maman?

— Non, ma chérie, je ne crois pas. Pas cette fois-ci.

— Quand tu mourras, tu me laisseras Nounours, veux-tu?

— C'est entendu, je te le laisse. Le veux-tu maintenant?

— Non. Il est à toi. Mais après, je le veux pour moi.

Après! Grand-Mère est une dure : elle triomphe encore une fois de la maladie et, bien contente, garde Nounours, qu'elle presse tous les soirs sur son cœur.

Vient un jour où Émilie, mal en point, est confiée à Grand-Mère par ses parents qui travaillent tous les deux à l'extérieur. La petite chérie paraît si misérable avec ses vomissements incoercibles qu'un geste important s'impose. Grand-Mère DONNE solennellement Nounours à sa petite patiente qui se remet comme par enchantement et rentre chez elle en rapportant son butin.

Dorénavant, Nounours — à qui on n'a pas demandé son avis — règne sur le lit d'Émilie, y ayant remplacé des dizaines d'autres habitués : animaux en peluche et poupées — si! même Bout-de-Chou. C'est lui qui la rassure quand elle fait des cauchemars et qu'elle se sent toute seule dans la forêt noire.

Et voilà que, les jours passant, Grand-Mère entre, sans y croire, dans son grand âge. Elle qui a toujours 15 ans dans son cœur en compte dorénavant 70 sur son acte de baptême et dans ses articulations. On lui fait une fête splendide pour marquer cette étape. Tous ses enfants et petits-enfants sont là — en plus des deux petites-filles, il y a Sophie, Stéphanie et Martin, des ados presque, des grands «évolués». Émilie est là, collée au flanc gauche de Grand-Mère. Laurence occupe le flanc droit. Toutes deux attendent avec une impatience fébrile que Grand-Mère, très entourée — elle ne leur appartient donc pas en propre? — en vienne à ouvrir le cadeau d'Émilie, orné des dessins de Laurence. Il y a eu des livres, des disques, des stylos, une couette. Grand-Mère replie soigneusement les beaux papiers d'emballage, lit les cartes tendres ou drôles et s'exclame. Et les yeux d'Émilie attendent, ronds et pleins d'expectative dans sa petite figure. Son cadeau, Grand-Mère n'en aura jamais de pareil. Ce sera le haut moment de la fête. Quand donc y arrivera-t-elle?

Et puis voilà! on y est. Les doigts marqués par l'arthrose écartent le papier aux arabesques naïves et révèlent... Non, ce n'est pas possible... NOUNOURS. Si! Nounours, l'œil encore vif, l'oreille pendante, le poil moins lustré qu'avant, mais entier, gaillard. Et souriant, on dirait. Soulagé, peut-être?

— Tu me le rends?

— Oui.

La petite voix est réticente, un peu, mais il y a tellement d'amour dans les yeux d'Émilie que Grand-Mère ne peut refuser le cadeau. En la serrant contre elle, elle jette, dans un souffle : «Maintenant, il est à nous deux.»

Et de se dire qu'il ne faudra pas oublier d'indiquer, dans son testament, que Nounours, c'est Émilie qui en hérite. Mais pas demain, Seigneur, s'il vous plaît. Qu'on ait le temps de se connaître davantage et de s'aimer tout plein.

☛ Qu'est-ce que vous aimeriez laisser derrière vous à vos enfants?

LA VIE DE FAMILLE

1. a) Quelles sont les responsabilités dans une famille?
   b) Dans votre famille, qui est responsable de ces tâches?
2. a) Décrivez trois situations qui illustrent comment un membre de votre famille vous aide ou vous a aidé.
   b) Puis décrivez trois situations qui illustrent comment vous aidez ou vous avez aidé un membre de votre famille.
3. a) Avec votre partenaire, choisissez une famille réelle ou fictive (à la télé, dans un roman, dans un film, etc.). Puis créez un arbre généalogique indiquant les liens de parenté entre les membres de cette famille.
   b) Ensuite, discutez des relations personnelles entre les uns et les autres. Est-ce qu'ils s'entendent bien? Y a-t-il des conflits? Est-ce une famille vraisemblable?
   c) Présentez votre famille à un autre groupe.

À VOUS LA PAROLE

1. Racontez à votre partenaire une anecdote concernant vos parents ou vos grands-parents ou des faits concernant l'histoire de votre famille. (D'où sont venus vos ancêtres? Quand sont-ils venus au Canada? Pourquoi?)
2. Décrivez la famille idéale selon vous. Expliquez votre description.

ON DISCUTE

La voix du sang est la plus forte. Êtes-vous d'accord avec cette expression? Expliquez.

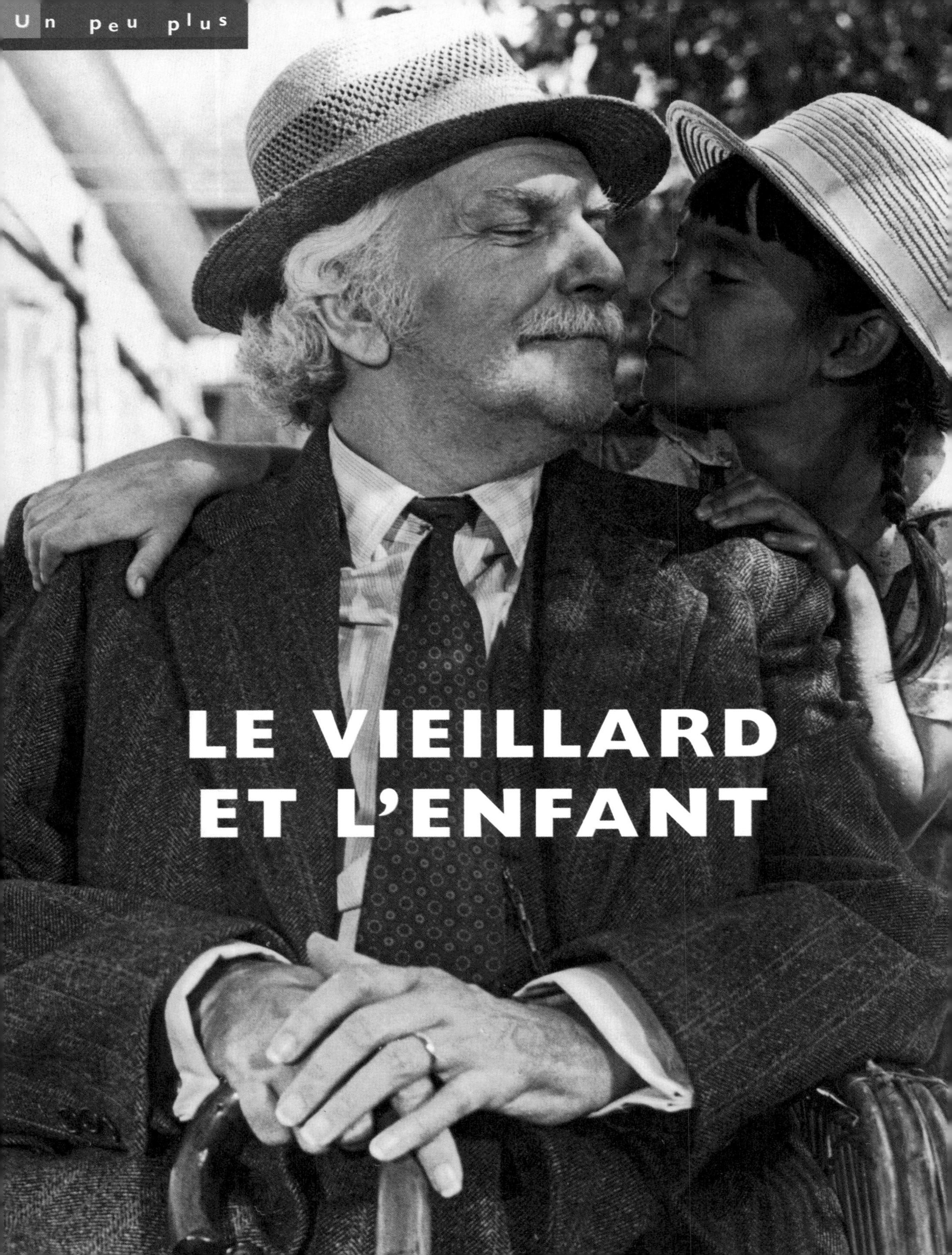

LE VIEILLARD ET L'ENFANT

Connaissez-vous quelqu'un que vous considérez comme «un membre de votre famille» même si cette personne n'a aucun lien de parenté avec vous?

Le film *Le Vieillard et l'enfant* est basé sur le récit de l'écrivaine francophone Gabrielle Roy, qui est née en 1909 à Saint-Boniface au Manitoba. Dans le film, Christine, une fillette de huit ans, fait la connaissance d'un merveilleux vieillard qui aura, grâce à l'enfant, le goût de faire un dernier voyage.

Manitoba, été 1935. Christine s'ennuie au milieu de ses jouets. Depuis la mort de sa grand-mère, qu'elle avait crue indestructible, rien n'est plus pareil. Christine vit désormais dans deux mondes : le monde familier de son petit village perdu au cœur de la plaine et le monde lointain et inconnu, dans lequel sa grand-mère s'en est allée.

Elle a beau se livrer à ses souvenirs ou jouer à l'explorateur, montée sur des échasses, elle ne peut retrouver la trace de celle qui, en disparaissant, l'a laissée au seuil d'un espace aussi étrange qu'interdit.

C'est alors qu'elle fait la rencontre de monsieur Saint-Hilaire, un bon et doux vieillard qui s'interroge, lui aussi, à sa manière, sur le mystère de la mort. Peu à peu une complicité s'établit entre eux, l'un et l'autre ne demandant pas mieux que de partager leur solitude et leurs secrets. Un jour où ils bavardent de tout et de rien, mais surtout de «l'eau qui semble en savoir plus que la terre», M. Saint-Hilaire décrit à Christine la beauté de ce grand lac Winnipeg qu'il n'a pas vu depuis des années. C'est ainsi que naît l'idée de ce voyage qui séduit Christine, ravie de délaisser ses échasses pour le train, ses explorations imaginaires, pour une véritable expédition.

Mais il lui faut d'abord obtenir la permission de sa mère qui, on le devine, vit entre l'attente et le regret, prisonnière de tous les désirs qu'elle n'a pas osé réaliser. Si elle hésite à laisser partir Christine, c'est sans doute aussi parce qu'elle perçoit obscurément que, par ce voyage, Christine se détachera d'elle et va commencer à vivre sa propre vie. Mais elle cède finalement, attirée par ce «mirage d'eau libre» qu'elle voit dans les yeux de sa fille.

Tôt levés, le vieillard et l'enfant prennent le train qui chemine lentement — trop lentement au goût de Christine — à travers la plaine et la forêt. Le vieillard savoure chaque instant qui le rapproche de «son vieil ami le lac» alors que Christine piaffe d'impatience : «Vas-tu donc être aussi passionnée toute ta vie?», lui demande M. Saint-Hilaire. «Oui, je serai comme cela toute ma vie», lui répond Christine. Le vieillard sourit et s'endort sous le regard heureux de l'enfant qui veille sur lui.

Les voici enfin près de ce lac que le vieillard retrouve avec une émotion qu'il n'arrive pas à dissimuler pendant que l'enfant court joyeusement vers l'eau en saluant le lac, le ciel, les vagues, la vie. La journée se passe, comme toutes les journées à la plage, dans l'oisiveté et les jeux, le silence et la parole, l'innocence et la gravité.

Le vieillard sait que ce voyage est le dernier. Chacun de ses regards est un adieu, ce que l'enfant ne tarde pas à comprendre. Il lui semble que sa grand-mère à nouveau va mourir et que cela est injuste. «Pourquoi tous les êtres qu'on aime doivent-ils mourir?» M. Saint-Hilaire essaie de lui expliquer qu'elle a toute la vie devant elle, mais on sent très bien que la lumière et l'eau sont les seules réponses aux questions que les êtres se posent au début ou à la fin de leur vie. L'enfant et le vieillard, blottis l'un contre l'autre, s'endorment sur la plage et se réveillent peu de temps avant le départ du train.

De retour au village, monsieur Saint-Hilaire reconduit Christine chez sa mère et s'éloigne d'un pas chancelant dans la nuit encore chaude.

Qu'est-ce que vous rêvez de faire dans la vie et qu'est-ce que vous allez faire pour réaliser vos rêves?

RELATIONS FAMILIALES

1. Dans toutes les familles, il y a des conflits. Voici quelques sujets qui peuvent mener à un conflit entre parents et jeunes : la voiture, le téléphone et le couvre-feu. Quels autres sujets peuvent mener à un conflit?

2. Imaginez comment vos parents auraient réagi si :
   a) vous aviez échoué votre épreuve d'histoire parce que vous n'aviez pas étudié;
   b) vous aviez gagné le trophée de la meilleure présentation à la foire de science de la région;
   c) vous aviez rencontré votre père au centre commercial un jour où vous deviez être à l'école;
   d) vous aviez emprunté la voiture sans demander la permission;
   e) vous aviez téléphoné à votre ami en Australie pour parler de choses et d'autres pendant une heure;
   f) vous aviez livré les journaux de votre petit frère parce qu'il était malade.

POUR EXPRIMER UNE RÉACTION POSSIBLE

Mes parents...
- auraient compris/n'auraient pas compris...
- auraient été...
- auraient voulu...
- m'auraient défendu de/dit de...

Je n'aurais pas eu la permission de...

Je n'aurais pas pu...

3. Faites un mini-dialogue avec un ou une partenaire pour illustrer une des situations précédentes.

4. Créez une autre situation de conflit entre parents et jeunes et jouez les rôles.

À VOUS LA PAROLE

Racontez à votre partenaire une expérience personnelle qui a rendu vos parents ou vos gardiens très fiers de vous (ou qui ne leur a pas tellement plu).

IMPRO

Vos parents vous ont demandé à vous et à votre frère (ou sœur) de nettoyer le garage samedi. Mais votre frère n'est pas là à l'heure prévue pour le grand nettoyage. Que faites-vous? Allez-vous tout de suite bavarder contre votre frère auprès de vos parents? Que diriez-vous? Jouez les rôles.

ON COMPOSE

Imaginez ou identifiez une situation où vous n'êtes pas d'accord avec vos parents. Écrivez une note à vos parents dans laquelle vous leur expliquez pourquoi vous n'êtes pas d'accord avec une décision qu'ils ont prise.

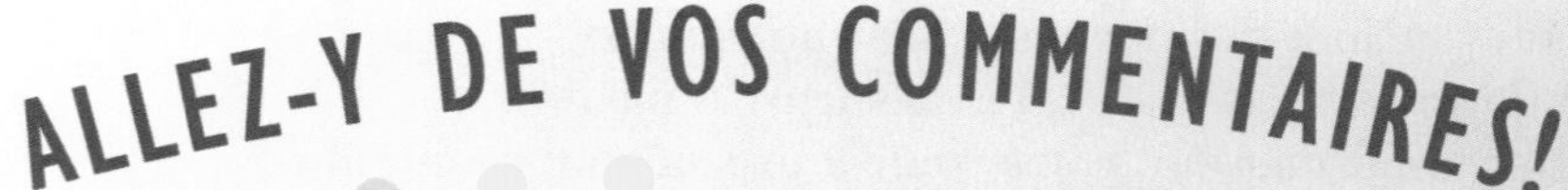

ALLEZ-Y DE VOS COMMENTAIRES!

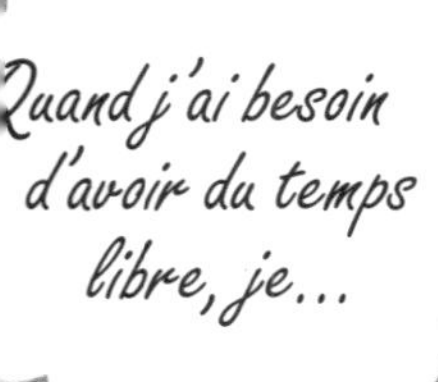

Quand j'ai besoin d'avoir du temps libre, je...

Pour que la famille fonctionne bien, il est important de...

Quel que soit le genre de famille qui est la vôtre, il y a des choses qui demeurent les mêmes, soit...

Quand je ne m'entends pas avec un membre de ma famille, je...

PARTIE A

1. a) Dans les situations suivantes, quelles actions ne sont pas réalisées?

Justin a acheté un billet de loterie, numéro 12345. Quel dommage! Le numéro gagnant était 12346. Autrement, il aurait gagné 100 000 $.

Pauvre Suzanne! Elle voulait tellement aller à la partie, mais au dernier moment sa maman est tombée malade et Suzanne a dû rester avec elle. Autrement, elle serait allée à la partie.

b) Dans chaque situation, quelle circonstance a empêché le résultat désiré?
c) Quand est-ce qu'on emploie **le conditionnel passé**?

2. Comment se forme le conditionnel passé?

3. Dites ce que vous auriez fait dans les situations suivantes.
a) En jouant dans la maison, votre frère a cassé une fenêtre.
b) Vos parents ne vous ont pas permis d'aller au concert.
c) Votre ami(e) ne vous a pas invité(e) à sa surprise-partie.
d) Sans demander la permission, votre sœur a pris la voiture familiale.

PARTIE B

1. a) Lisez les phrases suivantes.

Si j'avais eu plus d'argent, j'aurais acheté une Porsche!

J'aurais rencontré la vedette si j'étais allé à la pièce de théâtre.

b) Dans chaque phrase, identifiez l'action qui pourrait avoir lieu. Qu[el] temps du verbe emploie-t-on?
c) Dans chaque phrase, identifiez la condition dont dépend l'action. Quel temps du verbe emploie-t-on? Quel mot introduit la condition[?]

2. Maintenant, complétez les phrases suivantes.
a) Si j'avais gagné beaucoup d'argent, je...
b) Si j'avais eu le temps cette fin de semaine passée, je...
c) Si j'étais allé en vacances, je...
d) Si j'étais sortie avec...
e) Si j'avais su...
f) Si le prof n'avait pas été ici...

Comment avez-vous réagi à la naissance d'un frère ou d'une sœur?

Joachim n'est pas venu hier à l'école et il est arrivé en retard aujourd'hui, l'air très embêté, et nous, on a été très étonnés. On n'a pas été étonnés que Joachim soit en retard et embêté, parce qu'il est souvent en retard et toujours embêté quand il vient à l'école, surtout quand il y a interrogation écrite de grammaire; ce qui nous a étonnés, c'est que la maîtresse lui ait fait un grand sourire, et lui ait dit:

— Eh bien, félicitations, Joachim! Tu dois être content, n'est-ce pas?

Nous, on a été de plus en plus étonnés, parce que si la maîtresse a déjà été gentille avec Joachim (elle est très chouette et elle est gentille avec n'importe qui), elle ne l'a jamais, jamais félicité. Mais ça n'a pas eu l'air de lui faire plaisir, à Joachim, qui, toujours embêté, est allé s'asseoir à son banc, à côté de Maixent. Nous, on s'était tous retournés pour le regarder, mais la maîtresse a tapé sur son bureau avec sa règle et elle nous a dit de ne pas nous dissiper, de nous occuper de nos affaires et de copier ce qu'il y avait au tableau, sans faire de fautes, je vous prie.

Et puis, j'ai entendu la voix de Geoffroy, derrière moi:

— Faites passer! Joachim a eu un petit frère!

À la récré, on s'est mis tous autour de Joachim, qui était appuyé contre le mur, avec les mains dans les poches, et on lui a demandé si c'était vrai qu'il avait eu un petit frère.

— Ouais, nous a dit Joachim. Hier matin, papa m'a réveillé. Il était tout habillé et pas rasé, il rigolait, il m'a embrassé et il m'a dit que, pendant la nuit, j'avais eu un petit frère. Et puis il m'a dit de m'habiller en vitesse et nous sommes allés dans un hôpital, et là, il y avait maman; elle était couchée, mais elle avait l'air aussi contente que papa, et près de son lit, il y avait mon petit frère.

— Ben, j'ai dit, toi t'as pas l'air tellement content!

— Et pourquoi je serais content? a dit Joachim. D'abord, il est moche comme tout. Il est tout petit, tout rouge et il crie tout le temps, et tout le monde trouve ça rigolo. Moi, quand je crie un peu, à la maison, on me fait taire tout de suite, et puis papa me dit que je suis un imbécile et que je lui casse les oreilles. ➡

— Ouais, je sais, a dit Rufus. Moi aussi, j'ai un petit frère, et ça fait toujours des histoires. C'est le chouchou et il a le droit de tout faire, et si je lui tape dessus, il va tout raconter à mes parents, et puis après je suis privé de cinéma, jeudi!

— Moi, c'est le contraire, a dit Eudes. J'ai un grand frère et c'est lui le chouchou. Il a beau dire que c'est moi qui fais des histoires, lui, il me tape dessus et il a le droit de rester tard pour regarder la télé!

— Depuis qu'il est là, mon petit frère, on m'attrape tout le temps, a dit Joachim. À l'hôpital, maman a voulu que je l'embrasse, mon petit frère, et moi, bien sûr, je n'en avais pas envie, mais j'y suis allé quand même, et papa s'est mis à crier que je fasse attention, que j'allais renverser le berceau et qu'il n'avait jamais vu un grand empoté comme moi.

— Qu'est-ce que ça mange, quand c'est petit comme ça? a demandé Alceste.

— Après, a dit Joachim, nous sommes retournés à la maison, papa et moi, et ça fait tout triste, la maison, sans maman. Surtout que c'est papa qui a fait le déjeuner, et il s'est fâché parce qu'il ne trouvait pas l'ouvre-boîtes, et puis après on a eu seulement des sardines et des tas de petits pois. Et ce matin, pour le petit déjeuner, papa s'est mis à crier après moi, parce que le lait se sauvait.

— Et tu verras, a dit Rufus. D'abord, quand ils le ramèneront à la maison, il va dormir dans la chambre de tes parents, mais après, on va le mettre dans ta chambre à toi. Et chaque fois qu'il se mettra à pleurer, on croira que c'est toi qui l'as embêté.

— Moi, a dit Eudes, c'est mon grand frère qui couche dans ma chambre, et ça ne me gêne pas trop, sauf quand j'étais tout petit, ça fait longtemps, et que cette espèce de guignol s'amusait à me faire peur.

— Ah! non! a crié Joachim. Ça, il peut toujours courir, mais il ne couchera pas dans ma chambre! Elle est à moi, ma chambre, et il n'a qu'à s'en trouver une autre s'il veut dormir à la maison!

— Bah! a dit Maixent. Si tes parents disent que ton petit frère couche dans ta chambre, il couchera dans ta chambre, et voilà tout.

— Non, monsieur! Non, monsieur! a crié Joachim. Ils le coucheront où ils voudront, mais pas chez moi! Je m'enfermerai, non mais sans blague!

— C'est bon, ça, des sardines avec des petits pois? a demandé Alceste.

— L'après-midi, a dit Joachim, papa m'a ramené à l'hôpital, et il y avait mon oncle Octave, ma tante Édith et puis ma tante Lydie, et tout le monde disait que mon petit frère ressemblait à des tas de gens, à papa, à maman, à l'oncle Octave, à tante Édith, à tante Lydie et même à moi. Et puis on m'a dit que je devais être bien content, et que maintenant il faudrait que je sois très sage, que j'aide ma maman et que je travaille bien à l'école. Et papa a dit qu'il espérait bien que je ferais des efforts, parce que jusqu'à présent je n'étais qu'un cancre, et qu'il fallait que je devienne un exemple pour mon petit frère. Et puis après, ils ne se sont plus occupés de moi, sauf maman, qui m'a embrassé et qui m'a dit qu'elle m'aimait bien, autant que mon petit frère.

— Dites, les gars, a dit Geoffroy, si on faisait une partie de foot, avant que la récré se termine?

— Tiens! a dit Rufus, quand tu voudras sortir pour aller jouer avec les copains, on te dira de rester à la maison pour garder ton petit frère.

— Ah! oui? Sans blague! Il se gardera tout seul, celui-là! a dit Joachim. Après tout, personne ne l'a sonné. Et j'irai jouer chaque fois que j'en aurai envie!

— Ça fera des histoires, a dit Rufus, et puis on te dira que tu es jaloux.

— Quoi? a crié Joachim. Ça, c'est la meilleure!

Et il a dit qu'il n'était pas jaloux, que c'était bête de dire ça, qu'il ne s'en occupait pas, de son petit frère; la seule chose, c'est qu'il n'aimait pas qu'on l'embête et qu'on vienne coucher dans sa chambre, et puis qu'on l'empêche d'aller jouer avec les copains, et que lui, il n'aimait pas les chouchous, et que si on l'embêtait trop, eh bien il quitterait la maison, et c'est tout le monde qui serait bien embêté, et qu'ils pouvaient le garder, leur Léonce, et que tout le monde le regretterait bien quand il serait parti, surtout quand ses parents sauraient qu'il était capitaine sur un bateau de guerre et qu'il gagnait beaucoup d'argent, et que de toute façon il en avait assez de la maison et de l'école, et qu'il n'avait besoin de personne, et que tout ça, ça le faisait drôlement rigoler.

— Qui c'est, Léonce? a demandé Clotaire.

— C'est mon petit frère, tiens, a répondu Joachim.

— Il a un drôle de nom, a dit Clotaire.

Alors, Joachim s'est jeté sur Clotaire et il lui a donné des tas de baffes, parce qu'il nous a dit que s'il y avait une chose qu'il ne permettait pas, c'est qu'on insulte sa famille.

☛ À votre avis, quel âge ont les personnages dans cette histoire? Justifiez votre opinion.

☛ Qu'est-ce qui est ironique à la fin? Est-ce que la fin vous a étonné(e)?

Hart-Rouge : De la musique aux accents de l'Ouest

La première fois qu'on entend Hart-Rouge, l'accent nous étonne. Puis, c'est le son. Plus étrange encore, quatre membres d'une même famille chantent ensemble. Qui est le plus à plaindre? Le gars ou les trois filles?

 Voudriez-vous travailler avec un membre de votre famille? Quels en seraient les avantages et les inconvénients?

Annette, Michelle, Paul et Suzanne Campagne, les membres de Hart-Rouge, ont leurs racines dans l'Ouest canadien. Nés en Saskatchewan, ils ont grandi sur une ferme à 12 km de Willow Bunch dans la même province. Quel contraste avec la ville de Montréal qu'ils ont maintenant adoptée comme domicile!

La «différence» de Hart-Rouge : son accent distinctif, son style musical et les textes de ses chansons, provient sûrement en partie de ses racines. Le fait que le groupe est originaire de l'Ouest peut être la cause du succès qu'il connaît. Parfois aussi, cette origine peut être un obstacle : il n'est pas toujours facile de se faire reconnaître comme francophones quand on ne vient pas du Québec.

Longue histoire musicale

Les Campagne ont une longue histoire en musique. Les sept enfants (de l'aînée à la benjamine), Aline, Suzanne, Solange, Carmen, Paul, Annette et Michelle, ont commencé en bas âge à chanter, surtout lors des rencontres avec une famille de cousins, les Boisvert. Éduqués par les Filles de la Croix qui étaient beaucoup axées sur la musique, ils participaient à des festivals de musique de l'école. «Vous pouvez imaginer six petites filles habillées pareillement, se souvient Suzanne, l'aînée et le porte-parole de Hart-Rouge. La musique a toujours été très présente chez nous. Du point de vue de mes parents, chanter, c'était pour aider la communauté, pas dans le but de faire de l'argent.»

Bientôt, la famille Campagne profite des aptitudes de tous ses membres pour monter un spectacle. Les sept enfants chantent avec leur père Émile, sous la coordination de leur mère Marguerite. Aussitôt, la talentueuse famille Campagne gagne un concours de l'Association culturelle des Canadiens français (de la Saskatchewan) et est dorénavant beaucoup sollicitée. Elle adopte le nom de Folle Avoine vers 1979, et sort un album en 1985.

En 1986, plusieurs membres de la famille sont rendus à Saint-Boniface. Quatre d'entre eux décident de former un nouveau groupe d'orientation plutôt rock qui jouera ses propres compositions. C'est alors qu'est né le groupe Hart-Rouge.

Un nom significatif

Le nom Hart-Rouge a plus de signification qu'on pourrait l'imaginer à première vue. Il évoque le premier nom donné au petit village fransaskois Willow Bunch (à 3 000 km à l'ouest de Montréal) où les membres du groupe ont grandi. C'est aussi le nom qu'on donnait au tabac que fumaient anciennement les Métis de la région.

Racines rurales encore présentes

Suzanne Campagne est d'accord que le deuxième album, *Inconditionnel*, est davantage un retour aux sources pour le groupe, comparé au premier album intitulé simplement *Hart-Rouge*. La plupart des sujets abordés dans les textes des chansons sont de quelque façon reliés au fait d'avoir grandi au cœur de la campagne de la Saskatchewan. «Si on prend *Entre la neige et l'été*, par exemple, géographiquement parlant on avait la Saskatchewan en tête quand on a écrit cette chanson-là.»

L'aînée du groupe ajoute qu'il y a beaucoup de simplicité dans leur musique et leurs textes. Elle attribue cela à une caractéristique que l'on retrouve chez les gens de l'Ouest qu'elle juge généralement plus directs et pas compliqués.

«Puisqu'on a grandi dans un milieu minoritaire, un sujet qui revient souvent est la difficulté de communication ou le sentiment d'isolation», reconnaît Suzanne.

Karine Beaudette, *Vidéo-Presse*, déc. 1992

Déménagement nécessaire

En 1989, le groupe se retrouvait de plus en plus dans l'Est du pays et a finalement décidé d'adopter Montréal comme domicile. Mais Hart-Rouge s'ennuie des Prairies. Pour Michelle et pour Annette surtout (elles aiment la nature), c'est encore plus fort. Elles sont moins contentes de vivre en ville, signale Suzanne qui ajoute que grandir sur la ferme a été une expérience plaisante pour la plupart des membres de la famille, sauf pour elle-même qui se souvient d'avoir ressenti souvent de la solitude et l'impression que tout un monde passait devant elle.

Chaque membre retourne dans les Prairies une ou deux semaines par année. «C'est nécessaire pour nous ressourcer, remarque Suzanne. C'est toujours notre chez-nous!»

Une histoire de famille

Que dit Suzanne du fait de travailler avec ses frères et sœurs? «En général, ça rend les choses plus faciles. Disons que les avantages dépassent les inconvénients. Même si on a des goûts musicaux différents, on a quand même grandi avec les mêmes influences musicales, ce qui aide beaucoup dans l'écriture. Aussi, c'est un métier difficile; il y a beaucoup de tournées, il faut s'habituer à vivre entouré de gens qui vont accepter les hauts et les bas, et qui vont t'appuyer dans n'importe quelle situation.

«Un inconvénient, c'est la difficulté de faire la part des choses, de séparer le personnel du professionnel. C'est difficile de dire à ta sœur : "Regarde, ça ne marche pas, mais ça n'a rien à voir avec quand tu avais 10 ans!" »

Suzanne Campagne considère aussi l'équipe qui entoure Hart-Rouge comme de la famille, ou presque. Le gérant du groupe, Roland Stringer, est également natif de la Saskatchewan. Il a connu tous les membres du groupe bien avant qu'ils soient devenus Hart-Rouge, soit à l'école, soit dans des groupes de jeunesse en Saskatchewan. «Ça aurait été impossible d'arriver où on est sans Roland. Le fait qu'on ait un gérant fait toute la différence. C'est une personne qui nous connaît bien, mais qui est plus objective. On a de la chance d'être entourés d'une équipe bien synchronisée qui a accepté les différences qu'il y a dans ce groupe.»

☛ Vivre en ville ou à la campagne? Où voudriez-vous vivre et pourquoi?

☛ Quels autres musiciens contemporains ont commencé leur carrière comme membres d'une même famille?

SAVIEZ-VOUS QUE...

Il arrive quelquefois que les membres d'une famille choisissent la même carrière. En voici quelques exemples :

- **le couple Marie et Pierre Curie, physiciens célèbres et lauréats du prix Nobel;**
- **Paul et Isabelle Duchesnay, frère et sœur, compétiteurs de renommée mondiale en danse sur glace;**
- **les jumelles identiques Penny et Vicky Vilagos, médaillées d'argent aux Jeux olympiques de 1992 en nage synchronisée;**
- **Jacques Cousteau et son fils Jean-Michel, océanographes et cinéastes bien connus.**

En connaissez-vous d'autres?

PENNY ET VICKY VILAGOS

PAUL ET ISABELLE DUCHESNAY

Inconditionnel

Il y a des nuits quand je cours sans fin
Quand la brume me cache tes mains
Il y a des nuits quand j'étouffe de peine
Je veux casser mes chaînes

Il y a des pluies qui noient mes espoirs
Qui s'entourent de vapeurs noires
Il y a des pluies qui coulent sur mon malheur
Je veux cacher mon cœur

Inconditionnel
Il y a toi et moi
Et il n'y a pas de frontières
Inconditionnel
Tu es toujours mon éclat de lumière

Quand parfois je tremble sous l'émotion
Tu es là pour me souffler la passion
Je respire enfin avec toi
Et le ciel s'éclaire en moi

Quand les montagnes se dressent comme elles voudront
Je te retrouve de mille façons
Je te caresse jusqu'au bout de ton nom
Jusqu'au bout de ma raison

Paroles : Bernard Bocquel, Annette Campagne, Suzanne Campagne
Musique : Annette Campagne

- Qu'est-ce qui est inconditionnel?
- Quelles images sont évoquées pour décrire l'amour?

L'AMOUR DANS LE MONDE DES ARTS

Jeunesse Mag veut dédier cette édition à l'amour et aux arts. L'amour a toujours servi d'inspiration aux artistes. *Roméo et Juliette* en est un exemple immortel. Les auteurs, les poètes, les peintres et les musiciens décrivent les passions de l'amour depuis toujours – à travers les arts – à travers les siècles.

Cyrano de Bergerac

Edmond Rostand, dramaturge français, a écrit cette comédie héroïque vers 1897.

Cyrano, brillant poète et guerrier valeureux, est affligé d'un nez considérable, un nez si disgracieux qu'il se pense très laid. Cyrano n'ose avouer à sa cousine Roxane l'amour qu'il éprouve pour elle. Roxane aime Christian, jeune homme fier, intrépide et beau... mais totalement dépourvu d'esprit à une époque (18e siècle) où l'esprit prime sur toutes les autres qualités. Cyrano et Christian vont donc former une complicité pour séduire Roxane, l'un à travers ses lettres d'amour et l'autre par son apparence physique.

Malheureusement, Christian se fait tuer et Roxane va se réfugier dans un couvent. Pendant plusieurs années, Cyrano lui rend visite et l'amuse avec ses propos brillants. C'est au cours d'un de leurs entretiens que Roxane découvre que Cyrano était l'auteur des lettres d'amour et donc celui qu'elle avait toujours aimé. Mais, il est trop tard... Cyrano a été blessé mortellement au cours d'une bagarre.

Roxane :
Je vous aime, vivez!

Cyrano :
Non! car c'est dans le conte
Que lorsqu'on dit :
Je t'aime!
au prince plein de honte,
Il sent sa laideur fondre
à ces mots de soleil...
Mais tu t'apercevrais
que je reste pareil.

Roxane :
Je n'aimais qu'un
seul être et je
le perds deux fois!

La Belle et la Bête

L'écrivaine française Jeanne-Marie Leprince de Beaumont (1711-1760) a créé ce récit, basé sur la fable originale de Gabrielle-Suzanne de Villeneuve (1695-1755).

Il était une fois un jeune prince qui habitait un magnifique château...

Par une froide nuit d'hiver, une sorcière, à qui le prince avait refusé l'hospitalité, le transforme en créature hideuse. Pour rompre ce sort, le prince doit se faire aimer d'une tendre jeune fille.

Non loin de là, dans un petit village, vivait Belle avec son père, un inventeur. Un jour, en route vers la foire pour y présenter sa nouvelle invention, le père de Belle se trompe de route et se retrouve devant cet étrange château. La Bête y emprisonne le père de Belle.

Pendant ce temps, Belle, folle d'inquiétude, décide d'aller à la recherche de son père. Elle le trouve dans le château enfermé dans une tour. Pour sauver son père, Belle offre de rester en permanence au château avec ce monstre horrible. Son père est libéré.

Peu à peu, Belle parvient à amadouer la Bête et l'ambiance du château devient de plus en plus agréable. La Bête permet même à Belle d'aller chercher son père qui s'est perdu dans les bois. Elle le retrouve et le ramène à la maison pour le soigner.

Ce même jour, elle retourne au château pour y découvrir la Bête en train de mourir. Belle prend la Bête dans ses bras et lui dit : «J'avais tellement de chagrin de ne pas te voir. Ne meurs pas, je t'aime!» La Bête lui répond dans un murmure : «Si tu veux m'épouser, je serai sauvé.»

Belle accepte et soudain, la Bête se transforme en un beau jeune prince. L'amour de Belle avait rompu le mauvais sort.

Le Fantôme de l'Opéra

Cette pièce classique de suspense et d'amour est l'œuvre du romancier français, Gaston Leroux (1868-1927).

Au 19e siècle, le fameux Opéra de Paris est soudainement hanté par le fantôme, Erik, qui porte un masque pour cacher sa laideur. Des événements sinistres se déroulent : le lustre tombe; un employé est trouvé pendu; une voix lugubre mais invisible donne des ordres; des lettres menaçantes arrivent et Carlotta, première chanteuse, perd sa voix!

Avec l'aide mystérieuse d'Erik, Christine Daaé devient première chanteuse et chante comme un ange!

En l'entendant chanter, le beau Raoul de Chagny, jeune vicomte qui appartient à une illustre famille de France et qui est follement amoureux de Christine depuis leur enfance, décide de lui faire la cour!

Mais Erik, lui aussi, aime désespérément la belle Christine. Il l'enlève et la retient chez lui. Christine lui arrache son masque. D'abord, Erik est furieux; puis, il déclare son amour : «C'est un cadavre qui t'aime, qui t'adore et qui ne te quittera jamais! Vois, je ne ris plus, je pleure... Je pleure pour toi, Christine...»

Erik ne lui laisse pas le choix : si elle ne l'épouse pas, il va faire sauter un quartier de Paris, y compris l'Opéra, lui-même et Christine.

Au dernier moment, parce que Christine lui a montré un peu de bonté – ce que personne n'avait fait avant elle – Erik libère Christine et aussi Raoul, qu'il avait fait prisonnier quand celui-ci avait essayé de libérer Christine.

Peu après, Erik meurt.

Carmen

Un des plus célèbres opéras de tous les temps est sûrement *Carmen* de Bizet, écrit en 1875.

L'action se situe en Espagne au XIXe siècle. Quand le rideau se lève il est midi. Une foule de jeunes gens, quelques soldats et des ouvrières se retrouvent sur la grande place de Séville. Une des ouvrières, Carmen, indifférente aux autres hommes, s'approche d'un soldat, Don José, qui la regarde à peine. Sans hésitation, elle entreprend de l'attirer en lui chantant le célèbre aria *L'amour est un oiseau rebelle*.

La cloche sonne la reprise du travail. Carmen arrache la fleur de son corsage, la jette à Don José et retourne au travail. Quelques instants plus tard, des cris s'élèvent de la manufacture, et on apprend qu'une bagarre a éclaté entre Carmen et une autre ouvrière. Don José reçoit de son lieutenant l'ordre d'arrêter Carmen. Mais celle-ci réussit à le convaincre de la libérer. Carmen s'enfuit.

Don José vient de passer deux mois en prison pour avoir aidé Carmen à se sauver de la justice. Aussitôt libre, il va retrouver à la taverne Carmen dont il est follement amoureux. Celle-ci danse pour lui, mais quand Don José entend sonner le clairon de son régiment, il annonce qu'il doit partir. Furieuse, Carmen ridiculise son amour et elle se moque de lui cruellement. Don José proteste. Il détache de sa tunique la fleur que Carmen lui avait jetée lors de leur première rencontre et il lui chante son amour.

Carmen le persuade alors de lui prouver son amour en allant dans les montagnes avec elle et ses amis contrebandiers. Escamillo, un célèbre torero qui est lui aussi amoureux de Carmen, vient dans les montagnes pour la retrouver. Don José provoque le torero en duel au couteau. Il va le tuer quand les autres s'interposent. Escamillo est sauvé. Il invite tout le monde à sa prochaine corrida à Séville. Carmen, fâchée contre Don José, lui dit de partir et Don José retourne à Séville.

Plus tard, juste avant la corrida d'Escamillo, Carmen rencontre Don José qui la supplie de recommencer une nouvelle vie avec lui. Mais Carmen le rejette en disant cruellement «Non, je ne t'aime plus». Don José s'accroche pitoyablement à elle, puis lui barre le passage. Elle lui dit «Frappe-moi donc, ou laisse-moi passer!» et elle jette par terre la bague que Don José lui avait donnée. Éperdu de douleur, il la poignarde et elle s'effondre à ses pieds, morte.

L'amour peut être doux comme un ange ou tragique comme la mort. Chaque génération adapte le thème de l'amour selon ses goûts et ses talents, mais le message reste le même – l'amour, c'est aimer... et quelquefois pleurer!

COMPRÉHENSION

Cyrano de Bergerac

1. Décrivez :
   a) Cyrano.
   b) Roxane.
   c) Christian.
2. Quels sont les liens entre :
   a) Cyrano et Roxane?
   b) Roxane et Christian?
   c) Christian et Cyrano?
3. Qu'est-ce que Roxane découvre à la fin?

La Belle et la Bête

1. Donnez des exemples de la bonté de Belle.
2. Décrivez la Bête.
3. Qu'est-ce qui se passe à la fin?

Le Fantôme de l'Opéra

1. a) Qui est Erik?
   b) Décrivez-le.
   c) Quels événements sinistres cause-t-il?
2. a) Qui est Raoul?
   b) Décrivez-le.
3. Quels sont les sentiments de Raoul et d'Erik envers Christine?
4. Que fait Erik pour Christine à la fin?

Carmen

1. Comment Carmen attire-t-elle Don José?
2. Comment Don José démontre-t-il son amour envers Carmen?
3. Quel rôle Escamillo joue-t-il dans l'histoire?
4. Pourquoi Don José tue-t-il Carmen à la fin de l'histoire?

APPLICATION

1. Pensez à une histoire d'amour (un film, un livre, une chanson, des personnalités bien connues, etc.). Résumez l'intrigue amoureuse entre les personnages principaux.
2. Quand on tombe en amour, on peut ressentir de la joie et de la tristesse. Trouvez des exemples précis dans les films, dans les romans et dans les émissions à la télé qui illustrent cet énoncé.

EXPANSION

1. Choisissez **une** des situations suivantes et imaginez le scénario «Qu'est-ce qui se serait passé si...» :
   a) Christian n'était pas mort (*Cyrano de Bergerac*)?
   b) Belle n'avait pas accepté d'épouser la Bête (*La Belle et la Bête*)?
   c) Erik avait été beau (*Le Fantôme de l'Opéra*)?
   d) Don José n'avait pas tué Carmen (*Carmen*)?
2. Dans un paragraphe, expliquez ce qui différencie l'amour entre parents et enfants, entre adultes, et entre copains ou copines.

Mais la raison n'est pas ce qui règle l'amour

Molière
(Le Misanthrope)

CONTE DE FÉES

Il était un grand nombre de fois
Un homme qui aimait une femme.
Il était un grand nombre de fois
Une femme qui aimait un homme.
Il était un grand nombre de fois
Une femme et un homme
Qui n'aimaient pas celui et celle qui les aimaient.

Il était une seule fois
Une seule fois peut-être
Une femme et un homme qui s'aimaient.

Robert Desnos

☛ Préparez un collage de photos ou d'illustrations qui a pour thème : «Les différents visages de l'amour». Présentez et expliquez votre collage.

L'AMITIÉ ET L'AMOUR

1. a) Pensez à un ami ou une amie que vous chérissez. Expliquez ce qui vous attire chez cette personne.
   b) Est-ce le même attrait que vous ressentez envers un ami ou une amie de cœur?
   c) Jusqu'à quel point est-il essentiel que les personnalités soient les mêmes entre camarades ou entre amis de cœur? Qu'est-ce qu'on devrait avoir en commun (goûts, loisirs, etc.)?

2. Pensez à un ou une camarade ou à votre ami(e) de cœur et répondez aux questions suivantes.
   a) Où est-ce que vous avez rencontré cette personne pour la première fois?
   b) Depuis quand êtes-vous de bons amis?
   c) Quels sont vos champs d'intérêt communs?

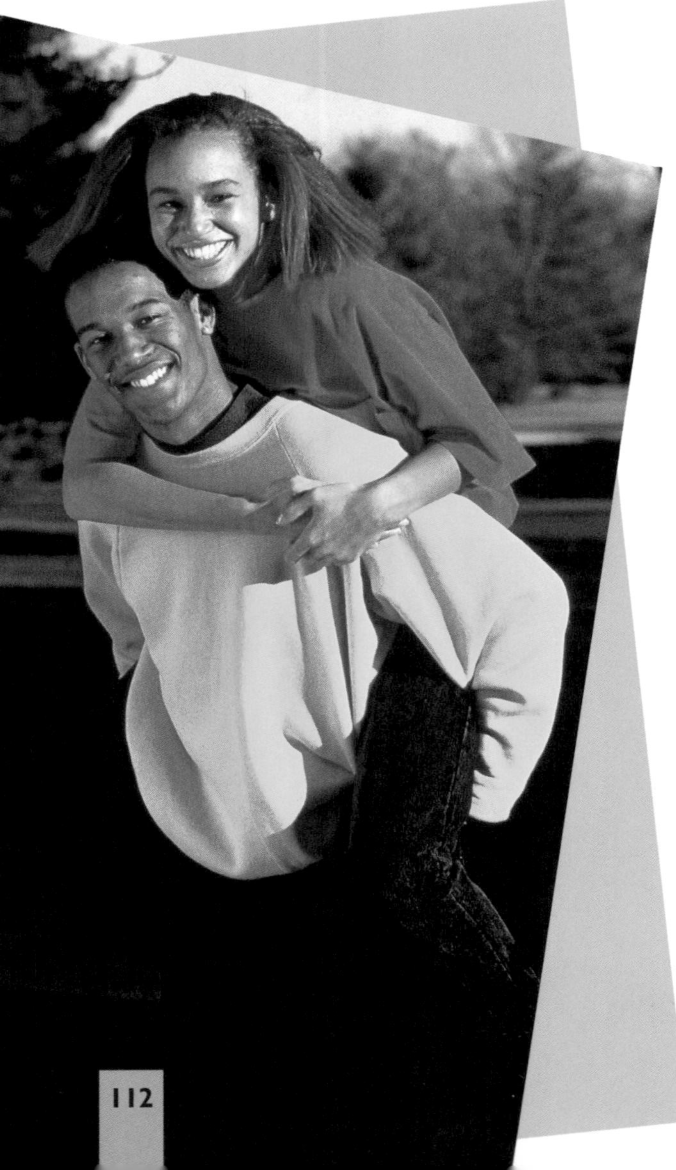

POUR PARLER DES PREMIÈRES RENCONTRES

Nous avons fait connaissance à l'école/à une danse/au camp...
... me l'a présenté(e)...
Tout de suite, nous nous sommes bien entendu(e)s...
Je lui ai téléphoné/dit...

3. Avec votre partenaire, jouez les rôles suivants. Choisissez un couple fameux. Imaginez que c'est votre premier rendez-vous et que vous essayez de convaincre l'autre personne de sortir avec vous.

À VOUS LA PAROLE

Décrivez une première sortie idéale.

ON DISCUTE

Quelle est la différence entre l'amour et l'amitié? Expliquez vos opinions.

ON COMPOSE

1. Écrivez une lettre d'amour ou d'amitié à une personne réelle ou fictive.

2. Imaginez que vous travaillez pour une compagnie qui fabrique des cartes de souhaits. Composez une carte pour la fête de votre choix (par exemple, la Saint-Valentin, l'anniversaire d'un être cher, etc.).

PARTIE A

1. a) Lisez les phrases suivantes.

Marie et Philippe sont amoureux depuis cinq ans. Enfin, ils **se sont mariés** la semaine dernière.

Ils s'aiment depuis la première fois qu'ils **se sont vus**.

b) Dans les phrases ci-dessus :
- quel est le temps des verbes en caractères gras?
- quel est le verbe auxiliaire?
- y a-t-il un accord du participe passé?

2. a) Maintenant, lisez les phrases suivantes.

Comme je suis étourdi! Je me suis tromp**é** de chemin.

Lucie s'est repos**ée**.

Les garçons ne sont pas dépêch**és**.

b) Avec quoi le participe passé s'accorde-t-il?

3. Répondez aux questions suivantes.

a) À quelle heure vous êtes-vous levé(e) ce matin? À quelle heure vous êtes-vous couché(e) hier soir?
b) Votre camarade et vous, où vous êtes-vous rencontré(e)s pour la première fois?
c) Parlez d'un endroit ou d'une attraction où vous vous êtes bien amusé(e). Qu'y avez-vous fait?
d) Nommez un ou une camarade qui habite loin de vous. Quand vous êtes-vous vu(e)s la dernière fois?

PARTIE B

1. a) Lisez les phrases suivantes.

   Après avoir travaillé, elle s'est lav**ée**.

   Avant de manger, elle s'est lavé les mains.

   b) Pour les phrases ci-dessus :
   - quel est le temps du verbe?
   - l'objet direct précède-t-il ou suit-il le verbe?
   - y a-t-il un accord du participe passé?

   c) Quand est-ce que le participe passé s'accorde dans les verbes pronominaux?

2. a) Comparez les deux situations suivantes :

   Gérard a parlé à Rose-Anne et Rose-Anne a parlé à Gérard.
   Gérard et Rose-Anne se sont parlé.

   Gérard a vu Rose-Anne et Rose-Anne a vu Gérard.
   Gérard et Rose-Anne se sont vus.

   b) Dans chaque phrase ci-dessus, le pronom **se** est-il objet direct ou indirect?

   c) Comment sait-on si le pronom réfléchi qui précède le verbe est objet direct ou indirect?

   d) Pourquoi n'y a-t-il pas d'accord au participe passé dans le premier exemple?

3. Maintenant, lisez les phrases suivantes et dites si le pronom réfléchi est objet direct ou indirect.
   a) Ils se sont téléphoné.
   b) Mes deux amis se sont fâchés.
   c) Elles se sont écrit des lettres.
   d) Nous nous sommes mariés.
   e) Les filles se sont parlé.

4. Parlez des activités d'une journée réelle ou imaginaire (par exemple, le jour d'une première sortie, le jour d'un anniversaire spécial, votre première journée à l'école secondaire, etc.). Mettez votre histoire au passé et employez au moins cinq verbes réfléchis ou pronominaux. Vous pouvez utiliser les verbes suivants : se préparer, s'amuser, se dépêcher, s'habiller, se promener, se souvenir, se parler, se téléphoner.

Créez votre propre bande dessinée pour illustrer votre définition de l'amour.

Comment est-ce qu'on fête la Saint-Valentin aujourd'hui?

La Saint-Valentin

La Saint-Valentin, c'est d'abord et avant tout la fête des amoureux, mais c'est aussi la fête de l'amitié. Tu aimes secrètement quelqu'un depuis plusieurs mois et tu voudrais le lui faire savoir. Tu apprécies la présence d'un garçon ou d'une fille à l'école et tu voudrais te lier d'amitié avec lui ou avec elle. Ta timidité t'a trop longtemps interdit de déclarer tes intentions. Pourquoi ne profiterais-tu pas de la Saint-Valentin pour faire connaître tes véritables sentiments?

Un peu d'histoire…

La Saint-Valentin a des origines qui remontent très loin dans l'histoire du monde. On raconte en effet que, déjà du temps des Romains, on célébrait vers le 15 février de chaque année la «Lupercalia». Cette fête avait pour but de souligner l'amour dont avait fait preuve la louve qui avait adopté Rémus et Romulus, les deux frères jumeaux fondateurs de Rome. À cette occasion, les jeunes filles déposaient leur nom dans une urne. Des jeunes hommes venaient ensuite piger, à tour de rôle, le nom de celle qui allait devenir leur «amie de cœur» pour le reste de l'année. Vers la fin du IIIe siècle, l'Église catholique, encore toute jeune, s'inquiéta de la popularité de cette fête païenne et ne pouvant la faire disparaître, puisqu'elle était beaucoup trop populaire, décida de lui donner pour patron un saint martyr dont la fête tombait en février. C'est ainsi que Saint-Valentin fut choisi pour patronner la fête des amoureux.

Au Moyen-Âge, cette belle fête s'imposa définitivement dans les mœurs. À cette époque, la croyance populaire voulait que les oiseaux se trouvent un partenaire le 14 février. Voulant sans doute les imiter, les hommes prirent alors l'habitude d'embrasser à la Saint-Valentin la première jeune fille rencontrée ce jour-là.

De jolies cartes

Ce n'est que bien plus tard que l'on commença à envoyer des cartes de souhaits. On raconte que c'est Charles, duc d'Orléans, qui fut le premier, en 1415, à envoyer un valentin à sa tendre épouse, pendant son emprisonnement à la Tour de Londres. En fait, ce sont les moines qui furent les premiers à créer des cartes pour souligner la Saint-Valentin. Ces premiers valentins étaient faits avec beaucoup de soin. On les ornait d'une belle dentelle de papier fin.

Au début des années 1800, on commença à imprimer sur cuivre des valentins. Parallèlement, on développa en Angleterre une méthode efficace de fabrication de dentelle de papier. La beauté de ces cartes était telle que la coutume d'envoyer des valentins atteint son apogée vers 1840. En Amérique, on doit les premiers valentins à Esther Howland de Worcester, au Massachusetts.

Encore aujourd'hui, il y a bien des gens qui conservent cette belle tradition d'échanger des valentins avec la personne aimée.

Une bonne habitude à prendre

Savais-tu que plus de 60 millions de valentins avaient été échangés l'année dernière? Ce chiffre très impressionnant confirme que la Saint-Valentin se classe bonne deuxième derrière Noël pour l'échange de cartes de souhaits. Autre fait intéressant, ce sont les jeunes comme toi qui envoient le plus de valentins. Ils veulent ainsi faire plaisir à leurs amis et à leurs parents.

Il est aussi de mise à la Saint-Valentin d'accompagner sa carte d'un beau petit cadeau, de préference du chocolat. Les plus grands préféreront peut-être donner des fleurs. Les plus romantiques voudront ainsi souligner l'amour qu'ils portent à l'être cher. La rose rouge demeure la fleur la plus populaire à l'occasion de la Saint-Valentin. Plus le rouge est vif, plus la passion est grande.

Mais il y a aussi de la place pour l'humour à l'occasion de cette fête. Il se fait aujourd'hui des cartes de souhaits très amusantes qui te permettront de faire rire tes amis. Des caricatures, quelques phrases farfelues, voilà une façon originale de dire aux gens qu'on les aime.

Il est intéressant de constater que la Saint-Valentin arrive à une période de l'année où l'hiver est à son plus froid. Noël est déjà loin et il faudra attendre plusieurs semaines avant Pâques. La Saint-Valentin est donc un heureux prétexte pour se réchauffer le cœur et dire «je t'aime».

☛ Faites une liste des fêtes annuelles que vous célébrez et rangez-les par ordre de préférence. Expliquez pourquoi vous avez choisi cet ordre.

Qu'est-ce qui vous attire dans un tableau?

Des sujets qui inspirent

L'amour est une éternelle source d'inspiration pour les peintres. Les trois tableaux représentés ici reflètent divers aspects de l'amour ressenti par des Impressionnistes célèbres. Les Impressionnistes tiraient leurs sujets de la vie contemporaine et les représentaient de façon émotive et subjective.

Le Berceau

Berthe Morisot

Berthe Morisot fut la première femme à se joindre au groupe des Impressionnistes. Belle-sœur d'Édouard Manet, elle encouragea celui-ci à se livrer à la peinture en plein air et à introduire des couleurs plus claires dans sa palette. Elle fut sûrement son élève la plus talentueuse, puisant son inspiration et ses sujets autour d'elle, dans sa famille et son milieu immédiat.

Dans ce portrait charmant, sa sœur Edma pose un regard tendre sur son premier bébé, sa fillette Jeanne, vue à travers le voile qui recouvre le berceau. Morisot participa à toutes les expositions impressionnistes sauf une, en 1879, année où elle donna naissance à sa fille.

La Femme à l'ombrelle

Claude Monet

Monet exécuta trois portraits de femmes portant une ombrelle. Son épouse, Camille, servit de modèle au premier tableau, peint en 1875. Les deux autres, qui datent de 1886, forment une paire et montrent combien l'image de sa bien-aimée Camille, morte sept ans plus tôt, continue de hanter Monet. Dans *La Femme à l'ombrelle* représentée ici, l'ombrelle est tournée vers la gauche; dans le second tableau, où l'ombrelle est tournée vers la droite, une lumière toute différente tombe sur le visage et le corps du sujet. Les traits robustes de la toile de fond suggèrent le mouvement rapide des nuages par une journée de grand vent.

C'est sa belle-fille, Suzanne Hoschedé, que Monet a peinte ici, près de sa propriété de Giverny. Tragiquement, comme Camille, Suzanne est morte jeune, à l'âge de trente et un ans. Toute sa vie, Monet n'a cessé de vénérer les portraits qu'il avait faits de sa belle-fille.

L'Étoile

Edgar Degas

Dans ce tableau, Degas capte avec brio la magie du spectacle, tout en faisant ressortir son caractère fictif. En dessinant des figures estompées qui attendent dans les coulisses, cachées du public, Degas remet en perspective le monde chimérique du ballet.

Degas père, riche banquier, tenait des concerts hebdomadaires chez lui, inculquant au jeune artiste l'amour de la musique, du théâtre et du ballet. Dans près de la moitié de ses œuvres ultérieures, Degas dépeint le monde de la danse et du théâtre, utilisant de préférence le pastel — technique qu'il affectionnait à cause de sa versatilité et de sa rapidité d'exécution. Dans *L'Étoile*, les coulisses, brossées en stries libres et rudimentaires, forment un contraste saisissant avec la surface lisse de l'avant-scène et les coups de pinceau délicats du costume de la danseuse.

PAROLES D'AMOUR

1. Qu'est-ce qu'une métaphore? Choisissez la bonne réponse.
   a) C'est un procédé de langage qui compare une chose à une autre.
   b) C'est une action qui se passe au futur.

2. Lisez les vers ci-dessous et trouvez les métaphores. Dans chaque vers, à quoi compare-t-on l'amour? Quel sentiment exprime-t-on : la joie, la tristesse, la colère, etc.?

   EXEMPLE
   Tu es mon amour, ma danse carrée des quatre coins d'horizon.
   On compare l'amour à une danse carrée. On exprime de la joie.

   a) Tu es mon amour, ma symphonie heureuse.
   b) L'amour est une guerre où deux ennemis se rencontrent.
   c) Le marché des fleurs, c'est toi, mais je ne t'y ai pas trouvée, mon amour.
   d) Je suis l'ombre qui viendra dans ta vie ensoleillée.
   e) L'amour, c'est une eau courante qui s'en va et ne retourne pas.

POUR VOUS AIDER

mon cœur
mon ange
mon loup
mon chou
mon gros loup
mon chouchou
mon trésor
ma chouette
mon lapin
ma chérie
mon chéri

3. a) Écrivez **cinq** messages d'amour drôles ou sérieux. Commencez vos messages par des expressions de tendresse. Référez-vous aux exemples suivants.

   EXEMPLES
   Ma chérie, tu es l'arc-en-ciel de mon orage.
   Mon trésor, tu es l'étoile de ma nuit.
   Mon chou, tu es la sauce de ma poutine.

   b) Présentez vos messages à votre partenaire.

4. Lisez les messages d'amour ci-dessous. En vous inspirant de ces exemples, inventez d'autres expressions de tendresse comiques.

Mon tit-gros-pichou-de-Bruxelles-au-chocolat-roulé-dans-les-p'tites-pinottes-Bar-B-Q!
Mon tit-tas-de-puce qui-piquent-pas-qu j'cric-crac-crocquerai dans-une-Pop-Tart pour-le-vrai!

our exprimer une réaction possible, on dit :

les parents m'auraient défendu de voyager en Europe l'été prochain.

our exprimer une action au passé qui n'a pas été réalisée à cause de certaines circonstances, on dit :

lon frère avait tout dépensé son argent de poche. Autrement, il aurait pu aller au cinéma avec ses amis.

our exprimer une action au passé qui pourrait avoir lieu si une condition était remplie, on dit :

i j'avais fait l'effort voulu, j'aurais réussi à cet examen.
i nous n'étions pas allés au concert, nous aurions eu le temps de terminer notre projet.

our parler de ses premières rencontres, on dit :

ous avons fait connaissance à un camp d'été. Tout de suite, nous nous sommes bien entendues.

our parler de ses actions au passé, on dit :

on amie et moi, nous nous sommes préparés pour le bal masqué. Hélène s'est costumée en pirate et moi, je me suis déguisé en clown.

Mots utiles

dentification (noms)

agarre (*f*)
eau-père (*m*)
onté (*f*)
hagrin (*m*)
omplicité (*f*)
emi-frère (*m*)
vergence (*f*)
ouleur (*f*)
ramaturge (*m*, *f*)
ntretien (*m*)
panouissement (*m*)
ire (*f*)
quiétude (*f*)
ideur (*f*)
etite-fille (*f*)
cul (*m*)
mancier (*m*), romancière (*f*)
rt (*m*)

Description (adjectifs)

affligé, affligée
amoureux, amoureuse
brillant, brillante
dépourvu, dépourvue
éperdu, éperdue
hideux, hideuse
laid, laide
mignon, mignonne
pareil, pareille
pendu, pendue
valeureux, valeureuse

Action (verbes)

s'accrocher
amadouer
s'apercevoir
arracher
avouer
se confier
dédier
se dérouler
éclater
s'effondrer
emmener
s'enfuir
enlever
s'entraider
s'épouser
lâcher
se moquer de
oser
poignarder
ramener
rompre
supplier

Expressions

à la recherche de
à peine
barrer le passage à quelqu'un
donner du fil à retordre à quelqu'un
faire la cour à quelqu'un
malgré
se perdre de vue
se tromper de route

Mongeau

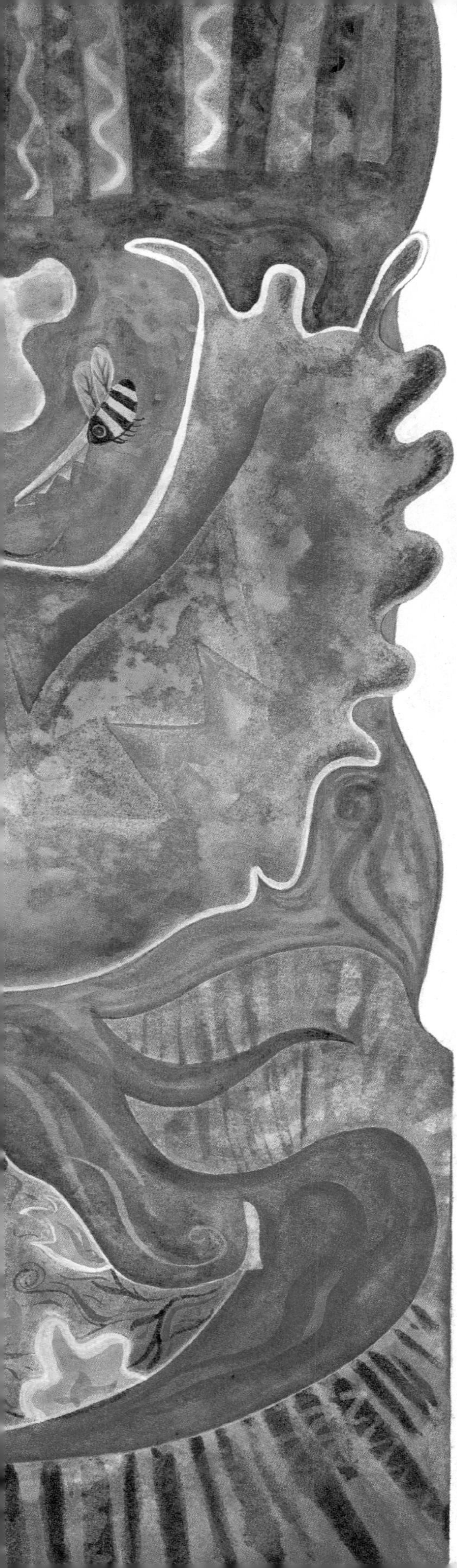

L'IMAGINATION

Dans cette unité, vous allez pouvoir :

discuter du rôle de l'imagination dans la vie quotidienne

discuter de l'imagination dans la technologie de l'avenir

résoudre des problèmes

créer des histoires imaginatives

construire une phrase complexe à partir d'un verbe d'émotion

construire une phrase complexe à partir d'un verbe exprimant un souhait, un ordre, un conseil, une permission ou une défense

IMAGINONS

Imaginons, imaginons,
que les choses soient différentes,
que la fraise ait goût de citron
et que la vie soit plus marrante...

Les choux seraient tous à la crème
et pousseraient au bord des routes;
les chats écriraient des poèmes
et les rats joueraient du banjo.

Les stylos écriraient sans nous
et ne feraient pas de bêtise.
L'hiver, neigeraient des cerises
et du popcorn en doux flocons.

Les livres seraient en nougat,
les cahiers en caramel mou.
À la fin de chaque leçon,
on mangerait tous ses brouillons.

Le maître expliquerait des choses
en chantant sur des rythmes rocks,
la maîtresse serait parfois
une aimable panthère rose.

Les baleines vivraient en paix
et les hommes peut-être aussi...
La semaine aurait deux dimanches
et trois ou quatre mercredis.

Imaginons, imaginons
que les frontières soient en sucre.
Une pluie, sans plus de façon,
les ferait fondre gentiment.

Les hommes sans plus de problèmes
voyageraient par-ci, par-là;
les chats écriraient des poèmes,
l'hiver, neigeraient des lilas...

Pierre Gamarra

COMPRÉHENSION

Dans l'imagination du poète :
a) quel goût aurait la fraise?
b) qui écrirait des poèmes?
c) de quoi seraient formés les flocons de neige?
d) pourquoi pourrait-on manger ses cahiers?
e) comment le maître expliquerait-il des choses?
f) comment vivraient les baleines?
g) de quels jours se composerait la semaine?

APPLICATION

1. Pourquoi le poète rêve-t-il de frontières en sucre?
2. Quel message le poète veut-il communiquer dans son poème?

EXPANSION

1. Identifiez des choses de la vie quotidienne et transformez-les en quelque chose d'extraordinaire.
2. Qu'est-ce que vous aimeriez changer dans le monde?
3. Écrivez votre propre poème sur le thème «Imaginons».
4. Que serait la vie sans imagination?

SAVIEZ-VOUS QUE...

Le peintre surréaliste belge René Magritte (1898-1967) se décrivait comme «un homme ordinaire qui peint des tableaux extraordinaires». Ces «tableaux extraordinaires», Magritte les réalisait en dissociant de leur contexte des objets ordinaires dont il faisait ensuite un ensemble tout à fait insolite. Magritte se plaisait à exécuter des tableaux d'où toute représentation logique était absente, donnant libre cours à la plus pure fantaisie.

'u'y a-t-il dans ta p'tite tête? De grands rêves élirants ou un fourmillement d'idées pratiques? magine que tu te retrouves dans les situations uivantes et choisis ta réponse.

. Tu as gagné un vol en avion! Tu penses que tu vas être...
- Passager d'un hélicoptère.
- Premier enfant de l'espace avec une mission spatiale.
- Stagiaire à bord d'une montgolfière.

. Il est minuit. Près de ta tente, un sinistre craquement se fait entendre...
- Tu te demandes si tu ne t'es pas installé(e) sur un pré à vaches.
- Prêt(e) à attaquer, tu calcules le volume de ton agresseur par rapport à l'intensité du son.
- Tu penses que King Kong va balayer la tente d'un coup de patte.

. Tu as pris une importante décision : tu seras...
- Un architecte génial.
- Un acteur célèbre.
- Le gardien d'un parc naturel régional.

. Tes amis sont partis en vacances, et tu es le ou la seul(e) à rester...
- Tu penses utiliser des pigeons voyageurs pour correspondre avec eux.
- Tu t'intéresses de près à la durée de vie des mouches collées aux fenêtres.
- La rue déserte devient la planète Xitron, et le concierge son grand tyran.

. Une demi-heure que tu attends le bus qui te ramènera de la plage jusque chez toi...
- Il a dû être détourné, et ses passagers pris en otage.
- Tu es prêt(e) à parier qu'il fait exactement 43,5 °C.
- Avec ta serviette de plage, tu te fabriques un turban, et, pour un peu, tu te croirais au Sahara.

6. Les moustiques attaquent! Ton plan de défense :
- La stratégie de la fuite.
- Un pistolet à eau rempli de citronnelle.
- La création d'un club anti-moustique international.

7. Catastrophe! Le bébé que tu gardes pique une énorme colère...
- Tu imites le cri du yeti à la nouvelle lune, histoire de lui faire concurrence.
- Pas de panique! Tu téléphones à ta tante pour lui demander conseil.
- Tu prépares une bouillie vanille-chocolat de ton invention.

8. Tu te détends un après-midi et tu lis...
- Une énigme policière dont il faut trouver la clé.
- Un roman de science-fiction.
- Un étonnant document dévoilant les secrets des animaux d'Afrique.

RÉSULTATS DU TEST

Tu as une majorité de ronds bleus :
Tu as un vrai cinéma dans la tête. Grâce à ton imagination galopante, tu peux rêver éveillé(e), et tu sais aussi te mettre dans la peau de n'importe quel personnage. Tu ne t'ennuies jamais, ou presque!

Tu as une majorité de ronds jaunes :
Tu as l'imagination fertile et tu sais t'en servir.... Tu aimes transformer la vie comme tu l'entends, lui apporter l'humour ou l'originalité qui lui manque parfois.

Tu as une majorité de ronds verts :
Les pieds sur terre et les yeux grand ouverts, c'est ainsi que tu vis. Quelque chose t'étonne? Tu cherches aussitôt à comprendre. Dans les situations difficiles, tu sais garder ton sang-froid. Mais n'oublie pas de mettre parfois un brin de folie dans ta journée.

Mikado, N° 93

EN PARLANT D'IMAGINATION...

1. Qu'est-ce que c'est que l'imagination? Discutez en groupes et donnez quelques exemples.

2. a) Utilisez votre imagination pour classer les choses d'une façon originale. Par exemple, le soleil, le café et un four sont tous des choses chaudes. Créez d'autres catégories pour classer les choses dans la liste suivante. Soyez inventifs! Expliquez vos catégories.

- le soleil
- des épinards
- un livre
- de la neige
- de la glace
- un four
- du brocoli
- une serviette de bain
- un tiroir
- une guimauve
- un chaton
- un réfrigérateur
- un oreiller
- le café
- la pelouse
- une porte
- des feuilles
- de la crème glacée

b) Maintenant, choisissez quatre autres catégories. Préparez une liste de quatre ou cinq choses pour chaque catégorie. Demandez à un autre groupe de deviner vos catégories.

3. a) Servez-vous de votre imagination pour chercher des similarités parmi les choses suivantes qui semblent à première vue tout à fait différentes. Qu'est-ce qu'elles ont en commun?

- un poisson et un astronaute
- dormir et faire de l'alpinisme
- regarder la télé et jouer du piano
- un chien et une vedette de film
- une raquette de tennis et une ampoule
- un éléphant et une souris

b) Présentez vos idées à un autre groupe.

4. Servez-vous de votre imagination pour trouver la solution aux problèmes suivants. Attention! Pour réussir, il faut regarder les choses d'une façon originale.

a) Comment peut-on diviser un gâteau en huit morceaux avec seulement trois coups de couteau?

b) Regardez l'image suivante. Déplacez seulement un sou afin d'avoir deux rangées de six sous.

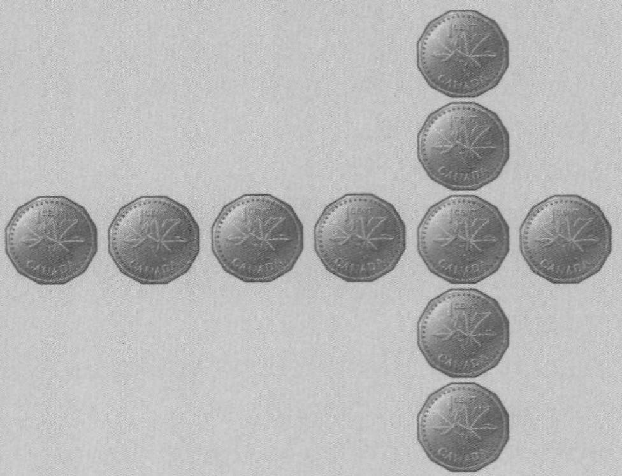

c) Regardez ces six verres dont trois sont remplis d'eau. Déplacez seulement un verre pour créer un ordre de verre plein, verre vide.

Comparez vos solutions avec celles d'un autre groupe. Réfléchissez sur ce que vous venez de faire. Est-ce que c'était facile ou non? Combien de temps avez-vous pris pour trouver les solutions?

a) On peut utiliser son imagination pour changer un point de vue et créer des effets différents. Lisez les situations ci-dessous et imaginez comment on peut compléter les phrases d'une façon inattendue.

Vous parlez à une personne qui vient de heurter votre nouvelle bicyclette. Celle-ci est toute endommagée. Vous dites : «Je suis content(e) que vous...»

On fait honneur à votre équipe de volley-ball. On vous donne une médaille pour le championnat. Vous dites : «Je regrette que nous...»

b) Maintenant, inventez une situation et donnez des réponses inattendues.

A VOUS LA PAROLE

omment est-ce que vous vous ervez de votre imagination pendant ne journée typique?

N DISCUTE

tilisez votre imagination et discutez s situations suivantes.

- Qu'est-ce qui se passerait si les animaux pouvaient parler?
- Qu'est-ce qui se passerait s'il n'y avait pas de couleurs dans le monde?
- Qu'est-ce qui se passerait s'il y avait vraiment une fontaine de Jouvence?

N COMPOSE

édigez quelques phrases pendant inq minutes sur un des sujets uivants : une chose inanimée, n animal, un bébé, etc. Laissez ourir votre imagination!

Faites un dessin du type Rorschach en utilisant une tache de peinture sur une feuille de papier. Pliez la feuille. Ouvrez-la et décrivez ce que vous voyez. Comparez vos impressions avec celles de vos amis.

1. a) Lisez les phrases suivantes.

Mon ami n'aime pas que je **sorte** sans lui.

Je regrette que tu te **sentes** malade.

Je suis content que Paul **finisse** ses devoirs maintenant.

Maman a peur que nous ne **partions** trop tard.

Nous sommes heureux que vous **vendiez** enfin votre moto.

b) Est-ce que les expressions qui commencent les phrases ci-dessus sont des expressions impersonnelles ou des expressions d'émotion?

c) Après ces expressions d'émotion, on emploie **le présent du subjonctif**.

2. a) Comment est-ce qu'on forme le présent du subjonctif? Examinez le tableau suivant.

l'indicatif		**le subjonctif**
Ils **part**ent maintenant.	➡	Maman est contente que je part**e** maintenant.
Elles **choisiss**ent le nouveau film.	➡	Elle est heureuse que tu choisiss**es** ce nouveau film.
Ils **vend**ent leur guitare.	➡	Je suis désolée qu'elle vend**e** sa guitare.
Ils **mang**ent une bonne salade.	➡	Papa est ravi que nous mang**ions** notre salade.
Elles **lis**ent le journal.	➡	Je suis choqué que vous ne lis**iez** pas le journal.
Ils **écriv**ent une lettre.	➡	La prof apprécie le fait qu'ils écriv**ent** avec soin.

b) À quelle personne se trouve le verbe dans les phrases à l'indicatif?

c) Dans les phrases au subjonctif, quelle est la terminaison du verbe pour chaque sujet?

d) Maintenant, expliquez comment on forme le présent du subjonctif.

3. Identifiez l'infinitif des verbes dans les phrases suivantes.

Yvette est heureuse que tu **ailles** à la partie.

Nous sommes déçus que tu **veuilles** partir si tôt.

Mes parents sont contents que mon frère **fasse** son travail.

Je suis désolé qu'elle ne **puisse** pas venir chez nous.

Mon prof regrette que je ne **sache** pas la réponse!

Il est ravi que je **sois** à l'heure.

Nous sommes contents que vous **ayez** une nouvelle voiture.

4. Complétez les phrases suivantes.

a) Mes parents sont contents que je...

b) Notre prof est enchantée que nous...

c) On a peur que mes amis ne...

d) Je suis très frustré(e) que tu...

 Quel rôle joue l'imagination dans la création des bandes dessinées?

En entrevue, deux questions suffisent à Tristan Demers pour entretenir son interlocuteur pendant plus d'une heure. Et avec le sourire à part ça! Avec lui, impossible de s'ennuyer, c'est un véritable moulin à paroles.

C'est vrai qu'il a beaucoup de choses à dire, monsieur Demers. Autant en ce qui le concerne, lui, qu'en ce qui concerne Gargouille, le personnage de bande dessinée qu'il a créé quand il avait 10 ans. Il en est, de toute évidence, très fier. C'est sur lui qu'il s'appuie pour poser chaque jalon de sa jeune mais fulgurante carrière.

Le dessin a toujours été une passion pour Tristan Demers. Enfant unique, c'était un moyen pour lui de s'inventer les frères et sœurs qu'il n'avait pas : «J'ai toujours beaucoup aimé dessiner. Je suis né avec un crayon dans les mains.» Sans qu'il ne sache trop comment, le jeu s'est cependant rapidement transformé en affaire. «J'inventais de petites histoires, j'en faisais des photocopies et je les vendais à mes amis. Ils aimaient ça. Plus tard, c'est le dépanneur du coin qui est devenu mon point de vente.»

Artiste dans l'âme, Tristan Demers n'en a pas moins les deux pieds bien sur terre. L'adage voulant qu'une personne reçoive soit le don des arts, soit celui des affaires, jamais les deux en même temps, est ici contredit. À 19 ans, il est chef de l'entreprise que lui a permis de fonder son talent. Qui peut en dire autant?

Gargouille et Tristan sont en effet une PME prospère : *Gargouille* magazine a plus de 50 numéros derrière lui; trois albums Gargouille sont déjà parus et le quatrième est à paraître ce mois-ci. Sans compter toutes les petites réalisations issues de Gargouille : livre de recettes, bloc-notes, livre à colorier, etc.

Qui grandit plus vite, tu penses, Gargouille ou Tristan? Lequel est le plus populaire? Difficile à dire. Une chose est sûre cependant : l'un ne va désormais plus sans l'autre, et depuis longtemps déjà!

TRISTAN DEMERS ET GARGOUILLE : L'UN NE VA PLUS SANS L'AUTRE

Âgé de 19 ans, Tristan Demers, le concepteur de Gargouille, dirige une véritable PME (petite et moyenne entreprise).

L'adage voulant qu'une personne reçoive soit le don des arts, soit le don des affaires est-il vrai selon vous? Donnez des exemples.

Les trucs de Fouineux

Bonjour! Je m'appelle Fouineux, et je sors d'une autre bande dessinée de Tristan Demers qui s'appelle La bande à fouineux.

Aujourd'hui, j'aimerais te faire connaître les phylactères, mieux connus sous le nom de «bulles» ou «nuages». Attention, tous n'ont pas nécessairement la forme de ces derniers! Il en existe un tas d'autres! En voici quelques-uns :

Le «nuage» est très pratique lorsque notre personnage pense ou fait de beaux rêves.

Si je suis en colère à l'intérieur d'une aventure, je m'exprimerai dans ce genre de phylactère.

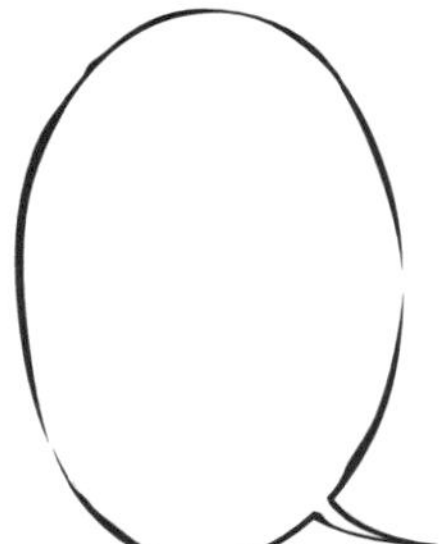

Le phylactère en forme de bulle est le plus populaire. Tu pourras l'utiliser en tout temps si tu as le goût de créer ta propre BD!

Une voix retransmise par radio, télévision, transistor, ordinateur, robot ou tout autre appareil électronique.

Un phylactère carré ou rectangulaire? Pourquoi pas? Hergé, auteur de *Tintin*, s'est servi de cette méthode pendant plus de 50 ans!

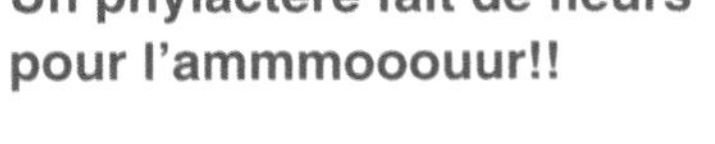

Un phylactère fait de fleurs pour l'ammmoooouur!!

Bien sûr, je sais que tu possèdes suffisamment d'imagination pour créer tes propres phylactères. Je te laisse là-dessus!

À très bientôt!

Fouineux! xx

Tristan Demers, *Vidéo-Presse*, janv. 1994

☛ Maintenant, créez votre propre bande dessinée.

UNE HISTOIRE IMAGINÉE

1. En groupes de quatre, vous allez créer une histoire imaginée! D'abord, pour chaque catégorie dans le tableau ci-dessous, donnez six exemples.

   Pour les catégories Héros, Héroïne et Vilain(e), nommez des personnages soit de la littérature ou de l'histoire, soit des personnes bien connues du monde réel.

   Pour les autres catégories, voici quelques exemples.
   - lieux : la ville de Montréal, une ferme, un pays lointain, etc.
   - sources de conflit : une bague magique, l'amour de l'héroïne, etc.
   - actions : on sort, on se dispute, on joue au..., etc.

HÉROS	HÉROÏNE	VILAIN(E)	LIEU	SOURCE DE CONFLIT	ACTION
1.					
↓					
6.					

2. Pour créer votre histoire, vous allez choisir un des six exemples de chaque catégorie de votre tableau. Écrivez les chiffres 1 à 6 sur des petits bouts de papier et mettez-les dans un chapeau. Pour chaque catégorie, vous allez piger un numéro pour identifier les personnages et les autres éléments de l'histoire.

3. Maintenant, racontez votre histoire. Chaque membre du groupe doit raconter un bout de l'histoire. Une personne parle du héros ou de l'héroïne, une deuxième du vilain ou de la vilaine, une troisième du lieu, de la source de conflit et de l'action, et une quatrième invente une fin à l'histoire. N'ayez pas peur d'ajouter des détails intéressants et amusants dans votre récit.

4. Présentez votre histoire à un autre groupe.

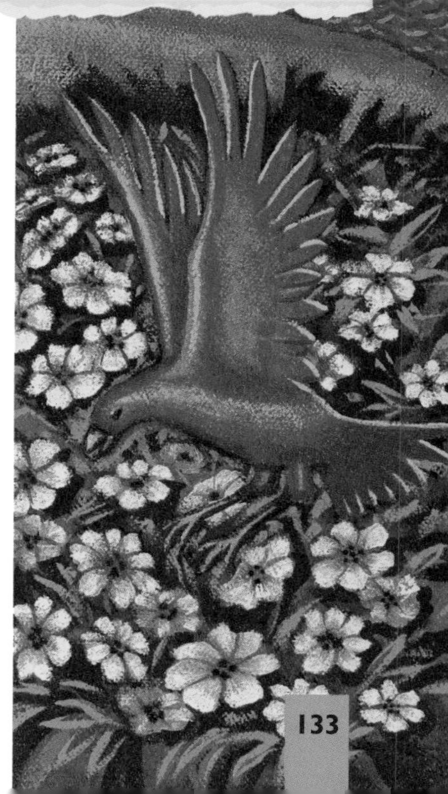

ON COMPOSE

En groupes de deux, composez un titre d'histoire. Donnez-le à un autre groupe qui a cinq minutes pour préparer une histoire basée sur ce titre mais qui ne doit pas inclure la fin de l'histoire. Ensuite, passez l'histoire à un autre groupe qui doit la terminer.

Qu'est-ce que le titre de cette histoire vous suggère?

UN TAXI POUR LES ÉTOILES

Un soir, le chauffeur de taxi, Pierre Lamy, de Paris, terminait son service et ramenait son véhicule au garage, vers la Porte d'Orléans, en roulant lentement. Il était de mauvaise humeur, car il avait fait peu de courses et pris en charge plusieurs clients grincheux dont une dame qui l'avait fait attendre quarante-huit minutes devant un magasin. Et pour comble, un agent lui avait dressé une contravention. C'est pourquoi, sur le chemin du retour, il guettait les passants, en quête d'un client éventuel. Effectivement, un monsieur lui fit signe : «Taxi, taxi!»

— Montez, monsieur (il avait vite freiné, notre ami Pierre Lamy), mais je vous préviens, je finis mon service, je vais vers la Porte d'Orléans, ça vous va?

— Faites vite et allez où vous voulez!

— Mais non, il ne manquerait plus que ça! On va où vous voulez, vous! Pourvu que ça ne me fasse pas un trop grand détour.

— Allez! démarrez et roulez toujours tout droit.

— D'accord, monsieur.

Pierre Lamy écrasa l'accélérateur et le taxi fila. Tout en roulant, cependant, il surveillait son passager dans le rétroviseur. Drôle de type : «Allez où vous voulez, roulez toujours tout droit»... Il distinguait mal son visage, à demi dissimulé par le col de son manteau et le bord de son chapeau.

«Ouais, pensait Pierrot, ce ne serait pas un voleur, par hasard? Voyons si nous ne sommes pas suivis. Non, on dirait bien que non. Pas de valise, pas de sac. Seulement un petit paquet. Tiens! Maintenant il l'ouvre. Qu'est-ce qu'il peut bien y avoir dedans?... Mais qu'est-ce que c'est que ça? On dirait un morceau de chocolat. Oui, justement, du chocolat bleu; je n'ai jamais vu de chocolat bleu! Et même, il le mange... Bah, tous les goûts sont dans la nature. Courage, Pierrot, on est presque arrivé... Hé là, mais... Mais qu'est-ce que c'est que ça? Qu'est-ce qui se passe? Hé là, mais qu'est-ce que vous fabriquez... ?»

— Ne vous tracassez pas, répondit le passager d'un ton tranchant. Roulez toujours tout droit.

— Quoi? quoi, tout droit? On ne va plus ni

en avant, ni en arrière! Vous ne voyez pas qu'on vole! Au secours!

Pierre Lamy donna un coup de volant pour ne pas heurter les antennes de télévision placées sur le toit d'un grand immeuble. Puis il recommença à protester :

— Mais qu'est-ce que vous vous imaginez, vous? Qu'est-ce que c'est, ce tour de passe-passe?

— N'ayez pas peur, ce n'est rien.

— Bien vrai, vous appelez ça rien. Un taxi qui s'envole, on voit ça tous les jours! Que le grand crick me croque!... Nous survolons les tours de Notre-Dame. Si on tombe, on va s'embrocher sur une flèche et alors, salut la compagnie! Je peux savoir ce que c'est que cette blague, à la fin?

— Vous devriez vous rendre compte par vous-même que ce n'est pas une plaisanterie, répliqua le passager. Nous volons. Et alors?

— Comment ça «et alors»! Mon taxi, c'est pas une fusée!

— Pour l'instant, faites comme si c'était un taxi spatial.

— Quoi, quoi, spatial! En plus, je n'ai même pas de brevet de pilote. Vous allez me faire attraper une belle amende, oui! Expliquez-moi comment nous faisons pour voler.

— C'est très simple. Vous voyez cette substance bleue?

— Je l'ai vue, oui. J'ai même vu que vous en mangiez un morceau, tout à l'heure.

— Oui, il faut en avaler un peu pour qu'elle agisse. C'est une matière *antigravitationnelle* qui peut nous faire atteindre la vitesse de la lumière, plus un mètre.

— Ça, c'est formidable. Seulement, moi, je dois rentrer chez moi, cher monsieur. Moi, j'habite Porte d'Orléans, pas sur la Lune.

— Mais nous n'allons absolument pas sur la Lune.

— Ah! non? Où allons-nous, alors?

— Sur la septième planète de l'étoile Aldébaran. C'est là que j'habite, moi.

— Heureux de l'apprendre! Mais j'habite sur la Terre, moi!

— Écoutez, je vous expose les faits. Je ne suis pas un Terrien, je suis Aldébaranais. Regardez.

— Qu'est-ce que je dois regarder?

— Ça, vous voyez mon troisième œil?

— Que le grand crick me croque! C'est vrai que vous avez trois yeux!

— Voici mes mains. Combien ai-je de doigts?

— Un, deux, trois... six... douze. Douze doigts à chaque main?

— Douze. Êtes-vous convaincu, maintenant? Je suis venu en mission sur la Terre, pour voir comment les choses allaient. Et à présent, je retourne sur ma planète pour faire mon rapport.

— Bravo, c'est votre devoir. Chacun chez soi. Mais comment vais-je faire, moi, pour rentrer à la maison?

— Je vais vous donner un morceau de substance bleue à mâcher et vous serez à Paris en un instant.

— Quand même! vous aviez vraiment besoin de prendre un taxi?

— Je l'ai fait car j'avais envie de voyager assis. Cela suffit comme explication? Regardez, nous arrivons.

— C'est cette boule-là, votre planète? ➡

Mais en quelques secondes, *cette boule-là* devint un globe énorme vers lequel descendait, à une vitesse effrayante, le taxi de Pierre Lamy.

— Là, à gauche, ordonna le passager, vous atterrirez sur cette place.

— Tant mieux pour vous si vous voyez une place. Moi, je ne vois qu'une prairie.

— Sur ma planète, il n'y a pas de prairies.

— Alors, il faut croire que c'est une place peinte en vert.

— Heu... descendez un peu... descendez par là... direction : Aldébaran!

— Qu'est-ce que je vous disais? Regardez si ce n'est pas de l'herbe! Et ces êtres-là, qui est-ce?

— De qui parlez-vous?

— De ces espèces de poules géantes qui nous foncent dessus, avec des arcs et des flèches.

— Des arcs? Des flèches? Des poules géantes? Il n'y a rien de tout cela sur ma planète.

— Ah non? Alors vous savez ce que je vais vous dire?

— Oui, je le sais, mais taisez-vous. Nous nous sommes trompés de route. Laissez-moi réfléchir un instant.

— Réfléchissez vite alors parce qu'ils arrivent!

Ziiip! Vous avez entendu? C'était une flèche! Allons, monsieur l'Aldébaranais, réveillez-vous, mangez un bout de chocolat bleu. Filons, déguerpissons, mettons les voiles, parce que, Pierre Lamy, il ne veut pas revenir à Paris la peau trouée. Compris?

L'Aldébaranais mordit vivement dans la mystérieuse substance que Pierre Lamy appelait *chocolat bleu*.

— Avalez! Avalez sans mâcher, ça ira plus vite! cria le chauffeur de taxi.

PREMIER ÉPILOGUE

Le taxi reprit son vol juste à temps. Mais une flèche atteignit une roue arrière qui se dégonfla avec un pfff...!

— Vous avez entendu? Le pneu est crevé, s'exclama Pierre Lamy. Vous pouvez être sûr que je vous le mets sur la note.

— Je paierai, je paierai, répondit l'Aldébaranais.

— Vous avez pris la bonne dose, ce coup-ci? On ne va pas se retrouver encore sur une planète de sauvages?

Pourtant l'Aldébaranais, dans sa hâte, n'avait pas pu évaluer avec exactitude la dose qu'il avalait... Le taxi de l'espace dut errer quelque temps, çà et là, dans la galaxie, avant d'atteindre la planète de l'Aldébaranais. Quand ils atterrirent, Pierre Lamy trouva l'Aldébaran si belle, ses habitants si aimables, sa bouillabaisse bleue (c'était une spécialité du pays) si succulente, qu'il ne fut plus si pressé de retourner à Paris. Il y resta quinze jours, allant d'émerveillement en émerveillement. Il s'informa de tout. À son retour, il fit publier un livre, illustré de deux cents photographies, qui fut traduit en quatre-vingt-dix-sept langues et qui lui valut le Prix Nobel. Maintenant, Pierre Lamy est le plus célèbre chauffeur-de-taxi-écrivain-explorateur du système solaire.

DEUXIÈME ÉPILOGUE

Le taxi décolla. Comme il était plus rapide que les flèches de ses poursuivants, il se trouva vite hors d'atteinte.

— À ce qu'il paraît, observa Pierrot, vous n'êtes pas plus familiarisé que moi avec l'espace, hein?

— Contentez-vous de conduire, marmonna l'Aldébaranais. Pour le reste, j'y pense, moi!

— Parfait! Mais essayez de penser juste!

Ils volèrent pendant quelques minutes à la vitesse de la lumière (plus un mètre) et parcoururent des distances incommensurables. À la fin de leur voyage, ils se trouvèrent... à Paris, sur le parvis de Notre-Dame!

— Malédiction, je me suis encore trompé, cria l'Aldébaranais, s'arrachant les cheveux avec ses vingt-quatre doigts. Repartons!

— Non, merci, s'exclama le chauffeur de taxi, en sautant à terre, je suis très bien ici. Gardez la voiture si vous voulez mais réfléchissez bien avant de me jouer ce vilain tour : je n'ai que ces quatre roues-là pour nourrir mes enfants.

— Bon, marmonna l'Aldébaranais, j'irai à pied.

Il descendit de taxi, mordilla son *chocolat bleu* et disparut. Pierre Lamy, avant de retourner chez lui, entra dans un bar et but un petit verre d'eau-de-vie pour se remettre de ses émotions.

Gianni Rodari

☛ Quel épilogue préférez-vous? Pourquoi? Écrivez-en un troisième.

Les légendes du Québec : Un voyage dans l'imaginaire

La plupart des légendes se racontent de vive voix. À l'origine, ce sont des histoires vraies. Mais avec le temps et l'imagination des conteurs, les faits réels ont été exagérés. Voilà pourquoi le bruit des vagues se transforme dans la légende en vaisseau-fantôme. Mais laissons Jean-Claude Dupont, peintre naïf québécois, nous présenter ces légendes qui viennent des rives du Saint-Laurent, de Trois-Rivières à la Gaspésie!

Les lutins

La nuit, les lutins venaient chez Poléon Vallée de l'Anse-Pleureuse, montaient sur un petit banc et tressaient en petites couettes la crinière de sa jument. Les petits malfaisants dont personne n'avait jamais vu le visage faisaient courir son cheval toute la nuit, mais le matin, avant de se volatiliser, ils lui donnaient une portion d'avoine. S'il n'y avait plus de grain dans la grange, ils allaient en voler chez le voisin. Lorsque Poléon arrivait dans son étable, au petit jour, sa jument était encore toute trempée de sueur, mais rien n'avait été dérangé dans le bâtiment.

Comment se débarrasser de ces petits joueurs de tours? En plaçant un plat d'avoine ou de cendre devant la porte de l'étable. Si les lutins renversent le contenant, ils passeront la nuit à ramasser les brins et n'auront pas le temps de toucher aux chevaux. Ingénieux, n'est-ce pas?

Le vaisseau-fantôme

Il y a de cela très longtemps, sur le fleuve Saint-Laurent, des Amérindiens voulant se venger ont lancé des flèches enflammées dans les voiles d'un vaisseau européen. Le capitaine a donné l'ordre de lever l'ancre et le grand voilier est disparu en feu dans le brouillard.

Depuis ce jour, la veille de mauvais temps, les pêcheurs en mer et les riverains aperçoivent un grand vaisseau noir tout enflammé qui vogue sur les flots. Parfois par les hublots, ils peuvent distinguer des marins affairés à éteindre les flammes. Le capitaine se tient sur le pont et il reste occupé à donner des ordres. Lorsqu'on veut l'approcher, le bateau, toutes voiles dehors, disparaît dans le brouillard. On dit que le vaisseau-fantôme apparaît au moins tous les sept ans, et à chaque fois qu'une grande guerre s'est déclarée.

• • •

La Fée-Chat

Après un été de sécheresse, un pauvre chat n'ayant rien attrapé se rendit un midi sur la grève pour y trouver de quoi se mettre sous la dent. Au fond d'une cavité, il aperçut une famille de petits gibiers qui sommeillaient. La moins sage des petites bêtes finit par pointer son nez au soleil. Elle fut si vite happée qu'elle n'eut pas le temps de crier de frayeur. Quant aux autres, le chat les laissa s'éloigner de leur cache pour le plaisir de les attraper une à une en les poursuivant sur la grève. Rassasié, il allait lentement retourner au village lorsqu'un animal puissant se mit sur son chemin et lui dit : «Méchant animal, tu as dévoré tous mes enfants. Je suis la Fée-Chat et je vais te jeter un sort. Tu seras enfermé dans la pierre du cap jusqu'à la fin des temps pour rappeler ton geste à ceux de ta race. Tu deviendras le Cap Chat.» Voilà pourquoi un village gaspésien porte le nom de Cap Chat!

Il existe des centaines de légendes au Québec... des histoires tantôt drôles, tantôt mystérieuses. Venues de la nuit des temps, les légendes ont traversé plusieurs générations de conteurs. Aujourd'hui, on les raconte encore. Elles ont changé un peu, beaucoup. Mais leur but est toujours le même : aiguiser notre imagination!

Marie Dufour, *Zip*, Vol. 3, N° 2

Autres légendes du Canada français

Les Canadiens de souche française établis hors du Québec possèdent une littérature orale héritée des générations précédentes. Un grand nombre de récits auxquels les Anciens prêtaient foi ont été transmis de bouche à oreille au cours des ans et forment aujourd'hui un ensemble de légendes aussi pittoresque que divers. Voici quelques-unes de ces légendes racontées et illustrées par Jean-Claude Dupont.

L'arbre de vie
~Nouveau-Brunswick~

Dans le temps du Grand Dérangement, quinze Acadiens avaient été emprisonnés dans une «cave à patates» creusée dans le sol à Beauséjour. Pierre à Pierre à Pierrot, qui faisait partie du groupe et en était le chef de file, s'efforça de maintenir le moral de ses amis qui dépérissaient de jour en jour. Ainsi isolés en pleine noirceur, ils s'acharnaient à creuser dans la terre, à mains nues, pour s'échapper de ce caveau. Lorsqu'ils y parvinrent, ils en avaient perdu les ongles à la tâche.

Déjà épuisés au départ, ils entreprirent alors une longue marche en forêt qui allait les conduire à Memramcook. Mais Pierre à Pierre à Pierrot n'arrivait plus à leur redonner de l'énergie.

Ils venaient de mettre en terre le plus âgé du groupe quand, levant la tête vers le ciel, ils aperçurent un gros arbre chargé de beaux fruits qu'aucun d'entre eux n'avait encore jamais vus. Après s'en être régalés, ils atteignirent une habitation épargnée par l'ennemi où ils furent hébergés le temps de refaire leur force avant de se remettre en route pour rejoindre leur famille.

Par la suite, à plusieurs reprises, ces Acadiens et leurs descendants battirent la forêt, de Beauséjour à Memramcook, mais jamais ils ne repérèrent l'arbre aux fruits inconnus.

Le Lac Qu'Appelle
~Saskatchewan~

Quand ils s'étaient quittés au printemps, Simon lui avait pourtant bien promis qu'il reviendrait au milieu de l'été pour l'épouser. Mais comme la chasse était fructueuse et que le prix des fourrures avait monté, il séjourna jusqu'en octobre dans ses territoires de chasse. Ayant alors accumulé suffisamment d'argent, il décida de rentrer; il prépara donc son canot et s'embarqua pour un voyage de retour de trois jours qui le ramènerait auprès de sa fiancée. Le deuxième soir, alors qu'il allait installer son campement, il entendit des voix : «Simon! Simon!» disait l'écho. «Qui appelle? Qui appelle?» répondit-il à plusieurs reprises. Mais il n'obtint pas de réponse et les voix s'éteignirent lentement.

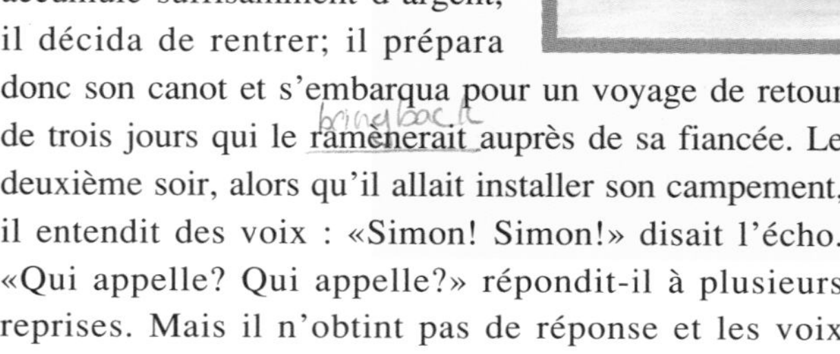

Le matin suivant, aux premières lueurs du jour, il remit son canot à l'eau et rama avec ardeur. Il entendit de nouveau ces mêmes appels, mais plus pressants encore que la veille, appels qui bientôt moururent.

Le soir, il distingua enfin la maison de sa fiancée, mais, surprise! devant, un feu brûlait lentement, comme on le faisait jadis pour annoncer la mort de quelqu'un. Rendu plus près, il aperçut sa fiancée qui reposait, morte, sur une grande pierre plate devant le feu.

«La veille, lui dit le père de la jeune fille, n'en pouvant plus d'attendre, elle était morte en appelant "Simon!"» Et c'est depuis ce jour-là que le lac des échos a pris le nom de «Lac Qu'Appelle».

• • •

La prairie du Cheval blanc
~Manitoba~

L'été, certains soirs de pleine lune, les vieux Français voient passer à la fine épouvante dans la prairie du Cheval blanc, près de Saint-François-Xavier, un beau grand cheval blanc monté par une jeune femme toute habillée en mariée. Elle rôde toujours dans les plaines, dit-on, à la recherche de son fiancé, un jeune Indien capturé par ses ennemis le matin des noces.

C'est que le jour des noces, alors que les futurs arrivaient à l'église avec leur famille, un ancien prétendant jaloux, aidé d'une bande de chasseurs, vint se venger. Ils attaquèrent les deux époux qui, sautant sur leur cheval, s'échappèrent au galop. La jeune femme montait le plus rapide coursier des Prairies, un grand cheval blanc reçu en cadeau de noces de son futur; mais elle dut ralentir sa course pour attendre son fiancé qui, lui, ne possédait qu'un vieux cheval gris.

Comme ils allaient être rattrapés, le beau grand cheval blanc issu d'une race mexicaine s'enleva dans une course effrénée, emportant sa cavalière bien loin de ses ennemis. Le fiancé rendit l'âme à quelque distance de l'église, tandis que sa compagne, elle, disparut dans un nuage de poussière pour ne plus jamais être revue.

L'âme de la jeune fille serait entrée dans le bel animal qu'on n'a jamais réussi à capturer, et depuis des décennies, on nomme toujours ces lieux «La prairie du Cheval blanc».

VOYAGE DANS UN MONDE QUI N'EXISTE PAS

Tu es debout, seul dans une pièce vide. Un étrange casque t'enserre la tête, recouvrant tes yeux et tes oreilles. Un pas, un autre, tu lèves une main gantée et tu sembles saisir un objet. En fait, tu «vis» dans un monde que les autres ne voient que sur écran...

AU CŒUR DES IMAGES

Pas de science-fiction! L'histoire se passe aujourd'hui. Sous ton casque, tu vois une salle de spectacle et tu as la sensation de t'y trouver. Tu y découvres un piano. Pose les doigts sur le clavier : tu peux jouer! Tu n'es pas seulement spectateur, mais aussi acteur. Car il est maintenant possible d'entrer dans la troisième dimension des images, c'est-à-dire de voir en relief, d'entrer dans ces images et d'y laisser sa trace. Une vraie révolution...

MACHINE À ILLUSION

Dans ton casque sont intégrés deux mini-téléviseurs à cristaux liquides reliés à un ordinateur. Chaque téléviseur envoie une image panoramique, légèrement décalée par rapport à l'autre. Cela donne une parfaite impression de relief.

Au sommet du casque, un capteur directionnel signale tes mouvements à un émetteur situé au plafond et relié à un ordinateur. Si tu avances, l'image envoyée par l'ordinateur est instantanément modifiée. Tu baisses la tête? Aussitôt, tu vois le plancher de la salle de spectacle. Quand tu tends la main vers le piano, ta main apparaît sur l'image. Car ton gant est rempli de récepteurs qui signalent à l'ordinateur la présence de ta main dans le champ de vision. Tu entends la musique du piano grâce à deux écouteurs placés sous le casque. Ainsi, tu es véritablement transporté dans un monde «virtuel», possible.

FUTUR PROCHE

Pour l'instant, les «machines à virtualité» ne permettent que de plonger dans des mondes assez simples, constitués d'images de synthèse. Et il n'est pas impossible que leur utilisation, à la longue, abîme les yeux.

Pourtant, dans cinq ans, dans dix ans, lorsque la technique aura un peu évolué, il va devenir très tentant de «s'évader» (de fuir?) en mettant un casque, une combinaison intégrale, et en optant pour son programme préféré. Le choix sera large : défier les monstres d'une planète imaginaire? se promener dans Venise au seizième siècle? rencontrer son actrice préférée? Évidemment, le retour «sur terre» risque d'être un peu dur...

Mais les programmes ne serviront pas seulement à jouer : un architecte pourra visiter une maison inexistante et la modifier, un élève se promènera au milieu des molécules de son problème de chimie, etc.

Un peu de patience! Il faut attendre quelques années avant que tout cela soit possible. Mais tu peux toujours rêver. Pour ça, pas besoin de casque, n'est-ce pas?

COMPRÉHENSION

Complétez les phrases suivantes.

1. Pour entrer dans le monde de la réalité virtuelle, on porte...
2. Le casque peut transformer une salle vide en...
3. Quand on porte le casque, on peut jouer...
4. La réalité virtuelle permet d'entrer dans...
5. Dans le casque sont intégrés...
6. Grâce à des écouteurs placés sous le casque, on peut...
7. À l'avenir, on pourra...

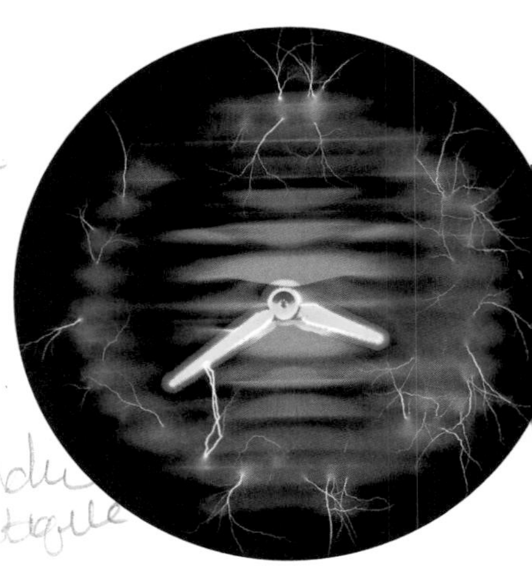

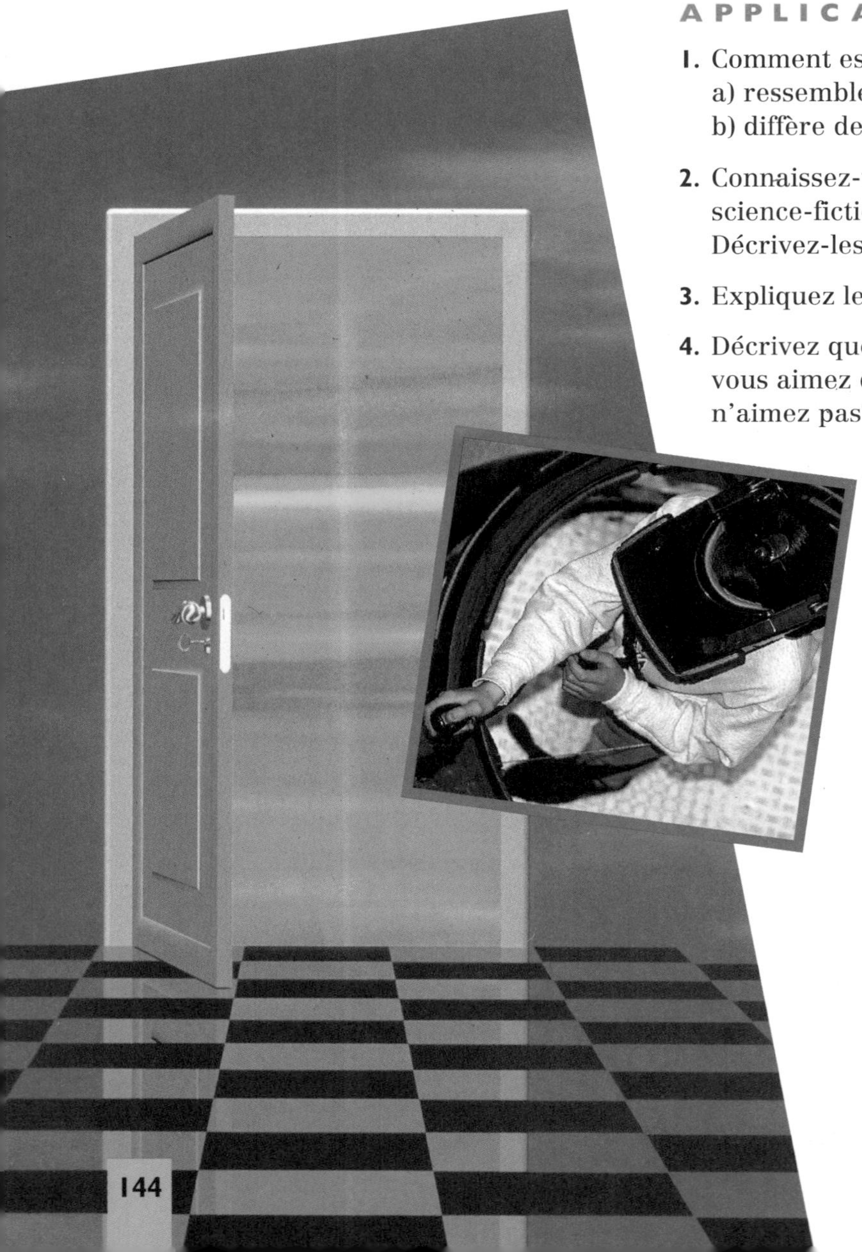

APPLICATION

1. Comment est-ce que cette scène :
   a) ressemble à la science-fiction?
   b) diffère de la science-fiction?
2. Connaissez-vous des films ou autres scénarios de science-fiction qui sont basés sur ces principes? Décrivez-les.
3. Expliquez le titre de l'article.
4. Décrivez quelques jeux d'ordinateur. Qu'est-ce que vous aimez dans ces jeux et qu'est-ce que vous n'aimez pas?

EXPANSION

1. Qu'est-ce que vous avez toujours voulu faire mais que vous n'aurez sans doute jamais l'occasion de faire (par exemple, jouer au tennis avec..., sortir avec..., visiter...)? Comment est-ce qu'un système de réalité virtuelle vous permettrait de réaliser ces rêves?
2. Quelles autres situations de réalité virtuelle aimeriez-vous expérimenter?
3. Les rêves — imagination ou réalité? Discutez.

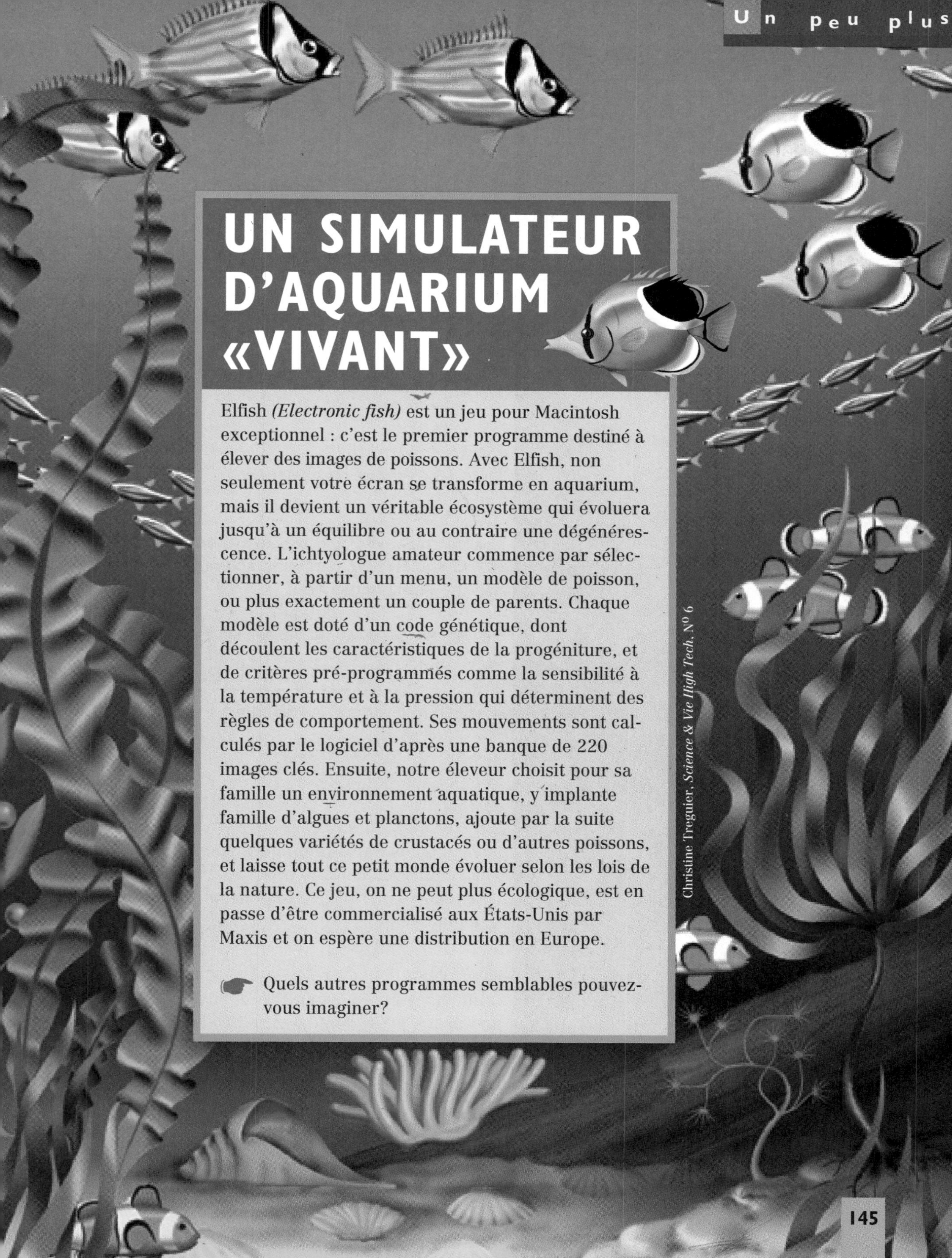

UN SIMULATEUR D'AQUARIUM «VIVANT»

Elfish *(Electronic fish)* est un jeu pour Macintosh exceptionnel : c'est le premier programme destiné à élever des images de poissons. Avec Elfish, non seulement votre écran se transforme en aquarium, mais il devient un véritable écosystème qui évoluera jusqu'à un équilibre ou au contraire une dégénérescence. L'ichtyologue amateur commence par sélectionner, à partir d'un menu, un modèle de poisson, ou plus exactement un couple de parents. Chaque modèle est doté d'un code génétique, dont découlent les caractéristiques de la progéniture, et de critères pré-programmés comme la sensibilité à la température et à la pression qui déterminent des règles de comportement. Ses mouvements sont calculés par le logiciel d'après une banque de 220 images clés. Ensuite, notre éleveur choisit pour sa famille un environnement aquatique, y implante famille d'algues et planctons, ajoute par la suite quelques variétés de crustacés ou d'autres poissons, et laisse tout ce petit monde évoluer selon les lois de la nature. Ce jeu, on ne peut plus écologique, est en passe d'être commercialisé aux États-Unis par Maxis et on espère une distribution en Europe.

Christine Troguier, *Science & Vie High Tech*, N° 6

☞ Quels autres programmes semblables pouvez-vous imaginer?

UN MONDE DE RÉALITÉ VIRTUELLE

1. a) Dans la réalité virtuelle, il est possible de vivre dans un monde que les autres ne voient que sur écran. Imaginez que vous ayez un système de réalité virtuelle à votre école. Comment pourriez-vous utiliser ce système dans les cours suivants?
   - la musique
   - les sciences
   - la géographie
   - l'histoire
   - le français
   - l'éducation physique

   b) Échangez vos idées avec celles d'un autre groupe.

2. Si vous aviez accès à un système de réalité virtuelle à votre école, comment souhaiteriez-vous en profiter personnellement?

POUR EXPRIMER UN SOUHAIT

En éducation physique, je voudrais que le système me permette de...
En français, j'aimerais que le système m'aide à...

À VOUS LA PAROLE

Dans quels autres domaines pourrait-on utiliser la réalité virtuelle? À votre avis, comment la réalité virtuelle pourrait-elle fonctionner dans chaque domaine?

IMPRO

Imaginez qu'on est en l'an 2050 et que tout le monde se sert d'un système de réalité virtuelle. Créez une situation qui pourrait facilement se passer à cette époque. Présentez la scène à la classe.

ON DISCUTE

Quels sont les inconvénients possibles d'un système de réalité virtuelle?

1. a) Lisez les phrases suivantes.

Je veux que tu **viennes** à huit heures ce soir.
Ma grand-mère permet que je **conduise** sa voiture quand nous allons au cinéma.
Mon père demande que je **fasse** mes devoirs tout de suite.
La prof suggère fortement que nous ne **mangions** pas de chocolat bleu.
J'aimerais que vous **veniez** tôt.
L'entraîneur ne permet pas que ses joueurs **portent** un casque de réalité virtuelle.
Le prof préférerait que je **fasse** mes devoirs plutôt que de lire un roman de science-fiction.
La police a ordonné que le voleur **sorte** de la maison.
Après l'accident, les autorités ont défendu que les spectateurs **s'approchent** du vaisseau spatial.
Pour faire un bon travail, la prof a recommandé que nous nous **préparions** bien à l'avance.
La nouvelle mode exige que vous **portiez** des bottes antigravitationnelles.

b) Quelles phrases ci-dessus expriment un souhait, un ordre, un conseil, une permission ou une défense?
c) Est-ce que le sujet des deux parties de la phrase est le même ou est-ce un sujet différent?
d) Quel temps de verbe utilise-t-on après les expressions précédentes?
e) D'après ces exemples, expliquez quand on emploie le subjonctif.

2. Complétez les phrases suivantes.
a) Chez nous, mon père veut toujours que je...
b) Sur notre planète, les profs demandent souvent que nous...
c) Mon ami(e) préfère que je...
d) Si je veux avoir la voiture, mon père suggère que je...
e) Les membres de notre équipe veulent aller à la planète Jupiter; moi, j'aimerais mieux qu'on...
f) Il sont pressés. Ils veulent que je...
g) À la cafétéria Xito, on préfère que les clients...
h) Avant le match, l'entraîneur a défendu que nous...
i) Pour les examens, notre prof a conseillé que nous...
j) Le directeur a ordonné que nous...

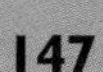

Connaissez-vous des endroits où on peut pratiquer les sports d'été en plein hiver, et vice versa?

JAPON : LE SPORT EN BOÎTE

Plus qu'une manie : un délire, une épidémie, de la folie même. Les Japonais s'adonnent en masse à tous les sports de plein air, mais sous cloche. Pour eux, c'est aussi amusant, plus sûr, plus propre. Et surtout moins cher.

Au Japon, on n'a plus besoin d'aller à la campagne, à la montagne ou à la mer pour pratiquer son sport ou son passe-temps favori : c'est la nature elle-même qui vient à soi, une nature miniaturisée et artificielle, implantée au sein des zones urbanisées. Les consommateurs nippons disent que cela leur permet d'échapper, pendant quelques instants, au surmenage, au stress et à leur névrose, tout en restant (ils adorent) en groupe.

En termes d'imagination, de technologie et d'argent, les inventeurs de ces sports en chambre et en boîte sont des génies. Le plus grand centre mondial d'entraînement aux sports de neige, le *Ski Dome* de Funabashi, dans la région de Tokyo, est mentionné par le *Livre des records*. Dans les entrailles d'une montagne géante de fer, d'acier et de plastique, serpente une piste avec neige artificielle de 490 mètres, sur laquelle les pros, les amateurs et les débutants peuvent s'en donner à cœur joie, mais dans la plus grande discipline. Dans les coulisses, et pendant les heures de nuit, les robots esclaves bossent dur : quatre-vingt-quatorze souffleries sont chargées d'enneiger la piste.

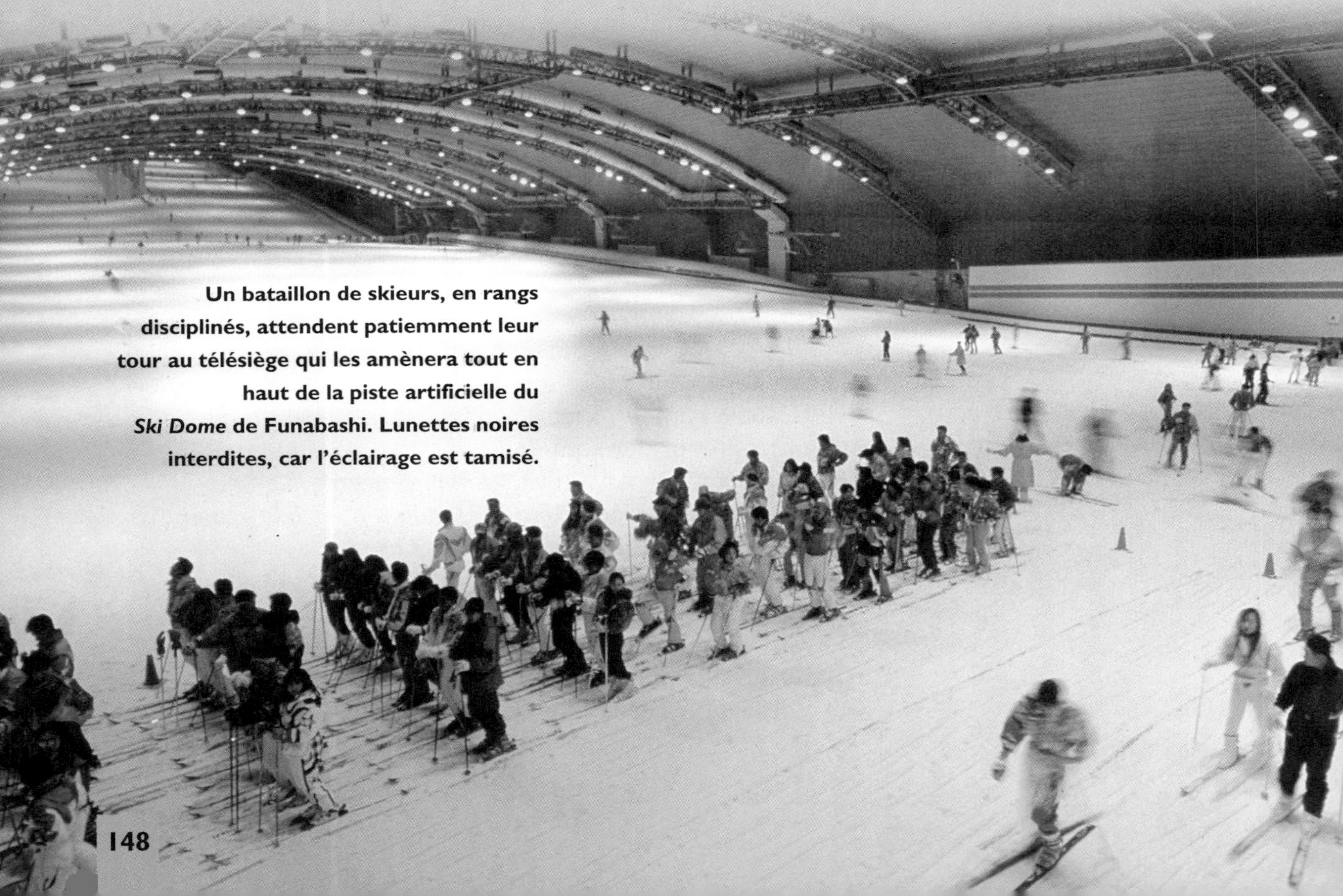

Un bataillon de skieurs, en rangs disciplinés, attendent patiemment leur tour au télésiège qui les amènera tout en haut de la piste artificielle du *Ski Dome* de Funabashi. Lunettes noires interdites, car l'éclairage est tamisé.

EST-CE LA RÉALITÉ OU UN RÊVE?

. Certaines choses que nous faisons tous les jours nous permettent de nous placer dans un autre milieu pour échapper à la réalité. Par exemple, quand on lit un roman fascinant, on peut facilement se perdre dans la situation.
a) Quels autres exemples pouvez-vous citer?
b) Quels sont les avantages ou les inconvénients associés à chacun des exemples? Discutez-en en groupe.

. a) Rêvez-vous d'un passe-temps auquel il vous est impossible de vous adonner parce que les conditions ne s'y prêtent pas dans votre région? (Par exemple, si vous habitiez dans les Prairies, vous n'auriez peut-être pas la chance de faire du surf.)
b) Partagez vos idées avec votre groupe.

. a) Si vous étiez inventeur ou inventrice, que pourriez-vous faire pour que les gens puissent réaliser leurs rêves?
b) Décrivez et illustrez votre invention et expliquez comment les gens s'en serviront.
c) Quelles personnes imaginatives connaissez-vous qui ont passé leur vie à créer des choses pour le plaisir du public? Discutez de leur contribution.

À VOUS LA PAROLE

Quels endroits ou attractions du monde aimeriez-vous reproduire dans votre région (par exemple, une île tropicale, la Tour Eiffel, etc.)? Pensez-vous que ce soit possible?

ON COMPOSE

Faites une description détaillée et imaginative d'un endroit précis où vous aimeriez aller (par exemple, une plage au coucher du soleil, un marché plein de monde, etc.). Ensuite, lisez la description à votre partenaire, qui doit la dessiner. Jusqu'à quel point son dessin reflète-il votre description? Ensuite, changez de places.

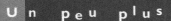

UNE FAUSSE PLAGE CONSTRUITE... AU BORD DE LA MER

Face au véritable océan Pacifique, le *Dome Ocean* de Miyazaki au Japon offre une sorte de Hawaï-bonsaï, où tout est garanti artificiel, du ciel peint aux vagues et aux cocotiers. Donc plus propre, plus sécurisant, et utilisable en toute saison.

Du haut de leur mirador en forme de noix de coco géante, les maîtres nageurs surveillent avec jumelles, écrans et caméras vidéo les baigneurs qui barbotent dans l'eau (douce), en écoutant de la musique (douce), sous de faux palmiers en plastique.

La merveille du *Dome Ocean*, c'est aux sports et aux loisirs aquatiques ce que la perle de plastique est à la perle naturelle.

Au *Dome Ocean*, tout est garanti artificiel. Donc plus beau, plus propre et plus vrai que nature : une plage de quatre-vingt-dix mètres de long, le sable blanc (purs flocons de polystyrène), la mer bleue (d'eau douce), les vagues et les rouleaux artificiels, un ressac de plus de deux mètres (provoqué par la machinerie la plus grosse du monde), le ciel éternellement bleu (peint sur les murs), les cocotiers, les hibiscus et les frangipaniers (en plastique), les filles en paréo, une sonorisation impeccable qui mêle au répertoire des Bee Gees quelques bouffées de sons «naturels» comme le chant d'amour du crapaud-buffle (hawaïen) et les trilles du rossignol (japonais). On peut non seulement se baigner sans crainte, mais aussi s'adonner à tous les sports aquatiques, comme la plongée sous-marine, le ski nautique, le parachutisme, le scooter de mer ou le hors-bord. Pour 230 F environ (coût du billet à la journée), vous assisterez encore à une ribambelle de spectacles offerts jusqu'à 22 heures et animés par des danseuses et des marionnettistes. Le clou, c'est un spectacle de rayons lasers avec apparition de la déesse de la mer curieusement baptisée Sylvie, qui attend patiemment que son héros Takahashi se libère des griffes d'un vilain dragon.

En prime, un (faux) volcan entre (vraiment) en éruption toutes les quinze minutes et crache de la (fausse) lave avec un bruitage plus effrayant que nature. On en a vraiment pour son argent et tout le monde est ravi, surtout les agents immobiliers, les compagnies d'assurances et tous ceux qui ont enchâssé ce royaume aquatique au cœur d'un complexe de soixante-cinq hectares d'hôtels, de restaurants, de boutiques, bref d'authentique béton et de décibels à profusion.

C'est tellement plus sûr que le véritable Honolulu! Pas de risque de noyade, une surveillance permanente par mirador (une noix de coco géante), caméras et écrans de contrôle. Des ordres et des conseils constamment donnés par haut-parleur. Pas d'agression sur la plage, tout le monde il est gentil, et tout le monde il parle japonais. Et pas de problème de typhon ou de saison; les diverses activités du *Dome Ocean* sont offertes aux amateurs trois cent soixante-cinq jours par an; quand le temps menace, il suffit de refermer le toit. Les ordinateurs recréent alors un microclimat hawaïen d'une température constante de 30 °C et d'une humidité à 90 pour cent, comme les aiment les poumons japonais.

Et savez-vous où se trouve cet endroit de rêve, ce mini-Honolulu? Dans l'île de Kyushu, à Miyazaki, l'une des plus belles des stations balnéaires du sud du Japon. À trois cent mètres du véritable océan Pacifique et d'une vraie plage, avec du vrai sable et de vrais cocotiers!

Jean-Marc Pottiez, *Le Figaro*, N° 691

- Quels sont les avantages et les désavantages que présente une station balnéaire artificielle? Préféreriez-vous un décor naturel ou artificiel?
- Quels autres dômes pourriez-vous imaginer bâtir dans votre région? Pour quels sports ou loisirs?

LA VIE DE Jules Verne, L'AUTEUR DE *Voyage au centre de la Terre*

Le prodigieux Jules Verne (1828-1905) a imaginé les hélicoptères, les sous-marins nucléaires, les vaisseaux interplanétaires et prédit la menace de la bombe nucléaire. Il est mort à l'aube du 20e siècle.

UN COLLIER POUR CAROLINE

À onze ans, le petit Jules Verne s'enfuit de chez ses parents et s'embarque clandestinement, à Nantes, sur un immense trois-mâts en partance pour l'Inde. Son père le rattrape avant que le navire n'atteigne l'océan, à Paimbœuf, et... lui administre une formidable raclée. Pourquoi cette fuite? Jules explique à son père qu'il a voulu «aller chercher au loin un collier de corail pour Caroline», une jeune cousine dont il est amoureux. Mais ce qu'il ne dit pas, c'est qu'il supporte mal la sévérité et la rigueur de sa vie de famille. Car Jules, depuis qu'il est né, ne rêve que de voyages, d'aventures et de liberté. Son père, avocat connu, homme cultivé, sérieux et pieux, ne voit pas les choses de cette façon. Il veut que Jules étudie le droit et qu'il lui succède en tant qu'avocat. Mais le jeune fugueur n'a pas dit son dernier mot. Dix ans plus tard, lorsqu'il arrive à Paris pour y poursuivre des études de droit, Jules oublie tout simplement d'aller aux cours!

UN BON LITTÉRATEUR, MAIS UN PIÈTRE AVOCAT!

Très vite, il n'a plus qu'une idée en tête : la littérature. Quand il n'est pas dans les cafés des grands boulevards parisiens avec sa joyeuse bande d'artistes, d'écrivains, de peintres et de musiciens, quand il n'est pas dans les salons littéraires à côtoyer Victor Hugo, Alexandre Dumas ou le célèbre photographe Nadar, il s'enferme dans sa chambre pour dévorer des livres : pièces de théâtre, romans, poèmes. Et puis, bien sûr, il se met à écrire. Grâce à l'appui du généreux Alexandre Dumas, la première pièce de Jules Verne est jouée au Théâtre-Lyrique le 12 juin 1850. C'est un succès. Jules est convaincu que sa vocation, c'est de raconter des histoires, même s'il cherche encore lesquelles. Ayant réussi ses examens, il annonce à son père qu'il

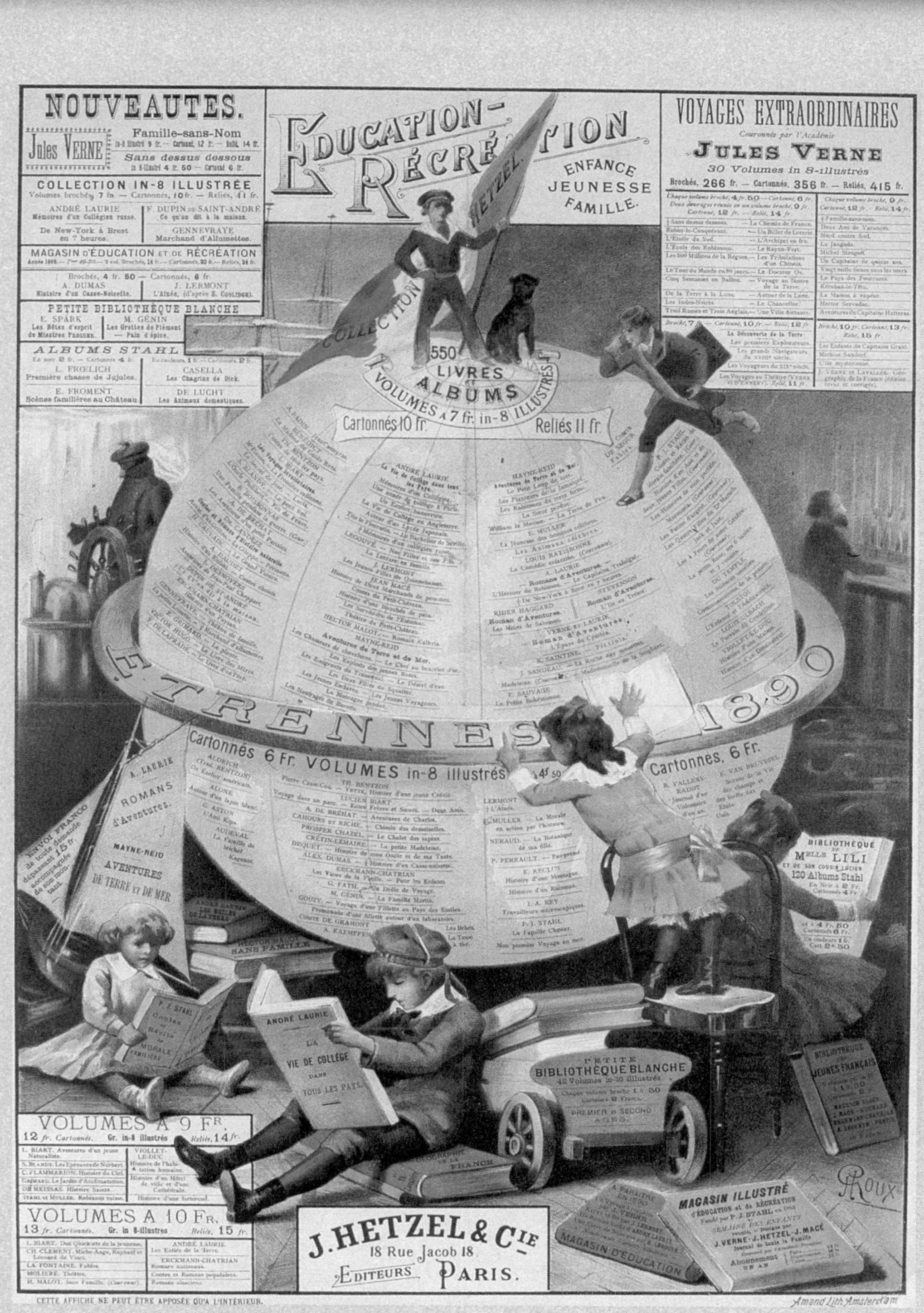

Une affiche publicitaire (1890) pour les publications de Jules Hetzel, l'éditeur de Jules Verne ne sera jamais un homme de loi. Mais Jules ne découvre sa véritable voie d'écrivain qu'en 1862, douze ans après son premier succès au théâtre. En effet, cette année-là, il rencontre l'éditeur Jules Hetzel. Passionné par la littérature pour la jeunesse, Hetzel veut faire apprendre la science aux jeunes à travers des romans palpitants. Jules Verne est fasciné par la technique. L'époque fourmille d'inventions avec le téléphone, les sous-marins...

MAÎTRE DU ROMAN FANTASTIQUE

Jules Verne passe des heures à la Bibliothèque nationale à étudier les dernières découvertes scientifiques. En 1863, il apporte à Hetzel un manuscrit racontant un dangereux voyage aérien au-dessus de l'Afrique orientale : *Cinq Semaines en ballon.* (À l'époque, de véritables explorateurs tentaient de trouver la source du Nil.) Hetzel, enthousiaste, lui signe un contrat. Le succès vient immédiatement. La brillante collaboration Hetzel-Verne durera plus de trente ans.

Plus de quatre-vingts volumes signés Jules Verne sortiront dans la célèbre collection à couverture rouge et dorée : *Voyage au centre de la Terre, Vingt Mille Lieues sous les mers, De la Terre à la Lune, Le Tour du monde en quatre-vingts jours.*

UNE VIE DE FAMILLE DIFFICILE

Les romans de Jules Verne connaissent un succès phénoménal. À l'époque où *Le Tour du monde en quatre-vingts jours* était publié dans des journaux en feuilletons, les directeurs d'une compagnie maritime à New York offraient des fortunes à Jules Verne pour que son héros, Phileas Fogg, gagne sa course autour du monde grâce à l'un de leurs vaisseaux... Jules Verne n'a plus de soucis matériels, il s'offre des yachts et organise des croisières en Méditerranée et dans la mer Baltique. Il est marié à une grande et jolie femme, Honorine, il a un fils unique, Michel. Mais la vie de famille ne lui convient pas. Il a des habitudes de vieux garçon et aime la solitude. Le bruit l'énerve. Michel est un garçon turbulent, trop gâté, puis un adolescent instable et révolté. Père et fils se heurtent et ne se réconcilieront qu'à la fin de la vie de Jules Verne.

Une affiche publicitaire de Hetzel (1882)

Une Forêt sous-marine.

Une Pêche amusante.

Une Saison balnéaire dans les Atlantides.

Une Chasse émouvante.

Une Clairière dans la Forêt des Sargasses.

Un Orchestre docile.

Images tirées d'une édition de *Vingt Mille Lieues sous les mers*

PROPHÈTE ET VISIONNAIRE

Jules Verne a su aller plus loin que tous les savants dont il lisait avec tant de passion les travaux. Que sont les machines volantes imaginées par lui sinon les ancêtres des hélicoptères, des hydravions et des vaisseaux interplanétaires? Et le sous-marin du capitaine Nemo dans *Vingt Mille Lieues sous les mers* a-t-il quelque chose à envier au plus moderne des sous-marins nucléaires d'aujourd'hui? Malheureusement, Jules Verne a également été trop bon prophète... Car l'obus d'une puissance terrifiante dans *Les Cinq Cents Millions de la bégum* évoque la bombe atomique et les menaces qu'elle fait peser sur le monde. Il annonce également le sort actuel des baleines lorsqu'il fait dire au capitaine Nemo que l'acharnement barbare des pêcheurs fera disparaître un jour la dernière baleine de l'océan.

Le Tour du monde en quatre-vingts jours

IL AIMAIT VOYAGER DANS SA TÊTE

Jules Verne est mort à Amiens à l'aube du 20e siècle, le 24 mars 1905. Celui qui a tant rêvé d'aventures fabuleuses avait passé les trente dernières années de sa vie en province. Il aimait voyager dans sa tête, étudiant cartes et atlas dans le silence de sa chambre, construisant un monde imaginaire qui, encore aujourd'hui, fascine le monde entier.

Joëlle Turin, *Je Bouquine*, avril 1993

POUR DÉCRIRE UNE ACTION

1. a) L'adverbe est un mot ou groupe de mots qui modifie le sens d'un verbe. Lisez les phrases suivantes et identifiez les adverbes.

Elle court rapidement
Ils ont parlé doucement.
Il la fait facilement.
Je l'ai entièrement oublié.

b) Comment se forment les adverbes? Lisez les règles suivantes.

- Les adverbes se forment en ajoutant ***-ment*** au féminin de l'adjectif.
- Certains adverbes se forment en ajoutant ***-ment*** au masculin de l'adjectif terminé par ***é***, ***i***, ***u***.
- Les adjectifs en ***-ant*** et ***-ent*** donnent des adverbes en ***-amment*** et ***-emment***.
- On a ***-ément*** au lieu de ***-ement*** dans certains adverbes : énormément, précisément, profondément, confusément, etc.

2. Donnez l'adverbe formé à partir des adjectifs suivants.

nouveau	énorme
précis	différent
infini	profond
complet	heureux
courant	futile
intelligent	attentif

3. Maintenant, complétez les phrases ci-dessous. Utilisez à chaque fois trois adverbes différents.
a) Il lui parle...
b) Nous travaillons...
c) Est-ce que tu écris...

4. Certains adjectifs n'ont pas d'adverbe correspondant. Dans ce cas, on utilise une expression adverbiale :

amusant ➡ d'une façon amusante
reconnaissant ➡ avec reconnaissance

Quelle expression adverbiale peut-on utiliser pour chaque adjectif suivant?

a) intéressant b) charmant c) distingué
d) réservé e) concis

5. a) Généralement, on classe les adverbes selon les catégories suivantes :

Manière	**Quantité**	**Temps**
comme	assez	après
ensemble	combien	demain
Doute	**Négation**	**Affirmation**
probablement	aucunement	exactement
Lieu		
devant		
dessous		

Placez les locutions adverbiales et les adverbes suivants dans une des catégories ci-dessus.

lentement	certainement
dessus	trop
déjà	beaucoup
souvent	en bas
derrière	dedans
mieux	peut-être
mal	vraiment
jamais	plus
longtemps	maintenant

b) Faites cinq phrases en utilisant les adverbes ci-dessus.
c) Créez un dialogue de six échanges dans lequel vous allez inclure au moins trois adverbes ou locutions adverbiales.

Pour exprimer des émotions, on dit :
J'ai peur que tu ne sois en retard à ton entrevue.
Mon père est très heureux que j'aille à l'université.
Je n'aime pas que vous sortiez si tard le soir.

Pour exprimer un souhait, on dit :
Je veux que ma petite sœur ne parte pas sans un chaperon.
Ma patronne aimerait que nous travaillions chaque fin de semaine.

Pour exprimer un ordre, on dit :
La directrice a ordonné que les élèves retournent à la classe.
La nouvelle technologie exige que tous les employés soient bien formés.

Pour exprimer un conseil, on dit :
Mon frère a suggéré que Claude conduise toute la bande au concert.
Le guide touristique a recommandé que nous fassions des réservations pour manger dans ce restaurant.

Pour exprimer une permission, on dit :
Le prof a permis que ses élèves utilisent les ordinateurs après les cours.
Les organisateurs du marathon ont permis que les participants aient cinq minutes de repos entre les deux étapes de la course.

Pour exprimer une défense, on dit :
Après l'accident, ma mère a défendu que je conduise la voiture familiale.
Les autorités ont défendu que les spectateurs prennent des photos pendant le spectacle.

Mots utiles

Identification (noms)
bêtise (*f*)
brouillon (*m*)
capteur (*m*)
émetteur (*m*)
flocon (*m*)
frontière (*f*)
panthère (*f*)
récepteur (*m*)
relief (*m*)

Description (adjectifs)
décalé, décalée
directionnel, directionnelle
inexistant, inexistante
marrant, marrante
mou, molle
panoramique
ravi, ravie
tentant, tentante

Action (verbes)
s'adonner à
enserrer
s'évader
expérimenter
fuir
piger
plonger
recouvrir

Expressions
à la longue
avoir goût de

14 Si 28.086
15 P 30.9738
16
17
32
33 As
34 Se 78.96
52 Te 127.60
53
84
85

CARRIÈRES

Dans cette unité, vous allez pouvoir :

▼

discuter du marché du travail et des diverses carrières prévues pour l'avenir

▼

parler de vos habitudes de travail et de vos préférences de carrière

▼

parler de vos aptitudes et de vos réalisations

▼

donner des conseils

▼

exprimer un souhait

▼

exprimer un regret

▼

exprimer un ordre

▼

écrire une lettre de demande d'emploi

LE CHOC DU FUTUR

Certaines personnes réussissent sans les avantages que confère une solide éducation. Mais la route est difficile... très difficile. Regarde autour de toi : nous sommes en pleine révolution et tu es au beau milieu de l'action. La nouvelle technologie comme les ordinateurs parlants, l'intelligence artificielle et la robotique ont changé nos habitudes de travail pour toujours.

Tu aimerais diriger des visites dans la forêt équatoriale? Assurer l'entretien de voitures électriques ultra-légères? Travailler en plongée sous-marine industrielle? Ou dans le domaine de la mode grâce aux vidéophones? Pense informatique et tu commenceras à comprendre.

Les ordinateurs ne remplaceront jamais les agents et agentes de police dans leur ronde. Toutefois, comme jamais auparavant, ils peuvent très bien leur rendre la tâche plus facile. Par exemple, supposons que les seuls indices retrouvés sur la scène d'un crime soient quelques gouttes de sang sur un mur. Même Sherlock Holmes ne pourrait faire de miracle avec si peu!

Cependant, un logiciel mis au point par M. Fred Carter, un professeur à l'Université Carleton à Ottawa, permettra d'éviter de longues journées de travail de détective. Ce tout nouveau logiciel applique des formules mathématiques à la trajectoire des gouttes de sang afin de reconstituer un crime. Ce logiciel de détection n'est qu'un des multiples exemples de changements apportés par l'avènement des nouvelles technologies.

LES ROBOTS N'ONT PAS DE CERVELLE

À l'origine, l'idée directrice des célèbres chaînes de montage de la compagnie Ford était de faire travailler les gens comme des machines. C'est maintenant chose du passé. De nos jours, les gens sont plus libres de se consacrer à des tâches mieux adaptées aux qualités humaines : celles qui demandent de penser de façon créative. Ces changements nous ouvrent de grandes portes sur le XXIe siècle.

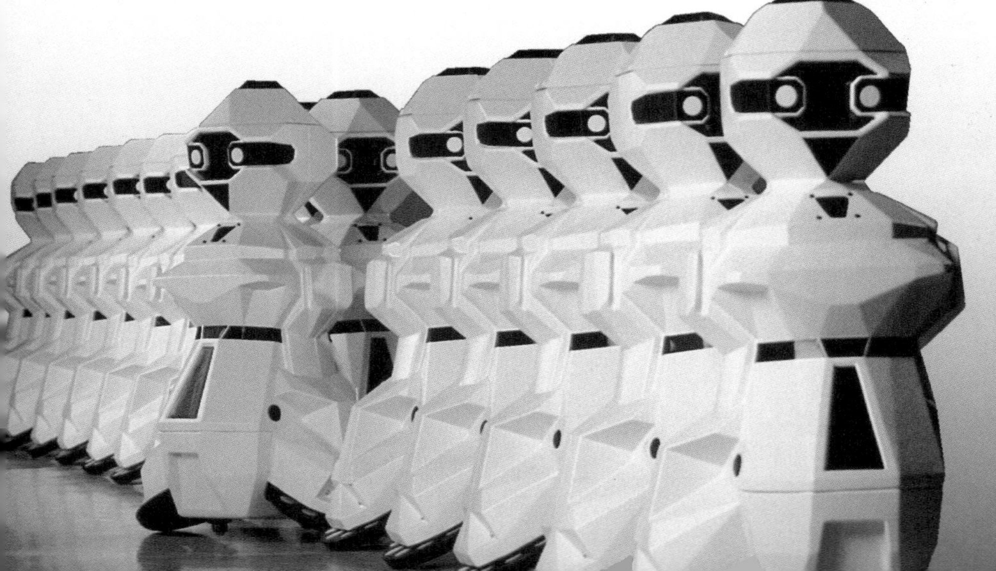

UN BEAU TRAVAIL QUI SALIT LES MAINS

L'assainissement de l'environnement requiert le développement de nouvelles méthodes et technologies afin de contrer la pollution et les déchets industriels. Ces problèmes d'actualité sont en fait une source de nouveaux emplois. Certains scientifiques affirment que les années 90 seront décisives pour l'environnement. Un véritable «quitte ou double». Pour sortir la planète du pétrin, nous aurons grand besoin de tes idées et de ton aide.

LES PRÉVISIONS?... DES EMPLOIS EN VUE

Tous ces nouveaux produits, idées et technologies nous apporteront de nouveaux emplois. Voici, en guise d'exemple, quelques développements qui changeront sans aucun doute notre vie quotidienne au cours des prochaines décennies.

Dès maintenant, des instituts de recherche canadiens participent à un projet de dépistage des changements climatiques à l'échelle mondiale. Ce projet d'envergure internationale, intitulé Géosphère-Biosphère, nous donnera un compte rendu plus complet que jamais de notre planète. De tels projets ouvrent la porte à une foule de possibilités en recherche et en protection environnementale.

Dès aujourd'hui, une compagnie canadienne est en tête du perfectionnement de la technologie permettant de transmettre des images vidéo de qualité en utilisant des lignes téléphoniques ordinaires. En 2001, les vidéophones feront leur entrée sur le marché et auront sans aucun doute un impact considérable sur des douzaines d'industries. Quelles seront les retombées des vidéophones sur les habitudes d'achat? Pas nécessairement des emplois perdus! Seulement de nouveaux emplois!

D'ici l'an 2001, le déboisement, la fabrication industrielle de produits chimiques et l'utilisation des terres et des océans seront probablement régis par des ententes internationales. Le pays aura besoin de spécialistes pour contrôler et gérer ses forêts, ses océans et ses industries. Ça t'intéresse?

Dès l'an 2003, les voitures non polluantes deviendront obligatoires dans bien des pays. Le but de cette mesure : combattre l'effet de serre. Nous aurons besoin de nouvelles techniques pour répondre aux besoins de l'industrie du transport.

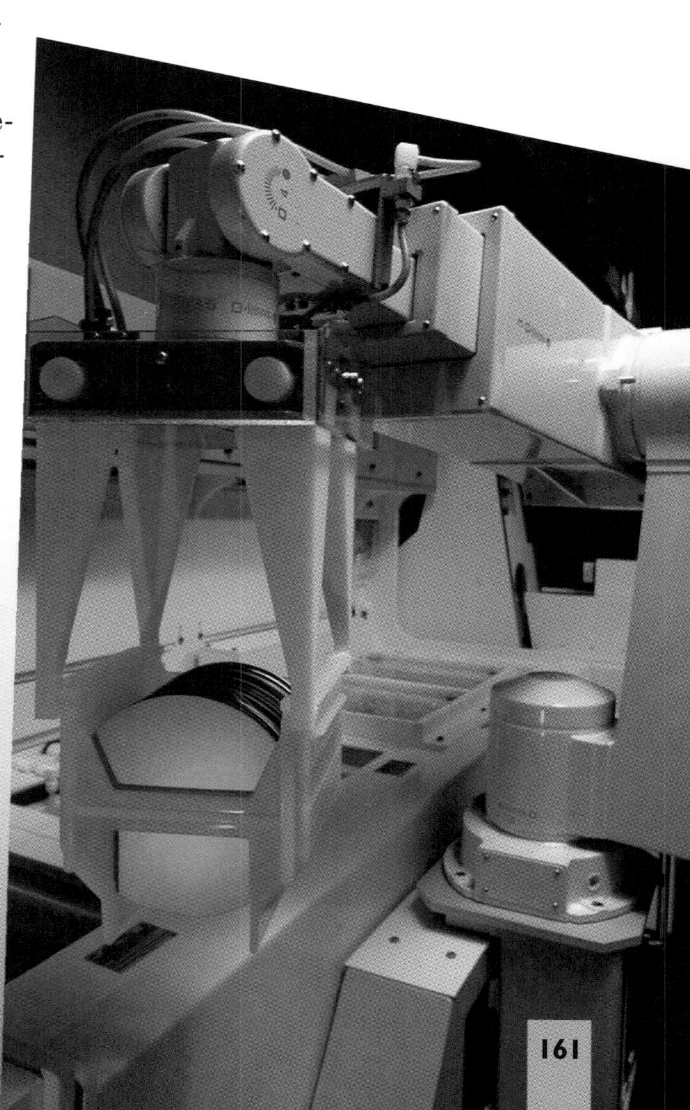

COMPRÉHENSION

1. Donnez des exemples de technologie nouvelle.
2. Comment est-ce que les ordinateurs peuvent aider les détectives?
3. Contrairement aux pratiques du passé, quel genre de travail est réservé de plus en plus aux humains?
4. Quel est le «beau travail qui salit les mains»?
5. Que faut-il faire pour faciliter l'assainissement de l'environnement?
6. Quel résultat positif produira toute cette nouvelle technologie pour les jeunes?
7. Dans la technologie de l'avenir, comment les images du vidéophone seront-elles transmises?
8. Donnez un exemple de ce que les ententes internationales régiront. De qui aura-t-on besoin?

APPLICATION

1. Dans cet article, on donne un exemple montrant comment les ordinateurs peuvent aider les détectives. Dans quelles autres professions les ordinateurs peuvent-ils rendre le travail plus efficace?
2. Citez plusieurs domaines dans la vie où on emploie un ordinateur.
3. Comment changeriez-vous les autos si une nouvelle technologie vous le permettait?
4. a) Quelles inventions ou techniques nouvelles aimeriez-vous voir en application dans votre école?
   b) Imaginez et décrivez les pièces suivantes en l'an 2050 :
      - une chambre à coucher ultramoderne,
      - une cuisine.

EXPANSION

1. Quelles sont vos prédictions pour l'avenir de la planète?
2. Imaginez que votre arrière-grand-mère ou arrière-grand-père vous rend visite. Expliquez ou dramatisez leur réaction devant tous les changements survenus chez vous et dans la société.
3. Présentez une journée typique de l'an 2050.

☛ Quelles caractéristiques essentielles doit posséder une personne qui demande un emploi?

QUE RECHERCHENT LES EMPLOYEURS?

QUALITÉS PERSONNELLES

Les employeurs ont besoin d'une personne qui peut faire preuve...

D'une attitude et d'un comportement positifs :
- respect de soi et confiance en soi
- honnêteté, intégrité et valeurs morales
- attitude positive face à l'apprentissage, l'épanouissement et la santé personnelle
- initiative, énergie et persévérance dans l'accomplissement du travail

De responsabilité :
- capacité de fixer des buts et d'établir des priorités au travail et dans la vie personnelle
- capacité de planifier et de gérer le temps, l'argent et les autres ressources en vue de réaliser des buts
- capacité d'assumer la responsabilité des mesures prises

D'adaptabilité :
- attitude positive face aux changements
- reconnaissance et respect de la diversité des gens et des différences sur le plan individuel
- capacité de proposer de nouvelles idées pour accomplir le travail (créativité)

ESPRIT D'ÉQUIPE

Les employeurs ont besoin d'une personne qui peut...

Travailler avec les autres :
- comprendre les buts de l'organisation et y apporter sa contribution
- comprendre la culture du groupe et travailler en conséquence
- planifier et prendre des décisions avec les autres et appuyer les résultats de ses décisions
- respecter la pensée et l'opinion des autres membres du groupe
- faire des concessions pour obtenir des résultats de groupe
- adopter une approche d'équipe
- jouer le rôle de chef d'équipe au besoin, en mobilisant le groupe en vue d'atteindre un rendement élevé

FACULTÉS INTELLECTUELLES

Les employeurs ont besoin d'une personne qui peut...

Communiquer :
- comprendre et parler les langues utilisées pour la conduite des affaires
- écouter pour comprendre et apprendre
- lire, comprendre et utiliser les documents écrits, dont les graphiques, tableaux et affichages
- écrire clairement dans les langues utilisées pour la conduite des affaires

Réfléchir :
- penser et agir de façon logique afin d'évaluer les situations, résoudre les problèmes et prendre des décisions
- comprendre et résoudre les problèmes nécessitant des connaissances mathématiques, et se servir des résultats obtenus
- recourir de façon efficace à la technologie, aux instruments, aux outils et aux systèmes d'information actuels
- faire appel aux connaissances spécialisées provenant de différents domaines (métiers spécialisés, technologie, sciences physiques, arts et sciences sociales) et les mettre en pratique

Apprendre :
- ne jamais cesser d'apprendre

☛ Revoyez les caractéristiques énumérées dans l'article. Dans quels domaines pouvez-vous vous améliorer?

SAVEZ-VOUS TRAVAILLER EN ÉQUIPE?

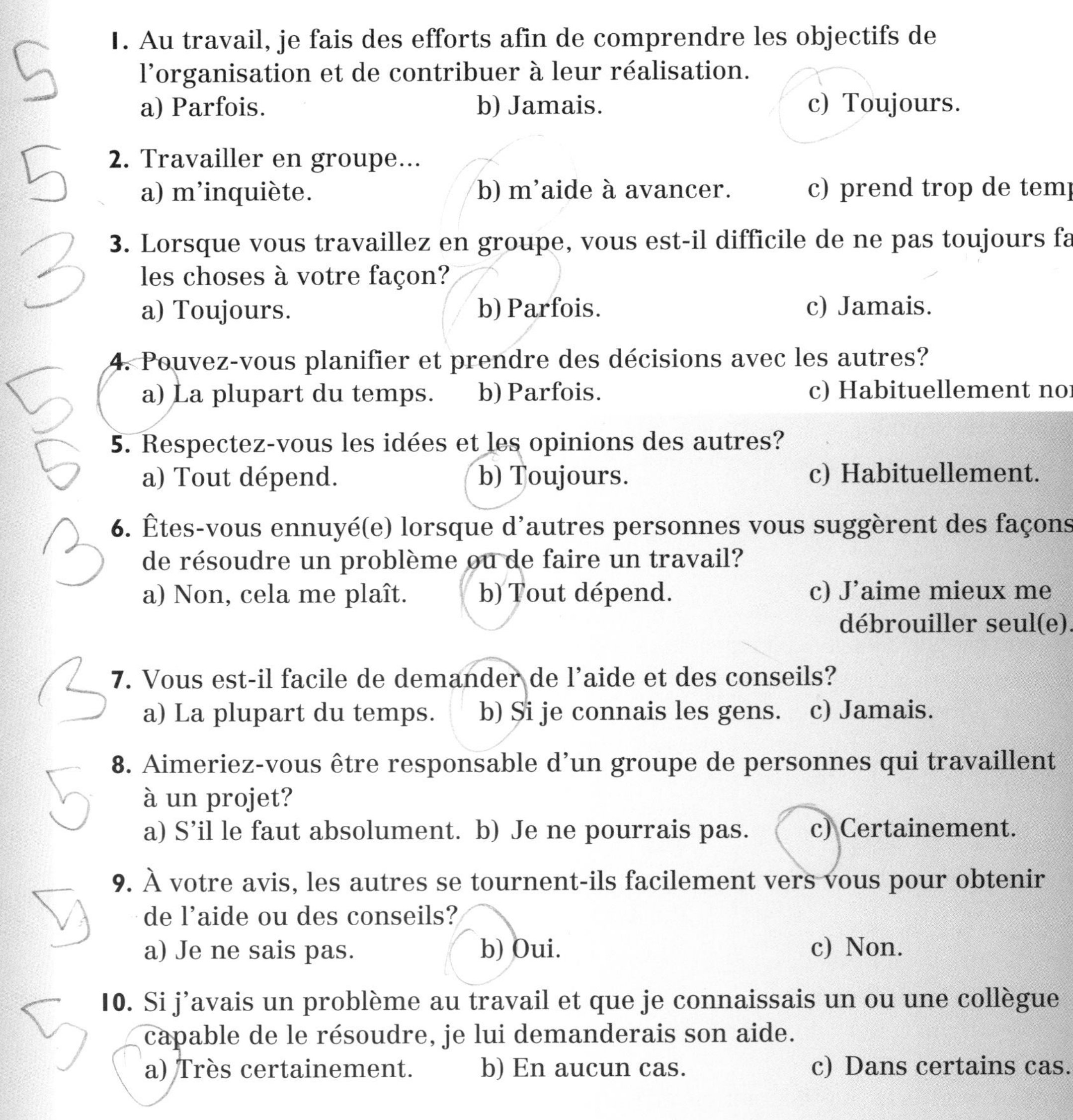

1. Au travail, je fais des efforts afin de comprendre les objectifs de l'organisation et de contribuer à leur réalisation.
a) Parfois. b) Jamais. c) Toujours.

2. Travailler en groupe...
a) m'inquiète. b) m'aide à avancer. c) prend trop de temps.

3. Lorsque vous travaillez en groupe, vous est-il difficile de ne pas toujours faire les choses à votre façon?
a) Toujours. b) Parfois. c) Jamais.

4. Pouvez-vous planifier et prendre des décisions avec les autres?
a) La plupart du temps. b) Parfois. c) Habituellement non.

5. Respectez-vous les idées et les opinions des autres?
a) Tout dépend. b) Toujours. c) Habituellement.

6. Êtes-vous ennuyé(e) lorsque d'autres personnes vous suggèrent des façons de résoudre un problème ou de faire un travail?
a) Non, cela me plaît. b) Tout dépend. c) J'aime mieux me débrouiller seul(e).

7. Vous est-il facile de demander de l'aide et des conseils?
a) La plupart du temps. b) Si je connais les gens. c) Jamais.

8. Aimeriez-vous être responsable d'un groupe de personnes qui travaillent à un projet?
a) S'il le faut absolument. b) Je ne pourrais pas. c) Certainement.

9. À votre avis, les autres se tournent-ils facilement vers vous pour obtenir de l'aide ou des conseils?
a) Je ne sais pas. b) Oui. c) Non.

10. Si j'avais un problème au travail et que je connaissais un ou une collègue capable de le résoudre, je lui demanderais son aide.
a) Très certainement. b) En aucun cas. c) Dans certains cas.

Pour calculer votre résultat, reportez-vous au bas de la page.

QUEL EST VOTRE RÉSULTAT?

Si vous avez 40 points ou plus : Vous êtes un bon coéquipier! La capacité de travailler en équipe est un atout de taille. Elle signifie que vous comprenez et que vous appréciez la diversité, et que vous l'utilisez au maximum. Vous pourriez parfois même être appelé à diriger un projet. N'ayez pas peur d'assumer ce genre de responsabilité au besoin. Les gens qui travaillent aussi bien seuls qu'en groupe constituent un atout de taille pour leur organisation. Assurez-vous que votre employeur éventuel sache que vous aimez travailler en équipe. Mentionnez-le dans votre curriculum vitæ en décrivant des cas où le travail d'équipe a bien fonctionné pour vous.

Si vous avez entre 25 et 40 points : Vous êtes parfois sociable, parfois non. Il y a certainement des cas où vous travaillez bien en équipe, et c'est un avantage. Cependant, vous pourriez utiliser certains conseils dans ce domaine; alors poursuivez votre lecture!

Si vous avez moins de 25 points : Il se peut que vous ayez l'habitude de travailler seul, mais il arrive que «deux têtes valent mieux qu'une». Vous devez apprendre à bien fonctionner avec les autres. En étant capable de tenir compte des idées et des façons de faire de vos collègues, même si elles sont différentes des vôtres, vous vous intégrerez bien à un groupe et obtiendrez de bons résultats. Écoutez les autres; vous serez surpris des bonnes idées qu'ils peuvent avoir. Offrez votre aide. Si vous n'avez jamais eu l'occasion de travailler en équipe, il est temps de commencer! Trouvez un club dans votre voisinage ou un organisme bénévole et participez à ses activités.

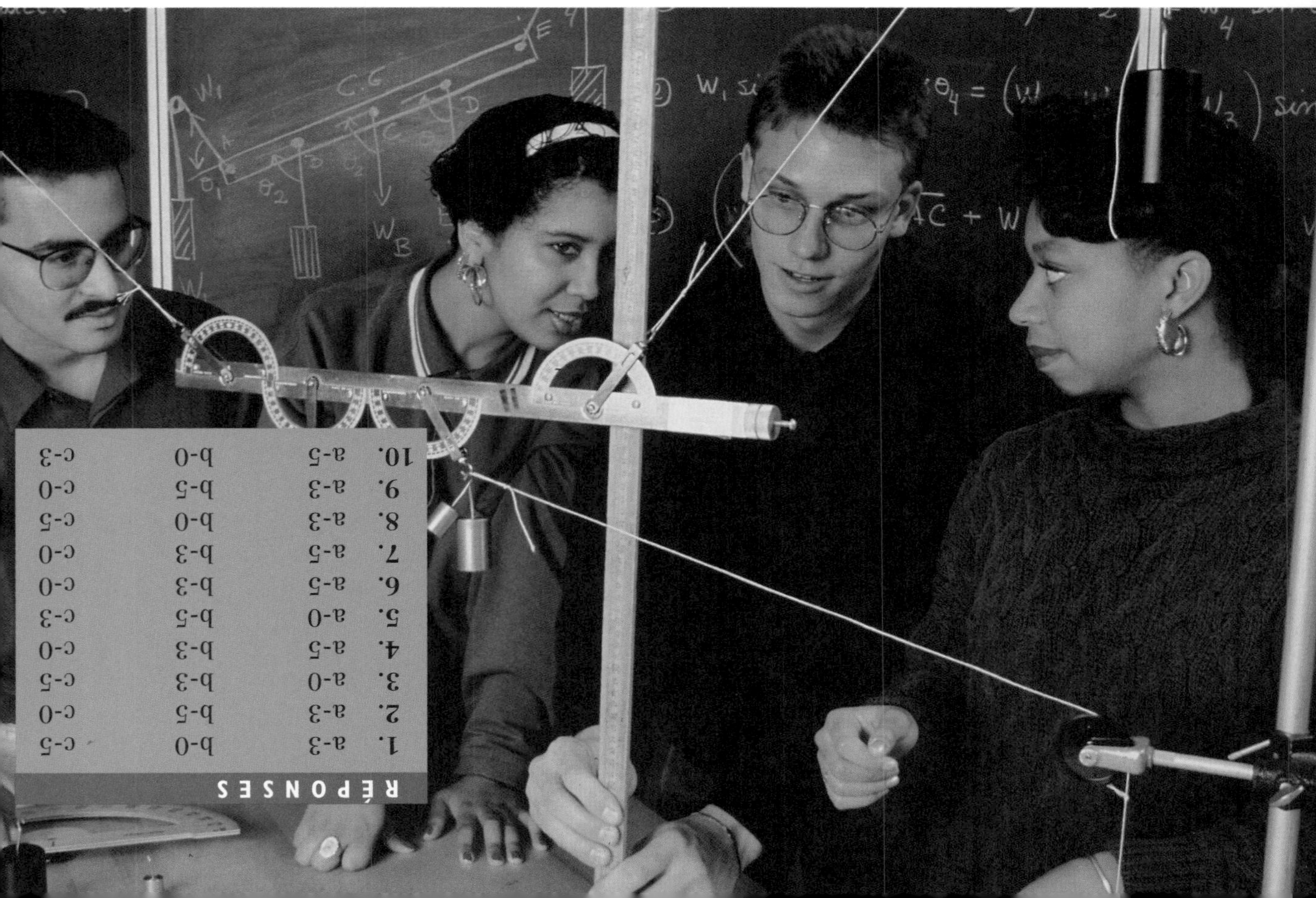

RÉPONSES

1.	a-3	b-0	c-5
2.	a-3	b-5	c-0
3.	a-0	b-3	c-5
4.	a-5	b-3	c-0
5.	a-0	b-5	c-3
6.	a-5	b-3	c-0
7.	a-5	b-3	c-0
8.	a-3	b-0	c-5
9.	a-3	b-5	c-0
10.	a-5	b-0	c-3

VOTRE PROFIL

Partie A : Quelles sont vos caractéristiques personnelles?

1. Faites votre portrait en complétant les phrases suivantes.
 a) Les trois mots suivants me décrivent le mieux : ...
 b) J'ai choisi ces mots parce que...
 c) J'aime consacrer mon temps à...
 d) Je réussis bien dans...
 e) Trois de mes réalisations sont...
 f) Les trois choses suivantes me causent de la difficulté : ...
 g) La matière dans laquelle j'excelle le plus est... parce que...
 h) La matière dans laquelle je réussis le moins est... parce que...

2. Présentez votre portrait à votre partenaire.

Partie B : Quelles sont vos expériences de travail?

1. Décrivez une expérience qui vous a plu et une qui vous a déplu :
 a) dans le monde du travail,
 b) en milieu scolaire,
 c) à la maison.

2. Quelles sont les expériences pour lesquelles vous avez reçu des témoignages d'appréciation?

Partie C : Quelles sont vos préférences?

1. Parmi les activités suivantes, identifiez celles qui vous intéressent.

Les choses

- **travailler avec des outils ou de la machinerie**
- **jouer aux jeux électroniques**
- **s'occuper de l'entretien ou de la réparation d'objets**
- **découvrir comment les choses fonctionnent**
- **fabriquer quelque chose de vos mains au lieu de lire un livre**

Les gens

- **être chef d'un groupe**
- **faire partie d'une équipe**
- **convaincre les gens autour de vous**
- **diriger ou superviser d'autres personnes**
- **aider quelqu'un**
- **parler aux gens**

L'information

- **résoudre des problèmes**
- **rechercher les faits**
- **trouver de nouvelles façons de faire les choses**
- **jouer avec les chiffres, les maths**
- **s'exprimer à l'aide de la musique, de l'art ou de l'écriture**
- **lire ou étudier**

2. Des catégories ci-dessus, laquelle préférez-vous?

3. Comparez vos préférences avec celles de votre partenaire.

4. Maintenant, parmi les domaines de carrières suivants, identifiez ceux qui correspondent le mieux à vos champs d'intérêt.

a) les métiers techniques	i) le service social
b) la vente	j) la finance
c) la fabrication	k) le tourisme
d) la programmation	l) l'enseignement
e) l'assurance	m) l'architecture
f) le travail policier	n) les arts
g) les relations publiques	o) les sciences
h) la médecine	p) le droit

5. Présentez vos domaines préférés à un autre groupe. Pensent-ils que vos choix de carrières vous conviennent? Si la réponse est non, quels domaines de carrières vous conviennent d'après eux?

IMPRO

Vous avez un travail à temps partiel que vous aimez beaucoup. Votre patron insiste pour que vous travailliez dimanche soir afin d'aider à l'inventaire des stocks. Vous avez un examen lundi et vous n'avez pas encore fini d'étudier. Votre patron vous dit que si vous ne travaillez pas, il vous congédiera. Jouez les rôles de cette situation.

ON DISCUTE

Selon vous, qu'est-ce qui importe le plus : avoir un emploi très intéressant et stimulant ou avoir un emploi bien payé?

ON COMPOSE

Créez votre profil d'emploi en vous référant aux sections précédentes. N'oubliez pas de décrire :

- vos aptitudes et vos talents,
- vos expériences de travail,
- vos préférences et vos champs d'intérêt.

MINI-PROJET

Avec une classe, vous allez préparer un salon de carrières.

a) Avec un ou une partenaire, choisissez une carrière sur laquelle vous voudriez faire de la recherche. Renseignez-vous sur :
   - les tâches et les responsabilités de l'emploi,
   - la scolarité et la formation requises,
   - les habiletés et les talents recommandés,
   - les avantages et les inconvénients de cette carrière (salaire, heures et conditions de travail, etc.).

b) Ensuite, préparez une table d'exposition avec des dépliants, des photos et d'autres renseignements écrits sur la carrière de votre choix. Discutez de votre recherche avec vos camarades de classe.

PARTIE A

1. a) Lisez les phrases suivantes.

Le tiroir dans lequel j'ai mis mes livres est fermé à clé.

C'est la route par laquelle nous allons au bureau.

Avez-vous pris les papiers sur lesquels j'ai écrit les adresses?

Il est difficile de comprendre les raisons pour lesquelles il a fait cela.

b) Quelles sont les quatre formes du pronom ***lequel***?
c) Dans les phrases ci-dessus, quels mots est-ce que le pronom ***lequel*** (sous toutes ses formes) remplace?
d) Quelle sorte de mot précède directement le pronom ***lequel***?

2. Complétez les phrases suivantes.
a) L'heure du soir pendant laquelle je...
b) La ville/le village dans laquelle/lequel je suis né(e) est...
c) La raison pour laquelle j'ai choisi cette matière...

PARTIE B

1. a) Identifiez les pronoms dans les phrases suivantes.

Le sport auquel il participe est le hockey.

Les livres desquels j'avais besoin sont arrivés.

Une pièce à laquelle j'aimerais assister est *Roméo et Juliette*.

Le projet duquel tu discutes est très difficile.

Les classes auxquelles j'ai assisté étaient fantastiques.

b) Que se passe-t-il dans les phrases quand les prépositions ***à*** et ***de*** précèdent le pronom ***lequel***?

2. Lisez les phrases suivantes et remplacez ***dont*** par la forme convenab du pronom ***lequel***. N'oubliez pas la préposition ***de***.

Le projet dont tu discutes est très difficile.

La jeune fille dont elle s'occupait était sage.

Les livres dont j'avais besoin sont arrivés.

Les chaussures dont je te parlais ne sont plus en solde.

3. Complétez les phrases suivantes.
a) Un concert auquel j'aimerais assister est... parce que...
b) Une activité à laquelle j'ai participé récemment était...
c) Une chose de laquelle j'ai toujours besoin est...
d) L'excursion dont je me souviendrai toujours est... parce que...
e) Les problèmes dont je discute souvent avec mes amis sont...

Si vous aviez l'intention de vous lancer en affaires, quelle sorte d'entreprise choisiriez-vous?

FRANÇOISE BOUTHILLIER : CELLE QUI A CHOISI D'HABILLER LES PETITS, VOIT POURTANT GRAND...

Québécoise de souche, Françoise Bouthillier crée près de 50 000 pièces de vêtements annuellement, vêtements vendus sur trois continents. Mais c'est d'un simple passe-temps qu'est née, en 1978, cette PME (petite et moyenne entreprise)!

Au départ, rien ne destinait cette jeune enseignante à devenir une importante dessinatrice de vêtements pour fillettes, jouissant d'une réputation internationale. Lorsqu'on lui demande pourquoi elle a choisi la mode pour enfants et pourquoi, plus particulièrement, les vêtements pour filles, elle répond : «Ces vêtements permettent de rêver, ils me procurent la joie qu'offre un conte de fées.»

En 1968, Françoise Bouthillier faisait ses premiers pas dans l'enseignement. Ce sont ses deux dernières années comme professeure d'histoire du costume qui ont tracé pour elle les premières lignes d'un plan de carrière nouveau puisque, de toute façon, elle s'était toujours intéressée à la mode, aux couleurs et aux tissus. C'est chez elle et sans aide qu'elle imagine et réalise ses premières créations. Tranquillement d'abord, avec de petites collections de vêtements en tricot, qu'elle présentait alors dans divers salons et expositions.

Mais c'est en 1986 que le véritable coup d'envol sera donné alors qu'elle participe à la foire de Dallas : les Américains lui commandent 30 000 $ de vêtements. Au défilé *International Kids Fashion Show*, à New York, les commandes ont été évaluées à 100 000 $. C'était parti.

Françoise Bouthillier fait ce qu'elle aime et comme elle aime jouer avec les tissus et les couleurs, c'est souvent du monde du textile qu'arrive l'inspiration pour la création d'une collection.

Lorsqu'on l'interroge sur ses projets d'avenir à plus ou moins long terme, il semble qu'il serait question d'enrichir l'univers de la petite fille *Françoise Bouthillier* par une collection de meubles et d'accessoires décoratifs... l'avenir nous le dira! Mais en attendant, tout comme Françoise Bouthillier, il faut compter sur le marché de la mode internationale : pour la designer, plus qu'une collection de vêtements, c'est un état d'esprit.

Discutez des avantages et des inconvénients que présente le fait de travailler pour soi.

Femmes entrepreneures, femmes d'affaires, femmes chefs d'entreprise, travailleuses autonomes, travailleuses indépendantes : voilà autant de vocables utilisés pour identifier les femmes qui choisissent et ce, de plus en plus, de devenir leur propre patronne. Dans plusieurs cas, leurs entreprises sont des sources de création d'emplois.

Les femmes entrepreneures œuvrent principalement dans le secteur des services et du commerce. Soixante-douze pour cent des entreprises exploitées par des femmes se trouvent dans ces secteurs.

Quant aux entrepreneures québécoises, leurs premières sources de motivation sont le désir de relever le défi, le besoin d'assurer leur autonomie financière et l'importance de se valoriser sur le plan professionnel et personnel.

☛ Qu'est-ce que l'éducation coopérative?

ÉCOLE, BOULOT, DODO :
UN PROJET D'ÉDUCATION COOPÉRATIVE

On idéalise souvent le marché du travail : un salaire, l'autonomie, la vie d'adulte. À l'école L'Essor, à Windsor, dans le sud-ouest de l'Ontario, des élèves ont la chance de voir de façon réaliste les exigences du monde du travail tout en poursuivant leurs études secondaires.

Tous les après-midi de la semaine, André Chartrand se rend au bureau du journal hebdomadaire *Le Rempart,* de Windsor. Il consulte le rédacteur quant aux photos à prendre pour le journal, il va les capter, puis il retourne au bureau les développer et les préparer pour la publication. Et pour cela, il obtient des crédits scolaires en vue de l'obtention de son diplôme d'études secondaires! C'est qu'il participe au programme «d'éducation coopérative» de l'école secondaire L'Essor qui permet aux élèves de poursuivre leurs études tout en acquérant de l'expérience dans le domaine de l'emploi.

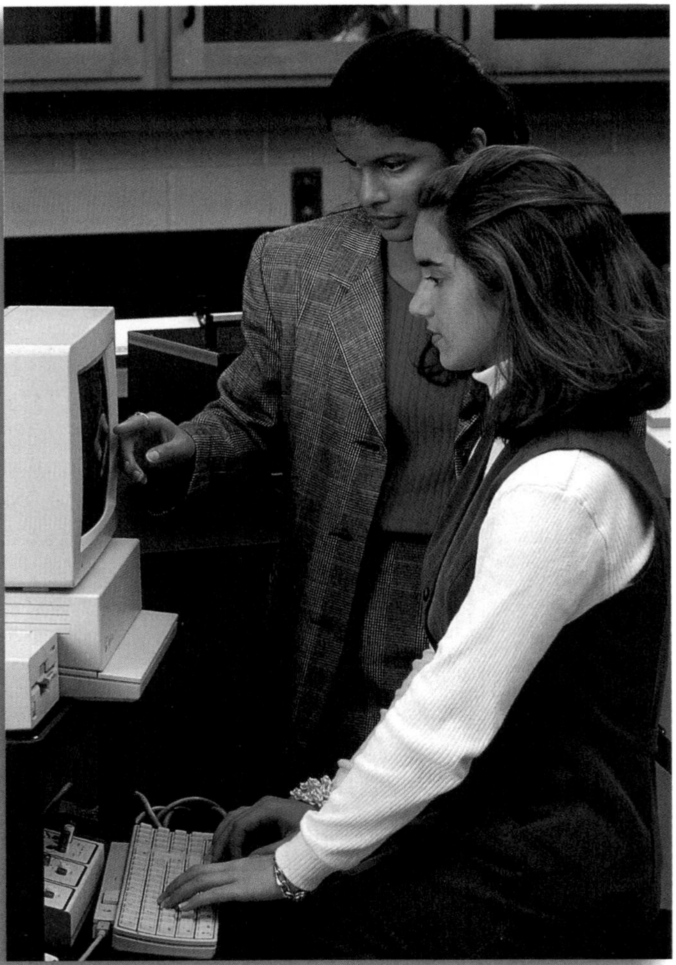

AVANT DE CHOISIR UNE CARRIÈRE

Comme André, une centaine d'élèves de l'école se rendent au travail tous les jours. Pour certains, cela permet de connaître les possibilités de carrières qu'ils envisagent de poursuivre un jour. Pour d'autres, cela offre la chance d'explorer certains secteurs qui pourraient les intéresser. Pour tous, cela donne l'occasion de devenir plus conscients des aptitudes générales requises pour réussir sur le marché du travail. «De plus, les participants acquièrent inévitablement un sens accru des responsabilités», commente M. Richard Charette qui dirige le programme à l'école L'Essor.

UN STAGE SUPERVISÉ

On ne fait pas que choisir un genre d'emploi attrayant et s'y rendre chaque jour. D'une part, il faut suivre en même temps un cours scolaire relié au domaine du travail. Les enseignants peuvent agir comme conseillers en rapport avec ce travail. Par exemple, celui ou celle qui travaille dans un journal suivra un cours d'arts graphiques ou de français selon son genre de travail.

D'autre part, l'élève doit participer à des discussions de groupe. Pendant les deux semaines précédant son placement dans un emploi, l'élève apprend comment préparer un curriculum vitæ et une entrevue. L'élève connaîtra les attentes des employeurs, les lois du travail, la sécurité au travail, la confidentialité, etc. Tout au long du programme, il partagera avec d'autres participants son expérience de travail, dont les exigences particulières à chaque type d'emploi.

En troisième lieu, chaque élève participant est surveillé par un enseignant-moniteur ou une enseignante-monitrice. Cette personne visite périodiquement les lieux pour évaluer avec l'employeur si l'élève acquiert les compétences et adopte les attitudes visées ainsi que pour régler les problèmes de parcours.

APPRENDRE À SOURIRE

Le programme connaît beaucoup de succès car il permet aux élèves d'étendre leurs horizons. Michael Campbell veut faire carrière en affaires. «J'avais déjà suivi tous les cours commerciaux offerts à l'école, explique-t-il. Où je travaille maintenant, j'ai l'occasion de voir d'autres aspects du monde des finances.»

En fait, cela fournit aux élèves la chance de se rendre compte des exigences du monde du travail. «Ils doivent apprendre à avoir de l'entregent et à travailler en équipe.» «Ils se rendent compte que tout ne vient pas facilement.» «Ils font l'expérience des aspects plus monotones de divers emplois.» «Ça leur enlève les fausses conceptions qu'ils peuvent avoir vis-à-vis d'un emploi», commentent tour à tour les employeuses et employeurs participants.

Ces derniers voient d'ailleurs pour eux de nombreux avantages qui les récompensent bien de leur temps et de leurs efforts : «Ça nous apporte une certaine main-d'œuvre sans frais et ça permet d'évaluer soigneusement nombre de candidats et candidates pour les postes permanents que nous aurons éventuellement à combler», affirme M. Brian Gorman, chef cuisinier dans un grand centre de réceptions. «La présence chez nous de ces élèves nous donne une meilleure idée des compétences qu'ils acquièrent à l'ecole et nous aide à modifier nos propres programmes de formation en conséquence», explique M. Daniel Gallerno, propriétaire d'un commerce de graphisme et de conception publicitaire. Mme Blanche Bénéteau, de la Fondation de la recherche sur la toxicomanie, affirme que ça lui apporte la satisfaction d'aider un jeune dans son développement et de rester ainsi plus jeune d'esprit elle-même.

Certains placements mènent à des emplois d'été. Par exemple, l'employeur de Michael lui a offert un emploi à temps partiel pendant toutes les années qu'il poursuivra ses études secondaires et universitaires. Les liens qui se forment entre employeurs et élèves peuvent donc avoir une portée qui dépasse de beaucoup l'horizon temporel du programme.

- ☛ Quels sont les avantages d'un tel programme?
- ☛ Connaissez-vous d'autres moyens de vous renseigner sur une carrière?

À L'ENTREVUE

1. Avec votre partenaire, discutez de ce qu'il faut et de ce qu'il ne faut pas faire au cours d'une entrevue.

EXEMPLES

Il faut que vous arriviez à l'heure.

Il est important que vous choisissiez de bonnes questions à poser.

POUR DONNER DES CONSEILS

Il est important que...

Il est nécessaire que...

Il faut que...

Il est bon que...

Il est préférable que...

Il n'est pas nécessaire que...

Il ne faut pas que...

a) parler sans arrêt
b) porter des vêtements appropriés
c) rester calme
d) montrer de l'intérêt
e) exagérer
f) commencer par s'informer du salaire
g) se rendre à l'entrevue sans préparation
h) remercier l'intervieweur ou l'intervieweuse à la fin
i) donner des renseignements négatifs
j) écouter attentivement
k) se préparer pour l'entrevue
l) se comparer aux autres

2. a) Imaginez que vous et votre partenaire allez interviewer un candidat ou une candidate pour un poste. Créez des questions basées sur les catégories suivantes :
- les qualités personnelles;
- la formation et l'expérience;
- les plans et buts futurs.

b) Quelles questions les candidats pourraient-ils poser durant l'entrevue? Formulez-en quelques-unes.

c) Maintenant, jouez les rôles de l'entrevue. Présentez votre entrevue à un autre groupe.

À VOUS LA PAROLE

Avez-vous déjà éprouvé une situation de conflit au travail ou lors d'une entrevue? Comment avez-vous résolu la difficulté?

IMPRO

Un ami ou une amie vous demande de l'aider à écrire son curriculum vitæ. Vous remarquez en lisant ses notes qu'il ou elle exagère beaucoup au sujet de ses talents et de son expérience de travail. Que lui diriez-vous?

ON COMPOSE

Choisissez un emploi qui vous intéresse. Écrivez une lettre de demande qui va accompagner votre curriculum vitæ. Demandez poliment la possibilité d'une entrevue.

POUR COMMENCER UNE LETTRE DE DEMANDE

À la suite de l'annonce insérée dans le journal..., j'aimerais poser ma candidature au poste de...

En réponse à l'offre d'emploi parue dans le journal..., permettez-moi de...

Permettez-moi de poser ma candidature au poste de..., annoncé dans...

PARTIE A

1. Indiquez si les phrases suivantes expriment un souhait, un regret ou un ordre.
a) Je veux qu'il vienne avec nous; cela fera grand plaisir à maman.
b) La prof d'art dramatique regrette que vous ne fassiez pas partie de la troupe. Vous auriez sans doute aimé travailler sur la scène.
c) Le patron ordonne que tout soit prêt pour la réunion avant 17 heures.
d) Nous souhaitons qu'elle se remette vite après son opération.
e) Le prof suggère fortement que nous étudiions ce chapitre. Il va sans doute s'y référer à l'examen.
f) Maman ne veut pas qu'on fasse trop de bruit; mon père souffre de migraines et le bruit le dérange énormément.
g) Je suis désolé qu'il pleuve; on avait prévu une sortie en famille à la plage.

2. Dans les phrases ci-dessus, quel temps du verbe emploie-t-on après les verbes exprimant un souhait, un regret ou un ordre?

3. Complétez les phrases suivantes.
a) Mes parents veulent toujours que...
b) Ma prof demande souvent que...
c) Je regrette que...
d) Mes amis et moi voulons que...

PARTIE B

1. Dans les phrases suivantes, quelles sont les expressions impersonnelles?
a) Il vaut mieux que tu partes tout de suite, sinon tu vas être en retard.
b) Il est nécessaire que Paul finisse son travail de maths.
c) Il faut que j'attende mon amie devant le cinéma.
d) Il est préférable que nous allions au cinéma mardi; ça coûte moins cher.
e) Il est bon que vous terminiez votre projet à l'heure.
f) Il n'est pas important qu'ils travaillent après les cours; il vaut mieux qu'ils se détendent.

2. a) Dans les phrases ci-dessus, quel temps du verbe emploie-t-on après les expressions impersonnelles?
b) Est-ce que le sujet des deux parties de la phrase est le même ou le sujet est-il différent?
c) D'après ces exemples, expliquez quand on emploie le subjonctif.

3. Complétez les phrases suivantes.
a) Chez moi, il faut que...
b) À notre école, il est important que nous...
c) D'après mes amis, il est préférable que tout le monde...
d) Il est possible que je...
e) D'après moi, il ne faut pas que...

Quelles possibilités de carrières vous conseillent les membres de votre famille? Que pensez-vous de leurs suggestions?

L'ENFANT NOIR

Camara Laye (1928-1980) est un des écrivains francophones africains les mieux connus. Tout dépaysé et hanté par les souvenirs de son village natal en Guinée, il a écrit *L'Enfant noir* pendant qu'il faisait ses études d'ingénieur à Paris. L'extrait suivant vient du dernier chapitre de cette autobiographie. Dans ce chapitre, le jeune Camara, qui avait déjà passé quatre ans loin de sa famille dans un lycée de Conakry, la capitale guinéenne, se prépare à partir de nouveau — cette fois-ci, pour Paris.

Avant mon départ de Conakry, le directeur de l'école m'avait fait appeler et m'avait demandé si je voulais aller en France pour y achever mes études. J'avais répondu oui d'emblée — tout content, j'avais répondu oui! — mais je l'avais dit sans consulter mes parents, sans consulter ma mère. Mes oncles, à Conakry, m'avaient dit que c'était une chance unique et que je n'eusse pas mérité de respirer si je ne l'avais aussitôt acceptée. Mais qu'allaient dire mes parents, et ma mère plus particulièrement? Je ne me sentais aucunement rassuré. J'attendis que nos effusions se fussent un peu calmées, et puis je m'écriai, — je m'écriai comme si la nouvelle devait ravir tout le monde :

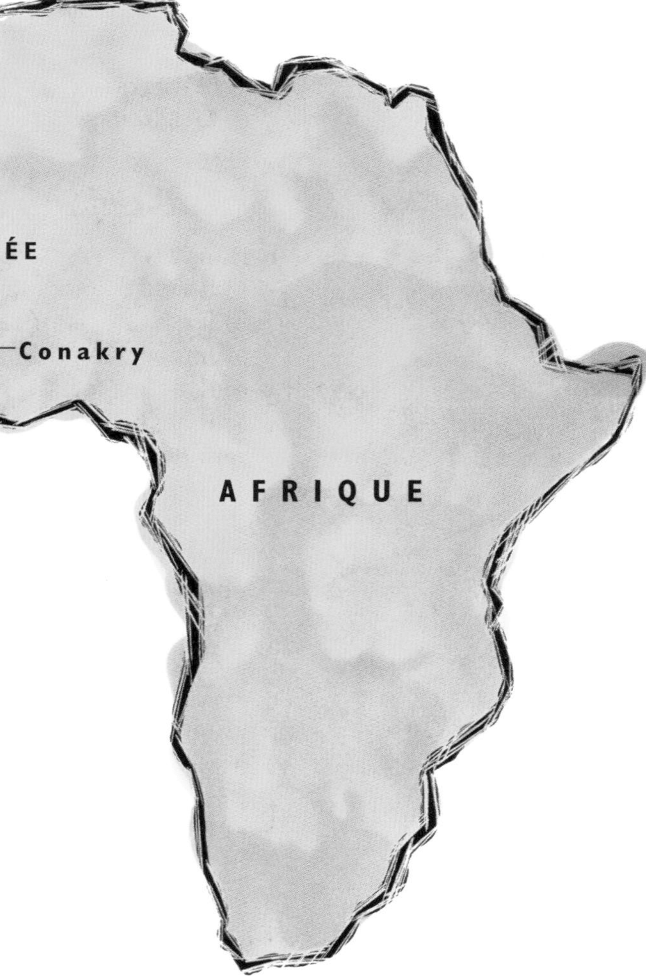

— Et ce n'est pas tout : le directeur se propose de m'envoyer en France!

— En France? dit ma mère.

Et je vis son visage se fermer.

— Oui. Une bourse me sera attribuée; il n'y aura aucuns frais pour vous.

— Il s'agit bien de frais! dit ma mère. Quoi! tu nous quitterais encore?

— Mais je ne sais pas, dis-je.

Et je vis bien — et déjà je me doutais bien — que je m'étais fort avancé, fort imprudemment avancé en répondant «oui» au directeur.

— Tu ne partiras pas! dit ma mère.

— Non, dis-je. Mais ce ne serait pas pour plus d'une année.

— Une année? dit mon père. Une année, ce n'est pas tellement long.

— Comment? dit vivement ma mère. Une année, ce n'est pas long? Voilà quatre ans que notre fils n'est plus jamais près de nous, sauf pour les vacances, et toi, tu trouves qu'une année ce n'est pas long?

— Eh bien... commença mon père.

— Non! non! dit ma mère. Notre fils ne partira pas! Qu'il n'en soit plus question!

— Bon, dit mon père; n'en parlons plus. Aussi bien cette journée est-elle la journée de son retour et de son succès : réjouissons-nous! On parlera de tout cela plus tard.

Tard dans la soirée, quand tout le monde fut couché, j'allai rejoindre mon père sous la véranda de sa case : le directeur m'avait dit qu'il lui fallait, avant de faire aucune démarche, le consentement officiel de mon père et que ce consentement devrait lui parvenir dans le plus bref délai.

— Père, dis-je, quand le directeur m'a proposé de partir en France, j'ai dit oui.

— Ah! tu avais déjà accepté?

— J'ai répondu oui spontanément. Je n'ai pas réfléchi, à ce moment, à ce que mère et toi en penseriez.

— Tu as donc bien envie d'aller là-bas? dit-il.

— Oui, dis-je. Mon oncle Mamadou m'a dit que c'était une chance unique.

— Tu aurais pu aller à Dakar; ton oncle Mamadou est allé à Dakar.

— Ce ne serait pas la même chose.

— Non, ce ne serait pas la même chose... Mais comment annoncer cela à ta mère?

— Alors tu acceptes que je parte? m'écriai-je.

— Oui... oui, j'accepte. Pour toi, j'accepte. Mais tu m'entends : pour toi, pour ton bien!

Et il se tut un moment.

— Vois-tu, reprit-il, c'est une chose à laquelle j'ai souvent pensé. J'y ai pensé dans

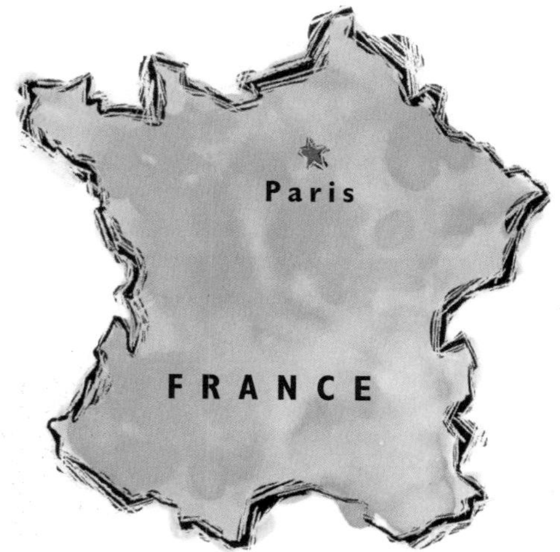

le calme de la nuit et dans le bruit de l'enclume. Je savais bien qu'un jour tu nous quitterais : le jour où tu as pour la première fois mis le pied à l'école, je le savais. Je t'ai vu étudier avec tant de plaisir, tant de passion... Oui, depuis ce jour-là, je sais; et petit à petit, je me suis résigné.

— Père! dis-je.

— Chacun suit son destin, mon petit; les hommes n'y peuvent rien changer. Tes oncles aussi ont étudié. Moi — mais je te l'ai déjà dit : je te l'ai dit, si tu te souviens quand tu es parti pour Conakry — moi, je n'ai pas eu leur chance et moins encore la tienne... Mais maintenant que cette chance est devant toi, je veux que tu la saisisses; tu as su saisir la précédente, saisis celle-ci aussi, saisis-la bien! Il reste dans notre pays tant de choses à faire... Oui, je veux que tu ailles en France : je le veux aujourd'hui autant que toi-même : on aura besoin ici sous peu d'hommes comme toi... Puisses-tu ne pas nous quitter pour trop longtemps!...

Nous demeurâmes un long bout de temps sous la véranda, sans mot dire et à regarder la nuit; et puis soudain mon père dit d'une voix cassée :

— Promets-moi qu'un jour tu reviendras?

— Je reviendrai! dis-je.

Jusqu'à quel point la permission et les opinions de vos parents influencent-elles vos décisions?

LA MAIN À LA PÂTE

Pourquoi le pop-corn à faible teneur saline a-t-il aussi bon goût que le salé? Pourquoi peut-on «micro-onder» certains aliments et pas d'autres?

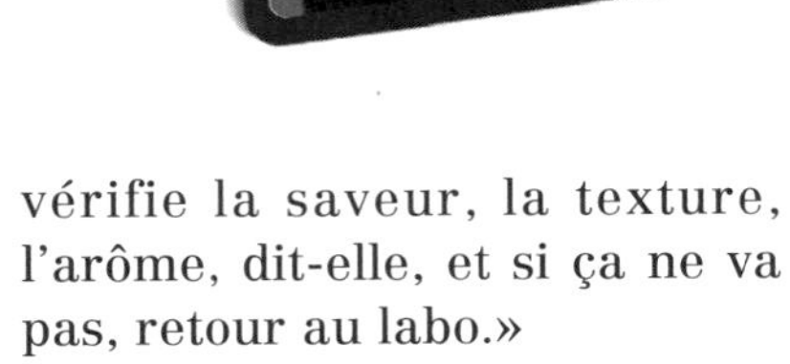

Karen Reynolds est technicienne en alimentation chez Harold T. Griffin Inc., à Mississauga (Ontario), une entreprise de confection d'ingrédients.

Les grandes entreprises alimentaires en Amérique du Nord demandent certaines propriétés particulières dans leurs ingrédients. Karen les prépare et les leur expédie. Par exemple, elle a créé une sauce salsa (oignons, tomates et poivrons) qu'une entreprise voulait pour satisfaire la récente folie mexicaine.

L'appréciation sensorielle et le contrôle de la qualité sont très importants dans son travail. Elle veille à ce que les mélanges restent toujours pareils et qu'ils maintiennent leurs caractéristiques au cours du processus de confection. «Je vérifie la saveur, la texture, l'arôme, dit-elle, et si ça ne va pas, retour au labo.»

Outre son B. Sc. (Nutr.), quelle qualité Karen doit-elle avoir pour exceller dans son travail? Un esprit de curiosité, voilà. Pourquoi la pâte à pain lève-t-elle? Pourquoi les pommes deviennent-elles brunes lorsque leur pulpe est exposée à l'air? C'est grâce au programme d'éducation coopérative à son école que Karen a pu décrocher cet emploi dès l'obtention de son diplôme. D'après elle, ce n'est pas seulement le diplôme qui compte pour les fabricants, mais bien l'expérience.

Debra Styles, *TG Magazine*, avril 1993

À LA COUSTEAU...

Francis Béland a la chance de pouvoir concilier deux grandes passions et de les intégrer dans son travail. Âgé d'à peine 20 ans, il est aquariste au Biodôme de Montréal. Ses fonctions d'aquariste lui permettent d'évoluer au sein de la faune maritime qui peuple trois écosystèmes. Il s'occupe de la Forêt laurentienne où l'on retrouve de nombreuses espèces d'oiseaux, de mammifères terrestres et d'amphibiens. On peut aussi le retrouver dans le Monde polaire où il nourrit quotidiennement les mignons pingouins et manchots.

Une journée de travail normale pour Francis commence vers 7 h 30. Il enfile alors sa tenue de plongée et commence par nourrir la colonie d'invertébrés. Ceci dure presque trois heures, car il doit nourrir individuellement les étoiles de mer, anémones, oursins et crabes. L'après-midi, il s'occupe de la préparation et de l'entretien du matériel de plongée, effectue des descentes en bassin et poursuit ses recherches en laboratoire. En fin d'après-midi, Francis a l'agréable responsabilité de nourrir les divers oiseaux du Saint-Laurent marin et les habitants du Monde polaire sous l'œil amusé des visiteurs du Biodôme.

Une autre facette de son travail consiste en des expéditions en milieu naturel. Francis va braver les éléments le long de la Côte-Nord du Québec ou du Labrador, accompagné d'une équipe de plongeurs et de chercheurs. Il partagera alors son temps entre la récolte de nouveaux spécimens qui enrichiront la collection vivante du Biodôme et la recherche en biologie marine. «Certains matins, m'avoue-t-il, ça prend beaucoup de courage pour affronter les eaux glaciales du fleuve.» La passion de la plongée et la splendeur des paysages lui font cependant vite oublier ces moments plus difficiles.

«Ce que j'aime de mon travail, c'est qu'il y a très peu de monotonie, affirme Francis. Parce que le Biodôme est le premier projet en son genre, je dois constamment trouver des solutions créatives à des problèmes nouveaux. Ceci me motive beaucoup.»

Comment en vient-on à travailler dans un tel environnement? Dans le cas de Francis, il a étudié en sciences pures au CÉGEP et a poursuivi des études universitaires en biologie marine. De plus, il pratique la plongée sous-marine depuis l'adolescence et a été instructeur dans sa propre école de plongée. Un conseil : complétez vos études universitaires en biologie marine par une spécialisation pour vous assurer une meilleure chance de vous tailler une place sur le marché du travail.

Marie Elaine Hvizdak, *TG Magazine*, juin 1993

CARRIÈRE : PALEFRENIÈRE

Travaillant dans l'ombre de l'entraîneur et du jockey, le palefrenier occupe un poste ingrat, mais son travail influence le plus souvent la performance du cheval.

Vicky Morin exerce le métier de palefrenière pour une écurie située sur les terrains de l'hippodrome *Blue Bonnets* à Montréal. Âgée de 20 ans, elle a maintenant quatre chevaux à sa charge et elle s'en occupe avec la plus grande dévotion. Attention aux rêveurs qui croient encore au romantisme qu'évoque le travail avec les chevaux. La réalité est tout autre et bien plus dure.

La journée de Vicky commence tôt, très tôt. Elle arrive à l'écurie vers 5 h 45 et commence tout de suite à nettoyer les stalles de ses chevaux! Elle doit ensuite astiquer les harnais, nettoyer les attelages, laver les chevaux, les nourrir et s'assurer qu'ils sont prêts pour leur entraînement quotidien. Vicky termine habituellement sa journée vers 13 h 30, mais deux fois par semaine, elle devra être de retour à l'hippodrome à 16 h 30 pour faire ce qu'on appelle un *paddock*, c'est-à-dire la préparation d'un cheval pour une course. «Le cheval est comme un être humain. On doit s'occuper de lui sept jours par semaine.» Elle ajoute qu'il lui est presque impossible de pouvoir manquer une journée de travail, même quand elle est malade.

Le métier de palefrenier est très ardu et demande beaucoup de dévouement, de détermination et de patience. L'effort physique fourni est important et pas toujours glorieux. Les tâches à accomplir sont surtout individuelles. Vicky peut consulter l'entraîneur de temps en temps si elle détecte un changement de comportement, un manque d'appétit ou une blessure chez une de ses bêtes, mais elle travaille seule la plupart du temps.

Vicky a fait trois ans d'études en équitation puis deux ans et demi en courses attelées. Elle estime avoir reçu un enseignement fort complet qui l'a bien préparée à

Marie Elaine Hvizdak, *TG Magazine*, juin 1993

son métier et elle m'assure qu'un(e) diplômé(e) progressera beaucoup plus facilement que quelqu'un qui ne comptera que sur l'expérience acquise en milieu de travail. Selon ses ambitions, Vicky pourrait ensuite devenir entraîneure ou même conductrice en courses attelées.

Vicky se sent motivée lorsqu'un de ses chevaux remporte une course, mais elle ajoute que le résultat obtenu par une bête est souvent aléatoire et peut dépendre de plusieurs facteurs : température, nervosité de la bête, tempérament, résistance physique. De toute façon, ce qu'elle souhaite vraiment, c'est toujours de voir un des siens remporter la victoire.

LA MODE RECYCLÉE

Aujourd'hui, recycler est nécessaire. Pourquoi ne pas le faire aussi avec la mode? C'est là l'idée de Frédéric Tremblay, un jeune styliste de Montréal.

Frédéric a vingt ans et sa passion est de faire du neuf avec du vieux. Il récupère toutes sortes de vieux vêtements, comme des manteaux des années 40 ou des chemises de tous styles et de toutes couleurs.

Ensuite, il assortit les couleurs et les tissus de différents articles pour créer un vêtement nouveau et original. Par exemple, il fait une veste en patchwork en assemblant des pièces coupées dans plusieurs vestes ou transforme un pantalon usagé en un superbe manteau court!

Ainsi, Frédéric Tremblay réalise des vêtements uniques à partir de pièces usées et sans charme! Sa mode «recyclée» a beaucoup de succès. En 1992, il a même gagné le prix international de la mode de Smirnoff.

Marie-Claire Antoine, *Copains*, mars/avril 1993

LETTRES D'AFFAIRES

1. Lisez les lettres suivantes et identifiez celles dont les formules d'introduction conviennent à une lettre d'affaires.

a)

Monsieur le directeur,

En réponse à votre annonce parue le 12 novembre dans *La Presse*, permettez-moi de poser ma candidature au poste de programmeuse.

b)

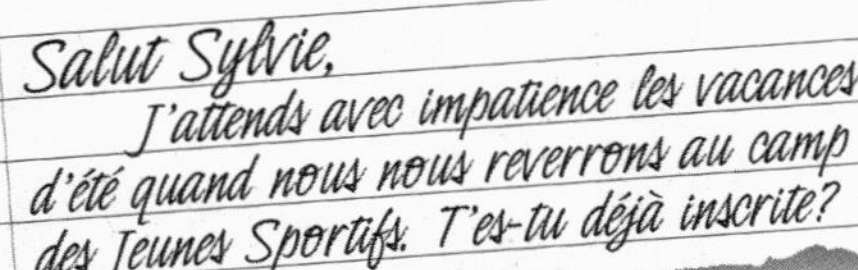

Salut Sylvie,

J'attends avec impatience les vacances d'été quand nous nous reverrons au camp des Jeunes Sportifs. T'es-tu déjà inscrite?

c)

Messieurs,

Pouvez-vous me faire parvenir le plus rapidement possible votre catalogue du printemps?

d)

Madame la directrice,

Veuillez nous retourner les cassettes endommagées aussitôt que possible.

e)

Bonjour Mme Charrette,

J'étais très content de vous revoir hier. J'espère que votre fils va mieux. Dites bonjour à votre mari de ma part.

2. Maintenant, lisez les formules d'introduction ci-dessous. À quelle situation se rapportent-elles?

- accuser réception
- confirmer
- passer une commande
- répondre à une commande

a) Pourriez-vous m'expédier le plus tôt possible...
b) Pour faire suite à notre conversation téléphonique du...
c) Votre lettre du 17 juillet nous est bien parvenue...
d) Nous avons bien reçu votre commande du 2 février et vous en remercions.
e) Nous avons pris bonne note du désir exprimé dans votre lettre du...
f) Nous vous avons informés dans notre lettre du...
g) Nous acceptons les conditions proposées dans votre lettre...

3. Lisez les formules ci-dessous qui situent l'objet de la lettre. À quelle situation se rapportent-elles?

- demander un renseignement
- envoyer des fonds
- reconnaître une erreur

a) Nous avons le regret de vous informer...
b) Pourriez-vous me faire savoir...
c) En règlement de votre facture, nous vous prions de trouver sous pli...
d) Nous vous serions obligés de nous indiquer...
e) Nous regrettons vivement l'erreur qui s'est glissée...

4. Lisez les formules de politesse suivantes. Identifiez celles qu'on peut utiliser dans une lettre d'affaires.

a) Veuillez agréer, Monsieur, l'assurance de mes meilleurs sentiments.
b) Toutes mes amitiés.
c) Sincères salutations.
d) Veuillez agréer, Madame, l'expression de mes sentiments les plus distingués.
e) À bientôt.

5. Maintenant, rédigez une lettre d'affaires de votre choix en utilisant les formules appropriées.

Pour parler de ses aptitudes et de ses réalisations, on dit :
Les matières dans lesquelles j'excelle le plus sont l'anglais et le français.
Les équipes auxquelles j'ai participé à l'école secondaire étaient le soccer et le hockey.
Le projet dont j'étais chef de groupe a gagné un prix d'excellence à la foire provinciale.

Pour donner des conseils, on dit :
Il est important que vous arriviez à votre entrevue à l'heure.
Il est nécessaire que vous établissiez un bon rapport avec les membres de votre équipe.
Il faut que vous fassiez des plans pour votre avenir.

Pour exprimer un souhait, on dit :
Notre entraîneur souhaite que nous gagnions notre tournoi de ballon-panier.

Pour exprimer un regret, on dit :
Ma mère regrette que je travaille cet été. Autrement, j'aurais pu passer un mois de vacances avec la famille.

Pour exprimer un ordre, on dit :
Mes parents suggèrent fortement que je fasse mes devoirs avant de planifier des activités pour la fin de semaine.

Mots utiles

Identification (noms)
assainissement (*m*)
avènement (*m*)
chaîne (*f*) de montage
compte rendu (*m*)
déboisement (*m*)
dépistage (*m*)
échelle (*f*)
effet (*m*) de serre
entente (*f*)
envergure (*f*)
goutte (*f*)
logiciel (*m*)
marché (*m*) du travail
pétrin (*m*)
prévision (*f*)
retombée (*f*)
robotique (*f*)
trajectoire (*f*)

Description (adjectifs)
décisif, décisive
directeur, directrice

Action (verbes)
combattre
conférer
contrer
diriger
éviter
reconstituer
régir
requérir
salir

Expressions
en tête de
être au beau milieu de
faire une entrée sur le marché

LES VERBES

INFINITIF (PARTICIPE PRÉSENT)		PRÉSENT	IMPÉRATIF	PASSÉ COMPOSÉ	IMPARFAIT
LES VERBES AUXILIAIRES					
avoir	j'	ai		ai eu	avais
(ayant)	tu	as	aie	as eu	avais
	il/elle	a		a eu	avait
	nous	avons	ayons	avons eu	avions
	vous	avez	ayez	avez eu	aviez
	ils/elles	ont		ont eu	avaient
être	je/j'	suis		ai été	étais
(étant)	tu	es	sois	as été	étais
	il/elle	est		a été	était
	nous	sommes	soyons	avons été	étions
	vous	êtes	soyez	avez été	étiez
	ils/elles	sont		ont été	étaient
LES VERBES RÉGULIERS					
-er	je/j'	parle		ai parlé	parlais
parler	tu	parles	parle	as parlé	parlais
(parlant)	il/elle	parle		a parlé	parlait
	nous	parlons	parlons	avons parlé	parlions
	vous	parlez	parlez	avez parlé	parliez
	ils/elles	parlent		ont parlé	parlaient
-ir	je/j'	finis		ai fini	finissais
finir	tu	finis	finis	as fini	finissais
(finissant)	il/elle	finit		a fini	finissait
	nous	finissons	finissons	avons fini	finissions
	vous	finissez	finissez	avez fini	finissiez
	ils/elles	finissent		ont fini	finissaient
-re	je/j'	vends		ai vendu	vendais
vendre	tu	vends	vends	as vendu	vendais
(vendant)	il/elle	vend		a vendu	vendait
	nous	vendons	vendons	avons vendu	vendions
	vous	vendez	vendez	avez vendu	vendiez
	ils/elles	vendent		ont vendu	vendaient

	PLUS-QUE-PARFAIT	FUTUR SIMPLE	CONDITIONNEL PRÉSENT	CONDITIONNEL PASSÉ	SUBJONCTIF PRÉSENT	
j'	avais eu	aurai	aurais	aurais eu	que j'	aie
tu	avais eu	auras	aurais	aurais eu	que tu	aies
il/elle	avait eu	aura	aurait	aurait eu	qu'il/qu'elle	ait
nous	avions eu	aurons	aurions	aurions eu	que nous	ayons
vous	aviez eu	aurez	auriez	auriez eu	que vous	ayez
ils/elles	avaient eu	auront	auraient	auraient eu	qu'ils/qu'elles	aient
je/j'	avais été	serai	serais	aurais été	que je	sois
tu	avais été	seras	serais	aurais été	que tu	sois
il/elle	avait été	sera	serait	aurait été	qu'il/qu'elle	soit
nous	avions été	serons	serions	aurions été	que nous	soyons
vous	aviez été	serez	seriez	auriez été	que vous	soyez
ils/elles	avaient été	seront	seraient	auraient été	qu'ils/qu'elles	soient

	PLUS-QUE-PARFAIT	FUTUR SIMPLE	CONDITIONNEL PRÉSENT	CONDITIONNEL PASSÉ	SUBJONCTIF PRÉSENT	
je/j'	avais parlé	parlerai	parlerais	aurais parlé	que je	parle
tu	avais parlé	parleras	parlerais	aurais parlé	que tu	parles
il/elle	avait parlé	parlera	parlerait	aurait parlé	qu'il/qu'elle	parle
nous	avions parlé	parlerons	parlerions	aurions parlé	que nous	parlions
vous	aviez parlé	parlerez	parleriez	auriez parlé	que vous	parliez
ils/elles	avaient parlé	parleront	parleraient	auraient parlé	qu'ils/qu'elles	parlent
je/j'	avais fini	finirai	finirais	aurais fini	que je	finisse
tu	avais fini	finiras	finirais	aurais fini	que tu	finisses
il/elle	avait fini	finira	finirait	aurait fini	qu'il/qu'elle	finisse
nous	avions fini	finirons	finirions	aurions fini	que nous	finissions
vous	aviez fini	finirez	finiriez	auriez fini	que vous	finissiez
ils/elles	avaient fini	finiront	finiraient	auraient fini	qu'ils/qu'elles	finissent
je/j'	avais vendu	vendrai	vendrais	aurais vendu	que je	vende
tu	avais vendu	vendras	vendrais	aurais vendu	que tu	vendes
il/elle	avait vendu	vendra	vendrait	aurait vendu	qu'il/qu'elle	vende
nous	avions vendu	vendrons	vendrions	aurions vendu	que nous	vendions
vous	aviez vendu	vendrez	vendriez	auriez vendu	que vous	vendiez
ils/elles	avaient vendu	vendront	vendraient	auraient vendu	qu'ils/qu'elles	vendent

INFINITIF (PARTICIPE PRÉSENT)		PRÉSENT	IMPÉRATIF	PASSÉ COMPOSÉ	IMPARFAIT
1. acheter (achetant)	j'	achète		ai acheté	achetais
	tu	achètes	achète	as acheté	achetais
	il/elle	achète		a acheté	achetait
	nous	achetons	achetons	avons acheté	achetions
	vous	achetez	achetez	avez acheté	achetiez
	ils/elles	achètent		ont acheté	achetaient
2. aller (allant)	je/j'	vais		suis allé(e)	allais
	tu	vas	va	es allé(e)	allais
	il	va		est allé	allait
	elle	va		est allée	allait
	nous	allons	allons	sommes allé(e)s	allions
	vous	allez	allez	êtes allé(e)(s)	alliez
	ils	vont		sont allés	allaient
	elles	vont		sont allées	allaient
3. appeler (appelant)	j'	appelle		ai appelé	appelais
	tu	appelles	appelle	as appelé	appelais
	il/elle	appelle		a appelé	appelait
	nous	appelons	appelons	avons appelé	appelions
	vous	appelez	appelez	avez appelé	appeliez
	ils/elles	appellent		ont appelé	appelaient
4. boire (buvant)	je/j'	bois		ai bu	buvais
	tu	bois	bois	as bu	buvais
	il/elle	boit		a bu	buvait
	nous	buvons	buvons	avons bu	buvions
	vous	buvez	buvez	avez bu	buviez
	ils/elles	boivent		ont bu	buvaient
5. commencer (commençant)	je/j'	commence		ai commencé	commençais
	tu	commences	commence	as commencé	commençais
	il/elle	commence		a commencé	commençait
	nous	commençons	commençons	avons commencé	commencions
	vous	commencez	commencez	avez commencé	commenciez
	ils/elles	commencent		ont commencé	commençaient
6. connaître (connaissant)	je/j'	connais		ai connu	connaissais
	tu	connais	connais	as connu	connaissais
	il/elle	connaît		a connu	connaissait
	nous	connaissons	connaissons	avons connu	connaissions
	vous	connaissez	connaissez	avez connu	connaissiez
	ils/elles	connaissent		ont connu	connaissaient
7. courir (courant)	je/j'	cours		ai couru	courais
	tu	cours	cours	as couru	courais
	il/elle	court		a couru	courait
	nous	courons	courons	avons couru	courions
	vous	courez	courez	avez couru	couriez
	ils/elles	courent		ont couru	couraient
8. croire (croyant)	je/j'	crois		ai cru	croyais
	tu	croit	croit	as cru	croyais
	il/elle	croit		a cru	croyait
	nous	croyons	croyons	avons cru	croyions
	vous	croyez	croyez	avez cru	croyiez
	ils/elles	croient		ont cru	croyaient

	PLUS-QUE-PARFAIT	FUTUR SIMPLE	CONDITIONNEL PRÉSENT	CONDITIONNEL PASSÉ		SUBJONCTIF PRÉSENT
j'	avais acheté	achèterai	achèterais	aurais acheté	que j'	achète
tu	avais acheté	achèteras	achèterais	aurais acheté	que tu	achètes
il/elle	avait acheté	achètera	achèterait	aurait acheté	qu'il/qu'elle	achète
nous	avions acheté	achèterons	achèterions	aurions acheté	que nous	achetions
vous	aviez acheté	achèterez	achèteriez	auriez acheté	que vous	achetiez
ils/elles	avaient acheté	achèteront	achèteraient	auraient acheté	qu'ils/qu'elles	achètent
je/j'	étais allé(e)	irai	irais	serais allé(e)	que j'	aille
tu	étais allé(e)	iras	irais	serais allé(e)	que tu	ailles
il	était allé	ira	irait	serait allé	qu'il	aille
elle	était allée	ira	irait	serait allée	qu'elle	aille
nous	étions allé(e)s	irons	irions	serions allé(e)s	que nous	allions
vous	étiez allé(e)(s)	irez	iriez	seriez allé(e)(s)	que vous	alliez
ils	étaient allés	iront	iraient	seraient allés	qu'ils	aillent
elles	étaient allées	iront	iraient	seraient allées	qu'elles	aillent
j'	avais appelé	appellerai	appellerais	aurais appelé	que j'	appelle
tu	avais appelé	appelleras	appellerais	aurais appelé	que tu	appelles
il/elle	avait appelé	appellera	appellerait	aurait appelé	qu'il/qu'elle	appelle
nous	avions appelé	appellerons	appellerions	aurions appelé	que nous	appelions
vous	aviez appelé	appellerez	appelleriez	auriez appelé	que vous	appeliez
ils/elles	avaient appelé	appelleront	appelleraient	auraient appelé	qu'ils/qu'elles	appellent
je/j'	avais bu	boirai	boirais	aurais bu	que je	boive
tu	avais bu	boiras	boirais	aurais bu	que tu	boives
il/elle	avait bu	boira	boirait	aurait bu	qu'il/qu'elle	boive
nous	avions bu	boirons	boirions	aurions bu	que nous	buvions
vous	aviez bu	boirez	boiriez	auriez bu	que vous	buviez
ils/elles	avaient bu	boiront	boiraient	auraient bu	qu'ils/qu'elles	boivent
je/j'	avais commencé	commencerai	commencerais	aurais commencé	que je	commence
tu	avais commencé	commenceras	commencerais	aurais commencé	que tu	commences
il/elle	avait commencé	commencera	commencerait	aurait commencé	qu'il/qu'elle	commence
nous	avions commencé	commencerons	commencerions	aurions commencé	que nous	commencions
vous	aviez commencé	commencerez	commenceriez	auriez commencé	que vous	commenciez
ils/elles	avaient commencé	commenceront	commenceraient	auraient commencé	qu'ils/qu'elles	commencent
je/j'	avais connu	connaîtrai	connaîtrais	aurais connu	que je	connaisse
tu	avais connu	connaîtras	connaîtrais	aurais connu	que tu	connaisses
il/elle	avait connu	connaîtra	connaîtrait	aurait connu	qu'il/qu'elle	connaisse
nous	avions connu	connaîtrons	connaîtrions	aurions connu	que nous	connaissions
vous	aviez connu	connaîtrez	connaîtriez	auriez connu	que vous	connaissiez
ils/elles	avaient connu	connaîtront	connaîtraient	auraient connu	qu'ils/qu'elles	connaissent
je/j'	avais couru	courrai	courrais	aurais couru	que je	coure
tu	avais couru	courras	courrais	aurais couru	que tu	coures
il/elle	avait couru	courra	courrait	aurait couru	qu'il/qu'elle	coure
nous	avions couru	courrons	courrions	aurions couru	que nous	courions
vous	aviez couru	courrez	courriez	auriez couru	que vous	couriez
ils/elles	avaient couru	courront	courraient	auraient couru	qu'ils/qu'elles	courent
je/j'	avais cru	croirai	croirais	aurais cru	que je	croie
tu	avais cru	croiras	croirais	aurais cru	que tu	croies
il/elle	avait cru	croira	croirait	aurait cru	qu'il/qu'elle	croie
nous	avions cru	croirons	croirions	aurions cru	que nous	croyions
vous	aviez cru	croirez	croiriez	auriez cru	que vous	croyiez
ils/elles	avaient cru	croiront	croiraient	auraient cru	qu'ils/qu'elles	croient

INFINITIF (PARTICIPE PRÉSENT)		PRÉSENT	IMPÉRATIF	PASSÉ COMPOSÉ	IMPARFAIT
9. devoir	je/j'	dois		ai dû	devais
	tu	dois		as dû	devais
	il/elle	doit		a dû	devait
	nous	devons		avons dû	devions
	vous	devez		avez dû	deviez
	ils/elles	doivent		ont dû	devaient
10. dire	je/j'	dis		ai dit	disais
(disant)	tu	dis	dis	as dit	disais
	il/elle	dit		a dit	disait
	nous	disons	disons	avons dit	disions
	vous	dites	dites	avez dit	disiez
	ils/elles	disent		ont dit	disaient
11. écrire	j'	écris		ai écrit	écrivais
(écrivant)	tu	écris	écris	as écrit	écrivais
	il/elle	écrit		a écrit	écrivait
	nous	écrivons	écrivons	avons écrit	écrivions
	vous	écrivez	écrivez	avez écrit	écriviez
	ils/elles	écrivent		ont écrit	écrivaient
12. envoyer	j'	envoie		ai envoyé	envoyais
(envoyant)	tu	envoies	envoie	as envoyé	envoyais
	il/elle	envoie		a envoyé	envoyait
	nous	envoyons	envoyons	avons envoyé	envoyions
	vous	envoyez	envoyez	avez envoyé	envoyiez
	ils/elles	envoient		ont envoyé	envoyaient
13. faire	je/j'	fais		ai fait	faisais
(faisant)	tu	fais	fais	as fait	faisais
	il/elle	fait		a fait	faisait
	nous	faisons	faisons	avons fait	faisions
	vous	faites	faites	avez fait	faisiez
	ils/elles	font		ont fait	faisaient
14. se laver	je	me lave		me suis lavé(e)	me lavais
(se lavant)	tu	te laves	lave-toi	t'es lavé(e)	te lavais
	il	se lave		s'est lavé	se lavait
	elle	se lave		s'est lavée	se lavait
	nous	nous lavons	lavons-nous	nous sommes lavé(e)s	nous lavions
	vous	vous lavez	lavez-vous	vous êtes lavé(e)(s)	vous laviez
	ils	se lavent		se sont lavés	se lavaient
	elles	se lavent		se sont lavées	se lavaient
15. lire	je/j'	lis		ai lu	lisais
(lisant)	tu	lis	lis	as lu	lisais
	il/elle	lit		a lu	lisait
	nous	lisons	lisons	avons lu	lisions
	vous	lisez	lisez	avez lu	lisiez
	ils/elles	lisent		ont lu	lisaient
16. manger	je/j'	mange		ai mangé	mangeais
(mangeant)	tu	manges	mange	as mangé	mangeais
	il/elle	mange		a mangé	mangeait
	nous	mangeons	mangeons	avons mangé	mangions
	vous	mangez	mangez	avez mangé	mangiez
	ils/elles	mangent		ont mangé	mangeaient

	PLUS-QUE-PARFAIT	FUTUR SIMPLE	CONDITIONNEL PRÉSENT	CONDITIONNEL PASSÉ	SUBJONCTIF PRÉSENT	
je/j'	avais dû	devrai	devrais	aurais dû	que je	doive
tu	avais dû	devras	devrais	aurais dû	que tu	doives
il/elle	avait dû	devra	devrait	aurait dû	qu'il/qu'elle	doive
nous	avions dû	devrons	devrions	aurions dû	que nous	devions
vous	aviez dû	devrez	devriez	auriez dû	que vous	deviez
ils/elles	avaient dû	devront	devraient	auraient dû	qu'ils/qu'elles	doivent
je/j'	avais dit	dirai	dirais	aurais dit	que je	dise
tu	avais dit	diras	dirais	aurais dit	que tu	dises
il/elle	avait dit	dira	dirait	aurait dit	qu'il/qu'elle	dise
nous	avions dit	dirons	dirions	aurions dit	que nous	disions
vous	aviez dit	direz	diriez	auriez dit	que vous	disiez
ils/elles	avaient dit	diront	diraient	auraient dit	qu'ils/qu'elles	disent
j'	avais écrit	écrirai	écrirais	aurais écrit	que j'	écrive
tu	avais écrit	écriras	écrirais	aurais écrit	que tu	écrives
il/elle	avait écrit	écrira	écrirait	aurait écrit	qu'il/qu'elle	écrive
nous	avions écrit	écrirons	écririons	aurions écrit	que nous	écrivions
vous	aviez écrit	écrirez	écririez	auriez écrit	que vous	écriviez
ils/elles	avaient écrit	écriront	écriraient	auraient écrit	qu'ils/qu'elles	écrivent
j'	avais envoyé	enverrai	enverrais	aurais envoyé	que j'	envoie
tu	avais envoyé	enverras	enverrais	aurais envoyé	que tu	envoies
il/elle	avait envoyé	enverra	enverrait	aurait envoyé	qu'il/qu'elle	envoie
nous	avions envoyé	enverrons	enverrions	aurions envoyé	que nous	envoyions
vous	aviez envoyé	enverrez	enverriez	auriez envoyé	que vous	envoyiez
ils/elles	avaient envoyé	enverront	enverraient	auraient envoyé	qu'ils/qu'elles	envoient
je/j'	avais fait	ferai	ferais	aurais fait	que je	fasse
tu	avais fait	feras	ferais	aurais fait	que tu	fasses
il/elle	avait fait	fera	ferait	aurait fait	qu'il/qu'elle	fasse
nous	avions fait	ferons	ferions	aurions fait	que nous	fassions
vous	aviez fait	ferez	feriez	auriez fait	que vous	fassiez
ils/elles	avaient fait	feront	feraient	auraient fait	qu'ils/qu'elles	fassent
je	m'étais lavé(e)	me laverai	me laverais	me serais lavé(e)	que je	me lave
tu	t'étais lavé(e)	te laveras	te laverais	te serais lavé(e)	que tu	te laves
il	s'était lavé	se lavera	se laverait	se serait lavé	qu'il	se lave
elle	s'était lavée	se lavera	se laverait	se serait lavée	qu'elle	se lave
nous	nous étions lavé(e)s	nous laverons	nous laverions	nous serions lavé(e)s	que nous	nous lavions
vous	vous étiez lavé(e)(s)	vous laverez	vous laveriez	vous seriez lavé(e)(s)	que vous	vous laviez
ils	s'étaient lavés	se laveront	se laveraient	se seraient lavés	qu'ils	se lavent
elles	s'étaient lavées	se laveront	se laveraient	se seraient lavées	qu'elles	se lavent
je/j'	avais lu	lirai	lirais	aurais lu	que je	lise
tu	avais lu	liras	lirais	aurais lu	que tu	lises
il/elle	avait lu	lira	lirait	aurait lu	qu'il/qu'elle	lise
nous	avions lu	lirons	lirions	aurions lu	que nous	lisions
vous	aviez lu	lirez	liriez	auriez lu	que vous	lisiez
ils/elles	avaient lu	liront	liraient	auraient lu	qu'ils/qu'elles	lisent
je/j'	avais mangé	mangerai	mangerais	aurais mangé	que je	mange
tu	avais mangé	mangeras	mangerais	aurais mangé	que tu	manges
il/elle	avait mangé	mangera	mangerait	aurait mangé	qu'il/qu'elle	mange
nous	avions mangé	mangerons	mangerions	aurions mangé	que nous	mangions
vous	aviez mangé	mangerez	mangeriez	auriez mangé	que vous	mangiez
ils/elles	avaient mangé	mangeront	mangeraient	auraient mangé	qu'ils/qu'elles	mangent

INFINITIF (PARTICIPE PRÉSENT)		PRÉSENT	IMPÉRATIF	PASSÉ COMPOSÉ	IMPARFAIT
17. mettre (mettant)	je/j'	mets		ai mis	mettais
	tu	mets	mets	as mis	mettais
	il/elle	met		a mis	mettait
	nous	mettons	mettons	avons mis	mettions
	vous	mettez	mettez	avez mis	mettiez
	ils/elles	mettent		ont mis	mettaient
18. mourir (mourant)	je/j'	meurs		suis mort(e)	mourais
	tu	meurs		es mort(e)	mourais
	il	meurt		est mort	mourait
	elle	meurt		est morte	mourait
	nous	mourons		sommes mort(e)s	mourions
	vous	mourez		êtes mort(e)(s)	mouriez
	ils	meurent		sont morts	mouraient
	elles	meurent		sont mortes	mouraient
19. ouvrir (ouvrant)	j'	ouvre		ai ouvert	ouvrais
	tu	ouvres	ouvre	as ouvert	ouvrais
	il/elle	ouvre		a ouvert	ouvrait
	nous	ouvrons	ouvrons	avons ouvert	ouvrions
	vous	ouvrez	ouvrez	avez ouvert	ouvriez
	ils/elles	ouvrent		ont ouvert	ouvraient
20. partir (partant)	je/j'	pars		suis parti(e)	partais
	tu	pars	pars	es parti(e)	partais
	il	part		est parti	partait
	elle	part		est partie	partait
	nous	partons	partons	sommes parti(e)s	partions
	vous	partez	partez	êtes parti(e)(s)	partiez
	ils	partent		sont partis	partaient
	elles	partent		sont parties	partaient
21. pouvoir (pouvant)	je/j'	peux, puis		ai pu	pouvais
	tu	peux		as pu	pouvais
	il/elle	peut		a pu	pouvait
	nous	pouvons		avons pu	pouvions
	vous	pouvez		avez pu	pouviez
	ils/elles	peuvent		ont pu	pouvaient
22. prendre (prenant)	je/j'	prends		ai pris	prenais
	tu	prends	prends	as pris	prenais
	il/elle	prend		a pris	prenait
	nous	prenons	prenons	avons pris	prenions
	vous	prenez	prenez	avez pris	preniez
	ils/elles	prennent		ont pris	prenaient
23. recevoir (recevant)	je/j'	reçois		ai reçu	recevais
	tu	reçois	reçois	as reçu	recevais
	il/elle	reçoit		a reçu	recevait
	nous	recevons	recevons	avons reçu	recevions
	vous	recevez	recevez	avez reçu	receviez
	ils/elles	reçoivent		ont reçu	recevaient
24. répéter (répétant)	je/j'	répète		ai répété	répétais
	tu	répètes	répète	as répété	répétais
	il/elle	répète		a répété	répétait
	nous	répétons	répétons	avez répété	répétions
	vous	répétez	répétez	avons répété	répétiez
	ils/elles	répètent		ont répété	répétaient

	PLUS-QUE-PARFAIT	FUTUR SIMPLE	CONDITIONNEL PRÉSENT	CONDITIONNEL PASSÉ	SUBJONCTIF PRÉSENT	
je/j'	avais mis	mettrai	mettrais	aurais mis	que je	mette
tu	avais mis	mettras	mettrais	aurais mis	que tu	mettes
il/elle	avait mis	mettra	mettrait	aurait mis	qu'il/qu'elle	mette
nous	avions mis	mettrons	mettrions	aurions mis	que nous	mettions
vous	aviez mis	mettrez	mettriez	auriez mis	que vous	mettiez
ils/elles	avaient mis	mettront	mettraient	auraient mis	qu'ils/qu'elles	mettent
je/j'	étais mort(e)	mourrai	mourrais	serais mort(e)	que je	meure
tu	étais mort(e)	mourras	mourrais	serais mort(e)	que tu	meures
il	était mort	mourra	mourrait	serait mort	qu'il	meure
elle	était morte	mourra	mourrait	serait morte	qu'elle	meure
nous	étions mort(e)s	mourrons	mourrions	serions mort(e)s	que nous	mourions
vous	étiez mort(e)(s)	mourrez	mourriez	seriez mort(e)(s)	que vous	mouriez
ils	étaient morts	mourront	mourraient	seraient morts	qu'ils	meurent
elles	étaient mortes	mourront	mourraient	seraient mortes	qu'elles	meurent
j'	avais ouvert	ouvrirai	ouvrirais	aurais ouvert	que j'	ouvre
tu	avais ouvert	ouvriras	ouvrirais	aurais ouvert	que tu	ouvres
il/elle	avait ouvert	ouvrira	ouvrirait	aurait ouvert	qu'il/qu'elle	ouvre
nous	avions ouvert	ouvrirons	ouvririons	aurions ouvert	que nous	ouvrions
vous	aviez ouvert	ouvrirez	ouvririez	auriez ouvert	que vous	ouvriez
ils/elles	avaient ouvert	ouvriront	ouvriraient	auraient ouvert	qu'ils/qu'elles	ouvrent
je/j'	étais parti(e)	partirai	partirais	serais parti(e)	que je	parte
tu	étais parti(e)	partiras	partirais	serais parti(e)	que tu	partes
il	était parti	partira	partirait	serait parti	qu'il	parte
elle	était partie	partira	partirait	serait partie	qu'elle	parte
nous	étions parti(e)s	partirons	partirions	serions parti(e)s	que nous	partions
vous	étiez parti(e)(s)	partirez	partiriez	seriez parti(e)(s)	que vous	partiez
ils	étaient partis	partiront	partiraient	seraient partis	qu'ils	partent
elles	étaient parties	partiront	partiraient	seraient parties	qu'elles	partent
je/j'	avais pu	pourrai	pourrais	aurais pu	que je	puisse
tu	avais pu	pourras	pourrais	aurais pu	que tu	puisses
il/elle	avait pu	pourra	pourrait	aurait pu	qu'il/qu'elle	puisse
nous	avions pu	pourrons	pourrions	aurions pu	que nous	puissions
vous	aviez pu	pourrez	pourriez	auriez pu	que vous	puissiez
ils/elles	avaient pu	pourront	pourraient	auraient pu	qu'ils/qu'elles	puissent
je/j'	avais pris	prendrai	prendrais	aurais pris	que je	prenne
tu	avais pris	prendras	prendrais	aurais pris	que tu	prennes
il/elle	avait pris	prendra	prendrait	aurait pris	qu'il/qu'elle	prenne
nous	avions pris	prendrons	prendrions	aurions pris	que nous	prenions
vous	aviez pris	prendrez	prendriez	auriez pris	que vous	preniez
ils/elles	avaient pris	prendront	prendraient	auraient pris	qu'ils/qu'elles	prennent
je/j'	avais reçu	recevrai	recevrais	aurais reçu	que je	reçoive
tu	avais reçu	recevras	recevrais	aurais reçu	que tu	reçoives
il/elle	avait reçu	recevra	recevrait	aurait reçu	qu'il/qu'elle	reçoive
nous	avions reçu	recevrons	recevrions	aurions reçu	que nous	recevions
vous	aviez reçu	recevrez	recevriez	auriez reçu	que vous	receviez
ils/elles	avaient reçu	recevront	recevraient	auraient reçu	qu'ils/qu'elles	reçoivent
je/j'	avais répété	répéterai	répéterais	aurais répété	que je	répète
tu	avais répété	répéteras	répéterais	aurais répété	que tu	répètes
il/elle	avait répété	répétera	répéterait	aurait répété	qu'il/qu'elle	répète
nous	avions répété	répéterons	répéterions	aurions répété	que nous	répétions
vous	aviez répété	répéterez	répéteriez	auriez répété	que vous	répétiez
ils/elles	avaient répété	répéteront	répéteraient	auraient répété	qu'ils/qu'elles	répètent

INFINITIF (PARTICIPE PRÉSENT)		PRÉSENT	IMPÉRATIF	PASSÉ COMPOSÉ	IMPARFAIT
25. savoir	je/j'	sais		ai su	savais
(sachant)	tu	sais	sache	as su	savais
	il/elle	sait		a su	savait
	nous	savons	sachons	avons su	savions
	vous	savez	sachez	avez su	saviez
	ils/elles	savent		ont su	savaient
26. sortir	je/j'	sors		suis sorti(e)	sortais
(sortant)	tu	sors	sors	es sorti(e)	sortais
	il	sort		est sorti	sortait
	elle	sort		est sortie	sortait
	nous	sortons	sortons	sommes sorti(e)s	sortions
	vous	sortez	sortez	êtes sorti(e)(s)	sortiez
	ils	sortent		sont sortis	sortaient
	elles	sortent		sont sorties	sortaient
27. venir	je/j'	viens		suis venu(e)	venais
(venant)	tu	viens	viens	es venu(e)	venais
	il	vient		est venu	venait
	elle	vient		est venue	venait
	nous	venons	venons	sommes venu(e)s	venions
	vous	venez	venez	êtes venu(e)(s)	veniez
	ils	viennent		sont venus	venaient
	elles	viennent		sont venues	venaient
28. vivre	je/j'	vis		ai vécu	vivais
(vivant)	tu	vis	vis	as vécu	vivais
	il/elle	vit		a vécu	vivait
	nous	vivons	vivons	avons vécu	vivions
	vous	vivez	vivez	avez vécu	viviez
	ils/elles	vivent		ont vécu	vivaient
29. voir	je/j'	vois		ai vu	voyais
(voyant)	tu	vois	vois	as vu	voyais
	il/elle	voit		a vu	voyait
	nous	voyons	voyons	avons vu	voyions
	vous	voyez	voyez	avez vu	voyiez
	ils/elles	voient		ont vu	voyaient
30. vouloir	je/j'	veux		ai voulu	voulais
(voulant)	tu	veux		as voulu	voulais
	il/elle	veut		a voulu	voulait
	nous	voulons		avons voulu	voulions
	vous	voulez	veuillez	avez voulu	vouliez
	ils/elles	veulent		ont voulu	voulaient

	PLUS-QUE-PARFAIT	FUTUR SIMPLE	CONDITIONNEL PRÉSENT	CONDITIONNEL PASSÉ	SUBJONCTIF PRÉSENT	
je/j'	avais su	saurai	saurais	aurais su	que je	sache
tu	avais su	sauras	saurais	aurais su	que tu	saches
il/elle	avait su	saura	saurait	aurait su	qu'il/qu'elle	sache
nous	avions su	saurons	saurions	aurions su	que nous	sachions
vous	aviez su	saurez	sauriez	auriez su	que vous	sachiez
ils/elles	avaient su	sauront	sauraient	auraient su	qu'ils/qu'elles	sachent
je/j'	étais sorti(e)	sortirai	sortirais	serais sorti(e)	que je	sorte
tu	étais sorti(e)	sortiras	sortirais	serais sorti(e)	que tu	sortes
il	était sorti	sortira	sortirait	serait sorti	qu'il	sorte
elle	était sortie	sortira	sortirait	serait sortie	qu'elle	sorte
nous	étions sorti(e)s	sortirons	sortirions	serions sorti(e)s	que nous	sortions
vous	étiez sorti(e)(s)	sortirez	sortiriez	seriez sorti(e)(s)	que vous	sortiez
ils	étaient sortis	sortiront	sortiraient	seraient sortis	qu'ils	sortent
elles	étaient sorties	sortiront	sortiraient	seraient sorties	qu'elles	sortent
je/j'	étais venu(e)	viendrai	viendrais	serais venu(e)	que je	vienne
tu	étais venu(e)	viendras	viendrais	serais venu(e)	que tu	viennes
il	était venu	viendra	viendrait	serait venu	qu'il	vienne
elle	était venue	viendra	viendrait	serait venue	qu'elle	vienne
nous	étions venu(e)s	viendrons	viendrions	serions venu(e)s	que nous	venions
vous	étiez venu(e)(s)	viendrez	viendriez	seriez venu(e)(s)	que vous	veniez
ils	étaient venus	viendront	viendraient	seraient venus	qu'ils	viennent
elles	étaient venues	viendront	viendraient	seraient venues	qu'elles	viennent
je/j'	avais vécu	vivrai	vivrais	aurais vécu	que je	vive
tu	avais vécu	vivras	vivrais	aurais vécu	que tu	vives
il/elle	avait vécu	vivra	vivrait	aurait vécu	qu'il/qu'elle	vive
nous	avions vécu	vivrons	vivrions	aurions vécu	que nous	vivions
vous	aviez vécu	vivrez	vivriez	auriez vécu	que vous	viviez
ils/elles	avaient vécu	vivront	vivraient	auraient vécu	qu'ils/qu'elles	vivent
je/j'	avais vu	verrai	verrais	aurais vu	que je	voie
tu	avais vu	verras	verrais	aurais vu	que tu	voies
il/elle	avait vu	verra	verrait	aurait vu	qu'il/qu'elle	voie
nous	avions vu	verrons	verrions	aurions vu	que nous	voyions
vous	aviez vu	verrez	verriez	auriez vu	que vous	voyiez
ils/elles	avaient vu	verront	verraient	auraient vu	qu'ils/qu'elles	voient
je/j'	avais voulu	voudrai	voudrais	aurais voulu	que je	veuille
tu	avais voulu	voudras	voudrais	aurais voulu	que tu	veuilles
il/elle	avait voulu	voudra	voudrait	aurait voulu	qu'il/qu'elle	veuille
nous	avions voulu	voudrons	voudrions	aurions voulu	que nous	voulions
vous	aviez voulu	voudrez	voudriez	auriez voulu	que vous	vouliez
ils/elles	avaient voulu	voudront	voudraient	auraient voulu	qu'ils/qu'elles	veuillent

REMARQUE : Pour conjuguer les verbes suivants, référez-vous aux numéros entre parenthèses qui correspondent aux verbes conjugués ci-dessus.

amener (1)
apercevoir (23)
apprendre (22)
bouger (16)
changer (16)
compléter (24)
comprendre (22)
couvrir (19)
découvrir (19)
décrire (11)
devenir (27)
emmener (1)
encourager (16)
mener (1)
permettre (17)
préférer (24)
remettre (17)
revenir (27)
suggérer (24)
surprendre (22)
voyager (16)

RÉFÉRENCE GRAMMATICALE

(DESTINATIONS 3 ET 4)

I. Les adjectifs

A Pour former le **féminin** des adjectifs, on ajoute généralement ***-e*** à la forme masculine. Pour former le **pluriel**, on ajoute généralement un ***-s***.

un livre **intéressant**	des livres **intéressants**
une histoire **intéressante**	des histoires **intéressantes**

B Voici quelques **adjectifs irréguliers** :

beau (bel), belle	fou (fol), folle
blanc, blanche	frais, fraîche
bon, bonne	gentil, gentille
complet, complète	gros, grosse
dernier, dernière	jaloux, jalouse
doux, douce	mou (mol), molle
faux, fausse	nouveau (nouvel), nouvelle
favori, favorite	vieux, vieille

C Il y a trois formes de **comparatif** :

1. **aussi... que** Un stylo est **aussi** grand **qu**'un crayon.
2. **plus... que** Un arbre est **plus** grand **qu**'une fleur.
3. **moins... que** Une bicylette coûte **moins** cher **qu**'une auto.

D Pour former le **superlatif**, on ajoute ***le/la plus*** ou ***le/la moins*** devant l'adjectif, qui s'accorde avec le nom.

le livre **le plus** intéressant la leçon **la moins** importante

Remarque : bon ➡ le meilleur
bonne ➡ la meilleure

II. Les adverbes

A Pour former les adverbes, normalement on ajoute ***-ment*** à la forme féminine d'un adjectif.
fort ➡ forte ➡ fortement

B Les adverbes se placent immédiatement après le verbe, si le verbe est à un temps simple (le présent, l'imparfait, etc.).

Nous préférons **toujours** les vacances au soleil.
Il fait **régulièrement** ses tâches.

Au passé composé l'adverbe se place entre le verbe auxiliaire ***(avoir/être)*** et le participe passé.

Je me suis **bien** amusé.

III. Le conditionnel

Voici les trois situations dans lesquelles on emploie généralement le conditionnel :

1. La possibilité ou la permission : Est-ce que je **pourrais** avoir la voiture?
2. La politesse : **Voudriez**-vous attendre dans mon bureau?
3. Le discours indirect : Il m'a dit lundi qu'il me **téléphonerait** mercredi.

IV. Les expressions impersonnelles

A Une expression impersonnelle commence toujours par ***il***.

Il est agréable d'aller en vacances.
Il n'est pas amusant de regarder un film ennuyeux.

Voici une liste de quelques expressions impersonnelles :

Il est agréable de...
Il est amusant de...
Il est bon de...
Il est dangereux de...
Il est défendu de...
Il est difficile de...
Il est efficace de...
Il est facile de...
Il est fantastique de...
Il est formidable de...
Il est génial de...
Il est important de...
Il est interdit de...
Il est inutile de...
Il est nécessaire de...
Il est passionnant de...
Il est pénible de...
Il est préférable de...
Il est prudent de...
Il est remarquable de...
Il est sensass de...
Il est super de...
Il est utile de...
Il faut... (sans ***de***)
Il s'agit de...

B Lorsque l'expression impersonnelle introduit une négation, il faut mettre ***ne pas*** devant l'infinitif.

Il est préférable de **ne pas** polluer.

V. L'impératif

En général, on prend les formes ***tu***, ***nous*** et ***vous*** de l'indicatif présent et on laisse tomber le sujet.

Tu finis ton travail. ➡ **Finis** ton travail!
Vous ne mangez pas vite. ➡ **Ne mangez pas** vite!
Nous vendons notre auto. ➡ **Vendons** notre auto!

Remarques : a) Les verbes en ***-er*** laissent tomber le ***-s*** final de la forme ***tu*** à l'impératif.

Va au magasin! / **Achète**-moi un journal! / Ne **traîne** pas!

b) Notez ces deux exceptions quand les pronoms ***en*** et ***y*** suivent l'impératif d'un verbe en ***-er*** :

Mange**s**-en! / Va**s**-y!

VI. Le passé composé avec le verbe auxiliaire *avoir*

A En général, pour former le passé composé on utilise le verbe auxiliaire ***avoir*** suivi du participe passé.

j'ai mangé / il n'a pas écrit / nous avons répondu / ils ont lu

Pour la conjugaison des verbes irréguliers au passé composé, consultez la section des verbes.

B Le participe passé se forme normalement ainsi :

Verbes qui se terminent en	***-er***	➡	***-é***
	-re	➡	***-u***
	-ir	➡	***-i***

C Le participe passé s'accorde comme un adjectif avec l'objet direct (nom ou pronom) qui précède le verbe.

Ta nouvelle voiture verte? Oui, je **l'**ai vu**e** hier!
Quelles **robes** as-tu chois**ies**? Les vertes ou les bleues?
Ce sont les souliers blancs et noirs **qu'**elle a acheté**s**?

VII. Le passé composé avec le verbe auxiliaire *être*

A On emploie toujours le verbe auxiliaire ***être*** pour former le passé composé de ces verbes :

aller	mourir	retourner
arriver	naître	sortir
descendre	partir	tomber
entrer	rentrer	venir
monter	rester	

Les composés de ces verbes (*devenir, revenir, redescendre*, etc.) suivent les mêmes règles.

Remarque : Avec les verbes conjugués avec ***être***, le participe passé s'accorde avec le sujet.

B On emploie toujours le verbe auxiliaire ***être*** pour former le passé composé des verbes réfléchis.

s'habiller ➡ Les enfants **se sont** habillé**s**.
se maquiller ➡ Elle **s'est** maquillé**e**.

Notez que l'accord se fait avec l'objet direct, qui est normalement le sujet.

VIII. Les prépositions et les villes/provinces/territoires/pays

A Normalement on emploie ***à*** avec une ville.

J'ai étudié **à** Montréal. Mes amis habitent **à** Vancouver.

B D'habitude on emploie ***en*** pour les provinces ou territoires féminins, et ***au/aux*** pour les provinces ou territoires masculins.

au Manitoba	**en** Alberta
au Nouveau-Brunswick	**en** Colombie-Britannique
au Québec	**en** Nouvelle-Écosse
aux Territoires du Nord-Ouest	**en** Saskatchewan
au Yukon	

Remarque : Notez les exceptions suivantes.
en Ontario / **à** l'Île-du-Prince-Édouard / **à** Terre-Neuve

C Lorsque les provinces ou territoires sont utilisés comme sujet ou objet direct, on emploie l'article défini.

La Saskatchewan cultive beaucoup de blé. Je voudrais visiter **le** Manitoba.

D En général, on emploie la préposition ***en*** pour les pays féminins et ***au*** pour les pays masculins.

Nous allons voyager **en** France cet été. Teresa retourne **au** Mexique cette année.

Lorsque les pays sont utilisés comme sujet ou objet du verbe, on emploie ***le*** ou ***la***.

Le Portugal est un beau pays. **La** Chine se développe rapidement.

E Pour indiquer qu'un pays, qu'une ville, qu'une province ou qu'un continent est le lieu de provenance, d'origine ou de départ, on emploie la préposition ***de***.

Il arrive **de** France / **de** Paris / **du** Manitoba / **des** États-Unis.

IX. Les pronoms

A Les pronoms objets directs *le, la, l', les*

Les pronoms objets directs remplacent l'objet direct.

Je regarde le nouveau **film**. Je **le** regarde.
Est-ce que tu aimes mes **disques**? Oui, je **les** aime.

Au passé composé, le participe s'accorde avec les pronoms féminins et pluriels.

Les nouveaux films? Je **les** ai vus.
La pomme? Je **l'**ai mangé**e**.

B Les pronoms objets indirects *lui, leur*

Les pronoms ***lui*** et ***leur*** remplacent la préposition ***à*** (ou ***pour***) + une personne.

Je donne des fleurs **à ma mère**. ➡ Je **lui** donne des fleurs.
Je vais acheter un cadeau **pour mes amis**. ➡ Je vais **leur** acheter un cadeau.

C Les pronoms personnels/réfléchis *me, te, se, nous, vous*

Ces pronoms sont des objets directs ou indirects.

Est-ce que tu **me** téléphones ce soir?
Oui, je **te** téléphone ce soir.
Nous **nous** dépêchons pour ne pas manquer le spectacle.

D Le pronom *y*

Le pronom ***y*** remplace une préposition + un endroit ou une chose.

Je voyage **en Argentine**. ➡ J'**y** voyage.
Il répond toujours **aux questions**. ➡ Il **y** répond toujours.

E Le pronom *en*

Lorsque l'objet désigne une quantité précise ou générale, on utilise le pronom ***en***.

J'ai **cinq frères**.	➡	J'**en** ai **cinq**.
Chaque année nous achetons **beaucoup de cadeaux**.	➡	Chaque année nous **en** achetons **beaucoup**.

La préposition ***de*** est d'habitude une bonne indication d'une expression de quantité qui peut être remplacée par ***en***.

F La position des pronoms

1. Aux temps simples, les pronoms se placent devant le verbe.

   Je **vous** téléphonerai ce soir. Elle ne **leur** écrivait pas.

2. Lorsque le pronom objet suit l'impératif, il est rattaché au verbe par un trait d'union.

   Regarde-**la**! / Allons-**y**! / Téléphone-**leur**! / Donnez-**les-moi**!

3. Lorsque l'impératif est utilisé avec une négation, les pronoms restent à leur position normale devant le verbe.

   Ne **la** regarde pas! / N'**y** allons pas! / Ne **me les** donnez pas!

4. Avec un verbe à l'infinitif, les pronoms se placent devant ce verbe.

   Je veux **y** aller. Elle ne veut pas **m'y** accompagner.

5. Au passé composé et dans tous les temps composés, on met les pronoms devant le verbe auxiliaire.

   Je **lui** ai dit bonjour. Elle ne **nous** avait pas vus.

G L'ordre des pronoms

Je donne **la lettre à ma mère**.	➡	Je **la lui** donne.
On **m**'envoie **les fleurs**.	➡	On **me les** envoie.
J'achète **trois livres pour mon amie**.	➡	Je **lui en** achète trois.
J'oublie toujours **mes livres à la maison**.	➡	Je **les y** oublie toujours.

Notez la forme négative : Je **ne** les y oublie **jamais**.

S'il y a un autre pronom, ***en*** est toujours le dernier pronom devant le verbe.

H L'accord des pronoms

Au passé composé, l'accord se fait seulement avec les objets directs.

Les pommes? Oui, je **les** ai achet**ées**.
Marie! je ne **t**'avais pas vu**e**! Comment vas-tu?

Avec les pronoms suivants, on ne fait pas l'accord : ***lui, leur, y, en***.

I **Les pronoms relatifs *qui, que, dont***

1. ***qui*** ➡ ***ce qui*** (sujet)

   C'est la musique **qui** m'intéresse. ➡ **Ce qui** m'intéresse, c'est la musique.

2. ***que*** ➡ ***ce que*** (objet)

   C'est la musique **que** j'écoute. ➡ **Ce que** j'écoute, c'est la musique.

3. ***dont***

   On emploi ***dont*** quand on veut combiner deux phrases pour éviter une répétition.

   Voilà l'animal. J'ai peur **de cet animal**. ➡ Voilà l'animal **dont** j'ai peur.

X. Les verbes réfléchis ou pronominaux

1. Il y a quelques verbes qu'on emploie généralement avec un pronom personnel, appelé pronom réfléchi, parce qu'il se réfère toujours au sujet.

   Je **me** lève toujours tôt. / Tu **te** fâches souvent? / Il **se** rase.

2. À l'impératif, les pronoms des verbes réfléchis suivent exactement les mêmes règles que les autres pronoms situés à la même place.

   On utilise le pronom ***toi*** pour la forme de ***tu*** seulement dans les propositions affirmatives :

   Habille-**toi**! / Ne **t**'habille pas!

XI. Les verbes et leurs prépositions

accepter de (+ verbe)
aider à (+ verbe)
apprendre à (+ verbe)
arriver à (+ verbe)
assister à (+ nom)
s'attendre à (+ verbe)
avoir besoin de (+ nom, verbe)
avoir envie de (+ verbe)
avoir le temps de (+ verbe)
avoir peur de (+ nom, verbe)
cesser de (+ verbe)
choisir de (+ verbe)
commencer à (+ verbe)
continuer à (+ verbe)
contribuer à (+ nom)
croire à (+ nom)
décider de (+ verbe)
discuter de (+ nom, verbe)
essayer de (+ verbe)
faire appel à (+ nom)
faire de (+ un sport, une activité)
faire partie de (+ nom)
s'inquiéter de (+ nom, verbe)
s'intéresser à (+ nom)
jouer à (+ un sport, un jeu)
jouer de (+ un instrument musical)
se moquer de (+ nom)
oublier de (+ verbe)
parler à (+ personne)
parler de (+ nom, verbe)
participer à (+ nom)
passer (temps) à (+ verbe)
se passer de (+ nom)
penser à (+ nom)
plaire à (+ nom)
profiter de (+ nom)
refuser de (+ verbe)
répondre à (+ nom)
ressembler à (+ nom)
réussir à (+ verbe)
rêver de (+ nom, verbe)
rire de (+ nom)
se servir de (+ nom)
se souvenir de (+ nom, verbe)
téléphoner à (+ nom)

OBSERVATIONS GRAMMATICALES

I. Le pronom interrogatif *lequel*

On emploie le pronom interrogatif ***lequel*** pour poser une question. Notez toutes les formes du masculin et du féminin.

Lequel de ces livres est à toi?
Lesquels de ces cadeaux préfères-tu?
Laquelle de tes sœurs a gagné le premier prix?
Lesquelles des grandes villes canadiennes voudrais-tu visiter?
On a vu beaucoup de choses intéressantes. **Laquelle** as-tu aimée le plus?

Remarque : Comparez l'emploi du pronom interrogatif ***lequel*** avec celui de l'adjectif interrogatif ***quel*** :

Quel livre est à toi?
Quels cadeaux préfères-tu?
Quelle femme a gagné le premier prix?
Quelles grandes villes voudrais-tu visiter?

On emploie toujours l'adjectif interrogatif ***quel*** avec un nom. L'adjectif s'accorde avec le nom.

II. Le futur (révision)

A La formation des verbes réguliers

je	manger**ai**	je	vendr**ai**	je	finir**ai**
tu	manger**as**	tu	vendr**as**	tu	finir**as**
il/elle/on	manger**a**	il/elle/on	vendr**a**	il/elle/on	finir**a**
nous	manger**ons**	nous	vendr**ons**	nous	finir**ons**
vous	manger**ez**	vous	vendr**ez**	vous	finir**ez**
ils/elles	manger**ont**	ils/elles	vendr**ont**	ils/elles	finir**ont**

B La formation des verbes irréguliers

acheter ➡ tu achèteras*
aller ➡ j'irai
avoir ➡ j'aurai
courir ➡ il courra
devenir ➡ tu deviendras
devoir ➡ je devrai
envoyer ➡ nous enverrons
être ➡ je serai
faire ➡ je ferai
lever ➡ vous lèverez*
pouvoir ➡ je pourrai
recevoir ➡ tu recevras
revenir ➡ elles reviendront
savoir ➡ vous saurez
venir ➡ je viendrai
voir ➡ il verra
vouloir ➡ nous voudrons

*Notez l'accent grave sur toutes les formes de ces verbes au futur.

C L'emploi du futur avec *quand, dès que, lorsque, aussitôt que*

Après les quatre expressions ***quand, dès que, lorsque, aussitôt que,*** on emploie le futur si l'autre verbe de la phrase est au futur ou à l'impératif.

Je te **téléphonerai** dès que je **rentrerai**.
Écris-moi quand tu **arriveras** au camp.
Aussitôt que je **finirai** mes devoirs, j'**irai** faire des achats.
On **voyagera** lorsque l'été **arrivera**.

III. *Depuis* et le présent

Notez le temps des verbes et la préposition ***depuis*** dans ces exemples.

Je **meurs** d'envie de visiter les temples d'Angkor **depuis** longtemps.
Les Tahitiens **sont** reconnus **depuis** toujours comme d'excellents navigateurs.
Je **joue** du piano **depuis** l'âge de six ans.
Nous **planifions** notre voyage **depuis** un mois.

Remarque : On emploie souvent le présent avec la préposition ***depuis.***

IV. Le participe présent

A La formation

On forme le participe présent en prenant le radical de la forme ***nous*** au présent. Puis on ajoute ***-ant***.

nous **march**ons	➡	march + ant	➡	en marchant
nous **finiss**ons	➡	finiss + ant	➡	en finissant
nous **commenç**ons	➡	commenç + ant	➡	en commençant
nous **mange**ons	➡	mange + ant	➡	en mangeant

Remarques : a) La terminaison ***-ant*** ne change pas.

b) On utilise le participe présent précédé de ***en*** pour indiquer qu'une action a lieu en même temps qu'une autre.

En arrivant à la maison, ils ont vu la porte ouverte.
Je fais toujours mes devoirs **en regardant** la télé.
En faisant ce voyage, je réalise le rêve de ma vie!

c) Les formes de ces trois verbes sont irrégulières :

avoir	➡	ayant
être	➡	étant
savoir	➡	sachant

B Le participe présent et les pronoms

Regardez la position des pronoms avec le participe présent.

En **le** voyant, j'ai appelé mon père.
En **nous** accueillant, elles nous ont tendu la main.
En **y** allant de bonne heure, on n'a pas fait la queue.
En **m'**habillant trop vite, j'ai mis une chaussette bleue et une chaussette brune.
Martin, est-ce que tu chantes toujours en **te** douchant?
En **se** rasant, il s'est coupé.

Notez que le pronom se situe immédiatement devant le participe.

C Le participe présent et la négation

La négation se place devant et après le verbe, comme d'habitude.

Ne voyant **pas** mon ami, je suis rentrée.
Ne se dépêchant **pas**, il a manqué l'avion.
N'ayant **pas** assez d'argent, nous n'avons pas pu aller au cinéma.

EXERCICES DE RENFORCEMENT

A Employez la bonne forme de ***lequel*** dans chaque phrase.

1. ______ des films veux-tu voir?
2. ______ des fleurs est la favorite de ta mère?
3. ______ de ces nouvelles voitures préfères-tu?
4. ______ de mes amis n'aimes-tu pas?
5. ______ des groupes musicaux préfèrent-ils?
6. ______ des équipes est la meilleure?
7. ______ de ces chemises est la vôtre?
8. Il y a beaucoup d'attractions touristiques dans cette région. ______ voulez-vous voir?
9. Il se tient plusieurs festivals en Nouvelle-Écosse. ______ vous intéresse le plus?
10. Voici une liste de numéros de téléphone. ______ est ton numéro?

B Remplacez l'expression indiquée par le pronom interrogatif ***lequel***.

1. **Quelle photo** est la tienne?
2. **Quels matchs** as-tu vus?
3. **Quels voyages** ont-ils préférés?
4. **Quel signe** n'a-t-il pas vu?
5. **Quelles fêtes** avez-vous aimées?
6. **Quelle robe** a-t-elle achetée?
7. **Quels jeux** ont-elles demandés?
8. **Quelles surprises** a-t-on préparées?

C Mettez les verbes au futur.

1. Venez voir le Canada! Vous y (trouver) ______ des activités spectaculaires.
2. Mon ami (voyager) ______ en Alberta à Noël, mais mes parents et moi (visiter) ______ le Québec.
3. À Montréal, on (célébrer) ______ la Fête des neiges en janvier.
4. Beaucoup de clowns (amuser) ______ les visiteurs.
5. Les skieurs (effectuer) ______ des descentes spectaculaires.
6. À Québec, nous (regarder) ______ les fameuses sculptures de glace.
7. J'espère que mon père (gagner) ______ un prix dans la course de motoneige.
8. Qui (acheter) ______ les billets?
9. Nous (se lever) ______ tôt pour voir le rodéo.
10. Les touristes (se promener) ______ sur le glacier Athabasca.

D Récrivez ces phrases au futur.

1. Je finis cet exercice avant de manger.
2. Elle choisit une nouvelle robe pour son voyage.
3. Nous vendons notre appareil-photo.
4. On vous attend à l'hôtel.
5. Attention! Vous perdez vos billets!

6. Quand sortent-ils ce soir?
7. Qui établit un nouveau record de saut?
8. Je prends ma caméra-vidéo.
9. On apprend à faire du parapente en deux jours.

E Mettez les verbes au futur.

1. tu / aller
2. je / courir
3. nous / devenir
4. elles / être
5. vous / lever
6. je / recevoir
7. elle / savoir
8. qui / voir
9. on / ne... pas pouvoir
10. nous / emmener

F Choisissez le verbe qui convient pour compléter la phrase.

1. J'ai faim, alors (j'irai/j'aurai) au restaurant.
2. Si tu ne prends pas ton chandail, tu (iras/auras) froid plus tard.
3. Nous (verrons/voudrons) le couronnement de la Reine au bal.
4. Vous (verrez/voudrez) continuer à participer, même si vous perdez?
5. On (verra/viendra) vous chercher à huit heures.
6. La gagnante (reviendra/recevra) 1000 $.
7. Nous (reviendrons/recevrons) lundi de nos vacances.
8. Que (ferez-vous/serez-vous) de votre motoneige?
9. Je la (ferai/serai) réparer.
10. Les organisateurs (devront/deviendront) se lever tôt pour le festival.

G Récrivez ce paragraphe en mettant les verbes indiqués au futur.

C'est la fin de l'été. Bientôt l'automne (venir) ______ et nous (profiter) ______ des plaisirs de la saison : je (jouer) ______ au football avec mes copains et je (regarder) ______ beaucoup de matchs à la télé. Nous avons déjà planifié plusieurs soirées : nous (fêter) ______ des anniversaires et nous (aller) ______ aux danses de l'école. Pour l'Halloween, nous (se déguiser) ______ et nous (jouer) ______ des tours à nos profs! Le vendredi soir de l'Halloween, tout le monde (venir) ______ chez moi pour fêter parce que mes cousins de Vancouver (venir) ______ me rendre visite.

H Mettez le verbe indiqué au futur.

1. L'agent de voyage téléphonera à son client dès qu'il (avoir) ______ les billets d'avion.
2. Nous ferons nos préparatifs de voyage aussitôt que nous (recevoir) ______ nos billets.
3. Nous espérons qu'il fera beau quand nous (être) ______ dans l'Ouest canadien.
4. Fais-moi savoir quand tu (arriver) ______ à la gare, et je (venir) ______ te chercher.
5. Je voyagerai beaucoup lorsque je (être) ______ riche! Et je serai riche, quand je (gagner) ______ à la loterie.
6. Lorsque vous (arriver) ______ à un feu rouge, arrêtez-vous!
7. Par contre, continuez tout droit quand vous (voir) ______ un feu vert.
8. Le Canada? Je le visiterai dès que j'en (avoir) ______ l'occasion.
9. Tu sauras la réponse aussitôt que tu (choisir) ______ la question.
10. Quand le lac sera bien gelé, on (aller) ______ pêcher à travers la glace.

I Choisissez le verbe qui convient pour compléter chaque phrase. Attention aux temps différents!

1. Quand je (étais/serai) jeune, je jouais du piano.
2. J'ai déjà visité le Stampede de Calgary lorsque mes parents (habitaient/habiteront) là.
3. Jacques, fais attention aussitôt que tu (prendras/prends) le volant de la voiture!
4. Pour aller au centre-ville, continuez tout droit, puis (tournez/tournerez) à gauche aux feux.
5. Tu (verras/as vu) les courses de motoneige la fin de semaine passée?
6. J'apprendrai à conduire dès que je (aurai/ai) seize ans.
7. Je ne peux pas encore conduire parce que je n'(aurai/ai) pas seize ans.

J Complétez la phrase par la bonne préposition.

1. J'ai reçu mon permis de conduire à l'âge de 18 ans. J'ai maintenant 19 ans. Je conduis ______ un an.
2. Mon copain a commencé à travailler dans une agence de voyages le mois passé. Il y travaille ______ deux mois.
3. Nos classes ont commencé il y a deux semaines. Alors nous étudions très sérieusement ______ ce temps.

4. Je meurs d'envie de voir les Rocheuses. Je veux les voir ______ longtemps!
5. Mon frère a pris ses premières leçons de patinage artistique quand il avait six ans. Il a maintenant seize ans. Donc, il fait du patinage artistique ______ dix ans!

K Faites des phrases complètes en utilisant ***depuis*** et le présent du verbe indiqué. Ajoutez d'autres mots pour former des phrases complètes.

Exemple :

Il / étudier / leçons / deux heures.
Il étudie ses leçons depuis deux heures.

1. Nous / être / l'école / trois semaines.
2. Je / vouloir / faire / rafting / toujours.
3. Les touristes / chercher / hôtel / longtemps.
4. La famille Duhamel / attendre / avion / deux heures.
5. On / chanter / l'Acadie / 18e siècle.
6. Une croisière en Alaska? / Nous / la / planifier / un an.
7. Le père Noël? Les enfants / le / attendre / des semaines / impatience.
8. Les voyageurs / préparer / un voyage en canot sur l'Amazone / des mois.
9. C'est un guide / qui / connaître / région / son enfance.
10. On / prendre / photos / début / voyage.

L Formez le participe présent du verbe et ajoutez la préposition ***en***.

1. regarder	7. mettre
2. écrire	8. recevoir
3. vendre	9. être
4. boire	10. savoir
5. voyager	11. avoir
6. lire	12. descendre

M Remplacez les expressions indiquées par ***en*** et le participe présent.

Exemple :

Quand il a ouvert son portefeuille, le touriste s'est aperçu que son argent avait disparu.
En ouvrant son portefeuille, le touriste s'est aperçu que son argent avait disparu.

1. **Quand je suis arrivé** à la maison, j'ai fait mes devoirs.
2. **Quand mes copains ont gagné** le match, ils sont passés au premier rang de la Ligue.
3. **Pendant que je lavais** la voiture, j'ai arrosé ma sœur!
4. **Ils sont arrivés** à l'hôtel, **et** ils se sont couchés.
5. **Dès qu'elles ont vu** l'ours polaire, elles ont eu peur.
6. Elle s'est étouffée **quand elle a avalé** une arête de poisson.
7. **Comme ils descendaient** du train, les voyageurs sont tombés.

N Remplacez les expressions indiquées par le participe présent. Attention aux verbes irréguliers.

1. **Si vous payez** comptant, vous achèterez cette bicyclette à meilleur prix.
2. **Parce qu'il savait** toutes les réponses, Jacques a fait gagner son équipe.
3. **Parce qu'elle était** là au bon moment, Carole a sauvé la situation.
4. **Si nous savons** d'avance où aller, nous ne perdrons pas de temps.
5. On ne fait rien de bon **si on est** toujours à la course.
6. **Parce que j'ai** beaucoup de choses à faire, j'évite de m'ennuyer.

O Écrivez le participe présent. Attention aux pronoms et à la négation.

1. (se dépêcher) ______, j'ai attrapé le train!
2. (ne... pas vouloir) ______ interrompre ma mère, j'ai attendu.
3. (se maquiller) ______, Marie a taché sa robe.
4. (ne... pas savoir) ______ la bonne réponse, l'élève n'a pas levé la main.
5. (ne... pas avoir) ______ assez d'argent, j'en ai emprunté à mon ami.
6. (se lever) ______, nous avons renversé le vase.
7. (ne... pas arriver) ______ à l'heure, nous avons manqué le train.
8. (se revoir) ______, ils se sont reconnus tout de suite.
9. (ne... pas être) ______ fatiguées, les dames sont sorties de nouveau.
10. (s'habiller) Eh, les enfants! ______ ce matin, mettez un chandail. Il fait froid!

P Complétez l'extrait suivant par la bonne forme du mot entre parenthèses.

Mon voyage

Je ne tiens plus en place : demain nous (partir) ______ pour la France. Je (vouloir) ______ y aller depuis longtemps, et finalement le jour (arriver) ______! Je n'ai plus le temps d'écrire maintenant; je (continuer) ______ mon journal dans l'avion, dès que nous (être) ______ dans les airs!

Me voici de retour. Nous (voler) ______ depuis deux heures maintenant. C'est fantastique! Dans l'avion, on nous offre tant de boissons que je ne peux pas décider (lequel) ______ choisir. On a annoncé un film pour plus tard — c'est amusant de regarder un film en (voler) ______ dans un avion!

Demain matin, on nous (servir) ______ le petit déjeuner, et nous (atterrir) ______ à l'heure prévue. À notre arrivée, un autocar nous (emmener) ______ en ville. En (approcher) ______ de Paris, j'ai regardé intensivement par la fenêtre pour voir la Tour Eiffel! Enfin, la voilà! Je (attendre) ______ ce moment depuis des années!

Maintenant, c'est fini! Je (être) ______ déjà de retour depuis deux semaines. J'ai vécu beaucoup d'expériences mémorables. (Lequel) ______ était la meilleure ou la plus passionnante? Je ne sais pas — elles étaient toutes fantastiques! Mais je sais une chose : en (économiser) ______ sérieusement, je (pouvoir) ______ y retourner un jour, ce que je (faire) ______ sûrement!

OBSERVATIONS GRAMMATICALES

I. L'interrogation (révision)

A Poser des questions par *est-ce que* ou par l'inversion

Est-ce que Paul a chanté?
Paul **a-t-il chanté**?
Avez-vous vu notre chien, Madame?

B Poser des questions par des mots interrogatifs

On peut utiliser les mots interrogatifs suivants pour poser des questions :

quand	où	que	qui
qu'est-ce qui	quoi	comment	combien de
quel	lequel	pourquoi	à quel
qu'est-ce que	de quel	pour qui	

II. L'imparfait (révision)

On utilise l'imparfait pour décrire une action habituelle au passé ou pour faire une description au passé.

On forme l'imparfait en prenant le radical de la forme ***nous*** au présent et en ajoutant les terminaisons suivantes.

vendre	➡	nous **vend**ons	➡	je vend**ais**
finir	➡	nous **finiss**ons	➡	tu finiss**ais**
vouloir	➡	nous **voul**ons	➡	il voul**ait**
acheter	➡	nous **achet**ons	➡	nous achet**ions**
savoir	➡	nous **sav**ons	➡	vous sav**iez**
conduire	➡	nous **conduis**ons	➡	ils conduis**aient**

Remarque : avoir ➡ j'avais
être ➡ j'étais

III. Le conditionnel (révision)

A La formation

1. En général, on prend l'infinitif et on ajoute les terminaisons de l'imparfait.

acheter	➡	nous achèter**ions***
s'asseoir	➡	ils s'assoir**aient**
écrire	➡	vous écrir**iez**
finir	➡	il finir**ait**
manger	➡	je manger**ais**
perdre	➡	tu perdr**ais**

2. Les verbes irréguliers suivants ne se construisent pas de la même façon. Cependant, ils utilisent les mêmes terminaisons que les verbes réguliers.

aller	➡	j'irais	lever	➡	je l**è**verais*
avoir	➡	j'aurais	pouvoir	➡	je pourrais
courir	➡	je courrais	recevoir	➡	je recevrais
devenir	➡	je deviendrais	revenir	➡	je reviendrais
devoir	➡	je devrais	savoir	➡	je saurais
emmener	➡	j'emm**è**nerais*	tenir	➡	je tiendrais
envoyer	➡	j'enverrais	venir	➡	je viendrais
être	➡	je serais	voir	➡	je verrais
faire	➡	je ferais	vouloir	➡	je voudrais

*Notez l'accent grave sur toutes les formes de ces verbes au conditionnel.

B Les phrases conditionnelles

Une phrase conditionnelle est une phrase qui comprend la conjonction ***si***. Regardez les verbes dans les deux phrases suivantes.

Si j'**avais** faim, je **mangerais** un sandwich.
Le petit garçon **jouerait** mieux s'il **portait** le chandail des Canadiens.

Il faut employer l'imparfait après ***si*** pour indiquer un fait hypothétique. Le verbe de la proposition principale se met au conditionnel.

IV. Le passé simple

1. Le passé simple est un temps qui a presque totalement disparu de la langue parlée. Mais on continue à l'utiliser dans la langue écrite, surtout dans les récits historiques. Il exprime un fait complètement achevé à un moment déterminé du passé, sans aucun rapport avec le présent. Le passé composé exprime un fait, achevé au moment où on parle, mais que l'on considère en contact avec le présent.

   Examinez les phrases suivantes.

   Un jour, je **trouvai** que mon chandail était trop petit.
   Ma mère **prit** son papier à lettres et **écrivit** une lettre.
   M. Eaton **répondit** très vite à sa lettre.
   Après ma réaction négative, ma mère **eut** un gros soupir de désespoir.
   Tous les autres garçons **s'approchèrent** un à un pour regarder mon chandail abominable.
   Un des joueurs **reçut** un coup de bâton sur le nez.
   Je **sautai** trop vite sur la glace, et l'arbitre me **donna** une punition.

2. En général, le passé simple se forme à partir du radical du participe passé. Il y a trois séries de terminaisons pour le passé simple. On utilise très peu la première et la deuxième personne du pluriel.

   a) Les terminaisons des verbes en ***-er : -ai, -as, -a, -âmes, -âtes, -èrent***

j'ai trouvé	➡	je trouv**ai**
tu as aimé	➡	tu aim**as**
il est allé	➡	il all**a**
nous avons mangé	➡	nous mange**âmes**
vous avez bougé	➡	vous bouge**âtes**
ils se sont approchés	➡	ils s'approch**èrent**

b) Les terminaisons des verbes en ***-ir*** (sauf *courir* et *mourir*) et la plupart des verbes en ***-re : -is, -is, -it, -îmes, -îtes, -irent***

j'ai répondu ➡ je répond**is**
tu as fait ➡ tu f**is**
tu as pris ➡ tu pr**is**
elle a fini ➡ elle fin**it**
elles sont parties ➡ elles part**irent**
ils ont vu ➡ ils v**irent**

c) Les terminaisons de la plupart des autres verbes : ***-us, -us, -ut, -ûmes, -ûtes, -urent***

j'ai été ➡ je f**us**
tu as eu ➡ tu e**us**
elle a couru ➡ elle cour**ut**
ils ont reçu ➡ ils reç**urent**

d) Le passé simple de quelques autres verbes se forme de façon différente :

je suis venu ➡ je vins
il a tenu ➡ il tint

V. Le plus-que-parfait

Le plus-que-parfait exprime un fait achevé qui a eu lieu avant un autre fait passé, peu importe le délai écoulé entre les deux faits.

A La formation

Pour former le plus-que-parfait, on utilise un auxiliaire à l'imparfait avec le participe passé.

J'**ai** porté les livres. ➡ J'**avais** porté les livres.
Tu **as** regardé la télé. ➡ Tu **avais** regardé la télé.
Nous **avons** vu l'accident. ➡ Nous **avions** vu l'accident.
Ils **ont** gagné à la loterie. ➡ Ils **avaient** gagné à la loterie.

Je **suis** allé(e) en ville. ➡ J'**étais** allé(e) en ville.
Elle **est** tombée. ➡ Elle **était** tombée.
Nous **sommes** parti(e)s. ➡ Nous **étions** parti(e)s.
Elles **sont** revenues tôt. ➡ Elles **étaient** revenues tôt.

B L'emploi

1. On utilise le plus-que-parfait lorsque l'action a lieu avant un autre fait au passé.
Elle **avait** déjà **fini** la vaisselle quand sa mère **est rentrée**.
La police **a attrapé** les bandits qui **avaient volé** une voiture la veille.
J'**étais** déjà **rentré** quand la tempête **a commencé**.
2. On utilise le plus-que-parfait dans le discours indirect pour indiquer qu'une action a eu lieu avant l'action de la proposition principale.
Il **a dit** qu'il **avait vu** un accident à sa sortie de l'école.
La radio **a annoncé** qu'il y **avait eu** une grosse tempête de neige en Alberta hier.

EXERCICES DE RENFORCEMENT

A Composez la question qui convient à chaque réponse suivante.

1. J'habite à Saint-Boniface.
2. Mon équipe préférée, c'est les *Blue Jays*.
3. C'est un nouveau camarade de classe.
4. Hier, notre école a très bien joué.
5. Mon amie a préféré le film d'aventures.
6. La vedette s'entraîne cinq fois par semaine.
7. Le joueur veut devenir célèbre et riche.
8. Notre copain travaille pour son père.
9. J'ai rendez-vous à 17 heures.
10. La patineuse pense qu'il est important de poursuivre ses études.

B Récrivez les phrases à l'imparfait.

1. Nous jouons au base-ball tous les jours.
2. Je ne fais pas mes devoirs régulièrement.
3. Maria perd toujours ses gants!
4. Thomas ne connaît jamais la réponse.
5. Les enfants aiment regarder le hockey.
6. Mario finit toujours ses exercices de bonne humeur.
7. Choisissez-vous habituellement ces films?
8. Je ne suis pas sportif comme les autres enfants.

C Répondez aux questions en rédigeant des phrases à l'imparfait.

1. Que faisiez-vous d'habitude, toi et ta famille, quand il pleuvait?
2. Quand lavait-on généralement la voiture chez toi?
3. Quelles émissions regardais-tu avec tes amis quand tu étais jeune?
4. Les enfants, que mangeaient-ils d'habitude en été?
5. Un ou une de tes profs avait une habitude particulière. Que faisait-il ou elle régulièrement?
6. Quand étudiais-tu pour un test?
7. Que faisaient tes copains le dimanche?
8. Comment se préparait ta famille pour un petit voyage?
9. Quand il neigeait en hiver, que faisaient ton père et ta mère?
10. Comment aimait-on s'amuser chez toi en été?

D Mettez ces descriptions au passé.

1. Il y (avoir) ______ dix-huit événements au programme à Kamloops.
2. La patinoire (être) ______ près de notre maison.
3. Autrefois les sports (être) ______ moins compliqués qu'aujourd'hui.
4. On (faire) ______ du sport pour l'exercice physique.
5. Quand ils (être) ______ jeunes, les athlètes (s'entraîner) ______ régulièrement.
6. On (pouvoir) ______ admirer la beauté des lieux naturels.
7. Pour de nombreux athlètes, les Jeux du Canada (être) ______ une chance unique de se prouver.

E Mettez les verbes au conditionnel.

1. Quel voyage (choisir) ______-vous?
2. Je (attendre) t'______, si tu le voulais.
3. Qu'est-ce que tes amis (acheter) ______ avec cet argent?
4. Nous (conduire) ______ avec plaisir.
5. Où maman (mettre) ______-elle les fleurs?
6. À quelle heure (partir) ______ le prochain train?
7. Pendant votre séjour, (écrire) ______-vous régulièrement?
8. On vous (accueillir) ______ à n'importe quelle heure!
9. Quel chandail (prendre) ______-tu à ma place?
10. Sans examens, les élèves (vivre) ______ heureux.

F Récrivez les phrases suivantes en utilisant une construction de politesse.

1. Je veux vous parler de mon amie.
2. Pouvez-vous m'aider?
3. Quel film veux-tu voir?
4. Nous préférons une pizza toute garnie.
5. Les athlètes aiment participer aux jeux.
6. À qui voulez-vous parler?
7. Maman est malade. Peux-tu téléphoner à son patron?
8. La rédactrice veut vous interviewer.

G Faites des phrases complètes en utilisant le conditionnel. Attention aux verbes irréguliers.

1. Que / faire / les voyageurs / si le train était en retard?
2. Moi, / courir / maison / si je voyais un accident.
3. Nous / pouvoir / t'aider / demain.
4. Mon amie / venir / partie / si elle avait le temps.
5. Nous / avoir / besoin de votre aide / après la célébration.
6. Je / devoir / étudier / soir.
7. À quelle heure / tes copains / aller / cinéma?
8. Si on dépensait tout son argent, on / devenir / vite / pauvre.
9. Vouloir / vous / un jus / monsieur?
10. Le prof nous a annoncé que / il / y / avoir / surprise / demain.

H Complétez ces phrases en utilisant le conditionnel dans une construction de discours indirect.

Exemple :
Pierre : «Je joue au golf cet après-midi.» Anne nous a informé que *Pierre jouerait au golf cet après-midi*.

1. «Un très bon athlète pourra gagner beaucoup d'argent.» La journaliste a écrit que ______.
2. «Les vedettes donnent des conseils aux élèves.» On espérait que ______.
3. «Nous encourageons tout le monde à participer à toutes les activités possibles.» Nous avons dit aux élèves que ______.
4. «À force de pratiquer, on deviendra célèbre.» Les visiteurs ont confirmé que ______.
5. «Un hockeyeur et une hockeyeuse doivent avoir les mêmes possibilités.» On a déclaré que ______.
6. «Le public n'admire pas les athlètes paresseux.» Le sondage a confirmé que ______.
7. «Jacques doit faire plus attention à ses études.» Le prof a noté sur le bulletin que ______.
8. «Avec un chandail des Canadiens, le petit garçon jouera comme son héros.» Le petit garçon a avoué que ______.

I Mettez les verbes suivants au conditionnel.

1. S'il neigeait, on (pouvoir) ______ faire du ski.
2. Qu'est-ce que tu (vouloir) ______ recevoir comme cadeau?
3. Nous (prendre) ______ la route touristique si nous avions plus de temps.
4. Arrivé au sommet de la montagne, vous (voir) ______ un spectacle incroyable s'il n'y avait pas de brouillard.
5. Ils (emmener) ______ leur chien s'ils en avaient un.
6. Si vous étudiiez bien la carte routière, vous (savoir) ______ quelle route il faut prendre.
7. Si tu recevais une lettre mal adressée, la (remettre) ______-tu à la poste?
8. On (être) ______ très content si vous pouviez venir à notre fête.

J Complétez ces phrases.

1. Si je (vouloir) ______ gagner, je (jouer) ______ plus fort.
2. Si tu (s'entraîner) ______ plus rigoureusement, tu (pouvoir) ______ faire partie de l'équipe.
3. Si Marc (faire) ______ plus attention, il (recevoir) ______ de meilleures notes.
4. Si je (gagner) ______ beaucoup d'argent, je (s'acheter) ______ une voiture sport.
5. Si nous (pouvoir) ______, nous (aller) ______ au match cette fin de semaine.
6. Si vous (demander) ______ au guichet, on (pouvoir) ______ peut-être encore acheter des billets.
7. Si les spectateurs (crier) ______ plus fort, ils (encourager) ______ l'équipe.
8. Si l'athlète (aller) ______ à un tournoi, il (emmener) ______ son propre entraîneur.
9. Si l'hockeyeuse (être) ______ bonne, on (embaucher) l'______.
10. Si elle (réussir) ______ bien, on lui (offrir) ______ un bon contrat.

K Encore des phrases conditionnelles!

1. Si Maurice Richard (être) ______ là, il (ne... jamais porter) ______ ce chandail abominable!
2. Les pilotes d'auto de course (rouler) ______ plus vite si le temps le (permettre) ______.
3. Si seulement je (ne... pas avoir) ______ un test demain, je (pouvoir) ______ jouer au tennis ce soir.
4. Est-ce que tu (s'entraîner) ______ si sérieusement si ton entraîneur (ne... pas insister) ______ autant?
5. Même si on (réussir) ______ à devenir la plus grande vedette de tous les temps, on (avoir) ______ une carrière professionnelle très courte, car on (vieillir) ______ et d'autres jeunes (arriver) ______.

L Récrivez ces phrases au passé composé.

1. Ma mère commença à feuilleter le catalogue.
2. Puis elle écrivit une lettre à M. Eaton.
3. Celui-ci répondit sans tarder.
4. Il nous envoya aussi un paquet.
5. Quand j'ouvris le paquet, j'eus un grand choc.
6. Ma mère me fit porter ce chandail détestable.
7. Sur la glace tous mes copains me regardèrent fixement.
8. L'entraîneur ne me laissa pas jouer.
9. Je brisai mon bâton sur la glace.
10. Le jeune vicaire m'envoya à l'église.

M Récrivez ces phrases au passé simple.

1. L'arbitre a sifflé.
2. J'ai sauté sur la glace.
3. Ma mère a pris son papier à lettres.
4. M. Eaton s'est trompé.
5. Tous les joueurs se sont moqués de moi.
6. Ils ont vu mon abominable feuille d'érable.
7. Ils ont fait des grimaces.
8. J'ai fini de jouer.
9. Il a été obligé de partir.
10. Je suis allé à l'église.

N Mettez les verbes au plus-que-parfait.

1.	(manger)	je _____	il _____	nous _____
2.	(attendre)	tu _____	elle _____	vous _____
3.	(finir)	il _____	nous _____	ils _____
4.	(aller)	elle _____	ils_____	nous _____
5.	(se maquiller)	je _____	elle_____	elles _____

O Mettez les verbes au plus-que-parfait.

1. Quand je suis arrivé au stade, mon équipe (déjà perdre) ______.
2. L'athlète était très fatigué. Il (courir) ______ 15 km ce jour-là!
3. Pour avoir des billets hier, les spectateurs (venir) ______ deux heures avant le début du match.
4. Elle (s'entraîner) ______ pendant des années. Finalement on l'a choisie.
5. Elle (finir) ______ le marathon et tous les journalistes voulaient l'interviewer.
6. Les spectateurs (déjà s'asseoir) ______ quand on a annoncé le nom des participants.
7. L'entraîneur (faire) ______ pratiquer son équipe une heure avant le dernier match.
8. M. Loisel (déjà partir) ______ pour Montréal quand il s'est rendu compte qu'il (oublier) ______ son ordinateur portatif.

P Écrivez les verbes aux temps qui conviennent.

1. Les journaux ont annoncé que le cycliste espagnol (remporter) ______ encore une fois la victoire au Tour de France.
2. *Jeunesse Mag* a publié une lettre intéressante qu'ils (recevoir) ______ la veille.
3. Les lecteurs ont pensé qu'une personne très sensible (écrire) ______ la lettre.
4. La radio a annoncé que les joueurs de base-ball (déjà arriver) ______ en Floride pour leur entraînement.
5. Ma mère m'a informé que notre voisin (tomber) ______ et (se casser) ______ la jambe pendant la tempête de neige.
6. La police nous a demandé si nous (voir) ______ quelqu'un chez nos voisins ce matin.
7. Mon ami m'a écrit que ses parents (aller) ______ à leur chalet l'été dernier.
8. Ma copine m'a téléphoné pour me dire qu'un beau garçon (aménager) ______ dans la maison voisine.
9. En arrivant à l'aéroport, nous avons appris que l'avion (arriver) ______ plus tôt que prévu.
10. Le cycliste a dit qu'il (gagner) ______ parce qu'il (ne... pas tomber) ______ pendant la course.

Q Mettez les verbes aux temps qui conviennent.

1. Quand je (arriver) ______ chez lui, il (déjà partir) ______.
2. Mon père (ne... pas pouvoir) ______ trouver les clés de la voiture. Il les (perdre) ______ plus tôt dans la journée.
3. Je (déjà commencer) ______ mes devoirs quand mon copain (téléphoner) ______.
4. Il (vouloir) ______ savoir la réponse à une question qu'il (ne... pas comprendre) ______ en classe.
5. Aujourd'hui je (recevoir) ______ une lettre que ma tante (écrire) ______ un mois auparavant.
6. En route pour Montréal, Mme Brisebois nous (téléphoner) ______. Elle (oublier) ______ son chat dehors et elle nous (demander) ______ de le trouver.
7. Quand je (aller) ______ à la bibliothèque pour me servir de l'ordinateur, je (découvrir) ______ que le système (tomber) ______ en panne.
8. Les médias électroniques ont transformé le monde en le village global dont (parler) ______ Marshall McLuhan.

R Complétez le reportage suivant écrit par une journaliste. Attention aux temps des verbes!

Cher chef et chers collègues,

Voici le commencement de mon premier reportage. Je (arriver) ______ ce matin à Bruxelles, ville qui bouge vraiment, et où je (rencontrer) ______ d'autres journalistes. Juste avant notre arrivée, l'agent de bord (annoncer) ______ qu'il y (avoir) ______ un délai d'une demi-heure avant l'atterrissage. Le pilote (recevoir) ______ un message l'avisant que la visibilité (être) ______ nulle à cause du brouillard. Enfin nous (descendre) ______ sans incident.

Après, je (aussitôt aller) ______ au stade où je (voir) ______ les athlètes s'entraîner! Que ça (bouger) ______! Il y (avoir) ______ des gens partout! Ce (être) ______ vraiment intéressant. Je (être) ______ contente d'être venue tout de suite parce que peu de temps après, ils (s'arrêter) ______.

En partant, je (vouloir) ______ m'acheter des souvenirs, mais je (s'apercevoir) ______ que je (oublier) ______ de changer de l'argent. Je (alors aller) ______ dans une banque où je (devoir) ______ attendre longtemps! Malgré toutes les inventions modernes, tout le monde (courir) ______ de part et d'autre! Quand on m'a demandé mon passeport, je (se rendre compte) ______ que je (laisser) l'______ à l'hôtel! L'employé (être) ______très gentil. Il (expliquer) m'______ qu'il (ne... pas pouvoir) ______ me donner de l'argent sans passeport. C'était le règlement! Mais si je (vouloir) ______, il (pouvoir) ______ m'appeler un taxi! Je lui (remercier) ______ et lui (promettre) ______ que je (revenir) ______ demain, avec mes papiers!

Et voilà pour ma première journée! Quelles nouvelles aventures m'attendent demain?

Lisette Bouchebet

OBSERVATIONS GRAMMATICALES

I. Le conditionnel présent (révision)

Notez la formation du conditionnel présent :

je manger**ais**, tu finir**ais**, il vendr**ait**, nous lir**ions**, vous ser**iez**, elles aur**aient**

Voici une liste de quelques verbes irréguliers. Notez que les terminaisons du conditionnel restent toujours les mêmes.

acheter	➡	tu ach**è**terais*	lever	➡	vous l**è**veriez*
aller	➡	j'irais	pouvoir	➡	je pourrais
avoir	➡	j'aurais	recevoir	➡	tu recevrais
courir	➡	il courrait	revenir	➡	elles reviendraient
devenir	➡	tu deviendrais	savoir	➡	vous sauriez
devoir	➡	je devrais	venir	➡	je viendrais
envoyer	➡	nous enverrions	voir	➡	il verrait
être	➡	je serais	vouloir	➡	nous voudrions
faire	➡	je ferais			

*Notez l'accent grave sur toutes les formes de ces verbes au conditionnel.

Il est très important de noter les formes des verbes ***être*** et ***avoir***.

II. Le conditionnel passé

A La formation

Examinez les différences entre les verbes suivants.

passé composé	**conditionnel passé**
j'**ai** fini	j'**aurais** fini
tu **as** vendu	tu **aurais** vendu
il **a** lu	il **aurait** lu
nous **avons** conduit	nous **aurions** conduit
vous **avez** vu	vous **auriez** vu
ils **ont** ouvert	ils **auraient** ouvert
je **suis** allé(e)	je **serais** allé(e)
tu **es** tombé(e)	tu **serais** tombé(e)
il **est** revenu	il **serait** revenu
elle **est** retournée	elle **serait** retournée
nous **sommes** arrivé(e)s	nous **serions** arrivé(e)s
vous **êtes** sorti(e)(s)	vous **seriez** sorti(e)(s)
elles **sont** montées	elles **seraient** montées

Notez que pour former le conditionnel passé, on utilise le participe passé et l'auxiliaire ***être*** ou ***avoir*** au conditionnel présent. Les règles de l'accord du participe passé demeurent les mêmes que d'habitude.

B L'emploi

Étudiez ces phrases. Faites attention au sens de chaque phrase.

Si j'**avais étudié** en fin de semaine, j'**aurais réussi** au test hier.
S'il n'**avait** pas **neigé** samedi, je **serais sorti** avec vous.
J'**aurais acheté** cette chemise hier si j'**avais eu** assez d'argent.
Si nous n'**étions** pas **arrivés** en retard, nous **aurions vu** le film.

Dans chaque phrase il y a une condition introduite par ***si*** + le plus-que-parfait. Le résultat s'exprime par le conditionnel passé.

III. Les verbes pronominaux

A Avec objet direct et objet indirect au présent

Étudiez ces exemples.

objet direct	**objet indirect**
Je regarde **la télé**.	Je parle **à cette fille**.
Je **la** regarde.	Je **lui** parle.
Je **me** regarde dans le miroir.	Je **me** parle quand je suis seul!

L'objet direct est rattaché directement au verbe. Dans la phrase «Je regarde la télé», il n'y a pas de préposition entre l'objet direct «la télé» et le verbe «regarde». Je regarde quoi? «La télé».

L'objet indirect est rattaché au verbe par une préposition. Dans la phrase «Je parle à cette fille», la préposition ***à*** sert à introduire l'objet indirect «cette fille». Je parle à qui? «À cette fille».

Attention! Parfois la préposition est sous-entendue. C'est le cas dans la phrase «Je lui parle». Ici, ***lui*** est l'objet indirect. Je parle à qui? «À lui».

Le secret, c'est de savoir si le verbe est suivi de la préposition ***à***. Si oui, l'objet est indirect. Si non, l'objet est direct.

B Les verbes pronominaux au passé composé

1. **L'objet direct**

J'ai regardé **Jacques** et Jacques **m**'a regardé.
Nous **nous** sommes regardé**s**.

On utilise l'auxiliaire ***être*** pour former le passé composé des verbes pronominaux.

Le participe passé s'accorde en genre et en nombre avec l'objet direct lorsque celui-ci est placé avant le verbe. Dans la phrase «Nous nous sommes regardés», l'objet direct est le deuxième «nous». Comme il est placé avant le verbe, le participe passé «regardés» se met au masculin pluriel.

2. **L'objet indirect**

J'ai parlé **à Jacques** et Jacques **m**'a parlé.
Nous **nous** sommes parlé.

On ne fait pas d'accord avec le pronom objet indirect.

Remarques : a) Les mêmes pronoms peuvent être objet direct ou indirect : ***me, te, se, nous, vous***.

b) Lorsque le pronom ***on*** est sujet, le participe passé s'accorde avec ce que représente ***on***.

— Hé, les gars, vous vous êtes bien amusés à la partie hier soir?
— Bien sûr qu'***on*** s'est bien amusé**s**, comme toujours!

Notez que le verbe est au singulier, mais l'accord est au pluriel, parce que le sens de ***on*** est pluriel dans cette phrase.

3. **L'objet direct et l'objet indirect**

Elle **s**'est lavé**e**. (se ≠ objet direct)
Elle **s**'est lavé **les mains**. (les mains = objet direct; se = objet indirect)

Notez qu'il n'y a pas d'accord dans la deuxième phrase parce que l'objet direct suit le verbe.

Notez aussi ces exemples :

Ils **se** sont rencontré**s**. (se = objet direct)
Ils **se** sont téléphoné. (téléphoner à + objet indirect)

Nous **nous** sommes appelé**s**. (nous = objet direct)
Nous **nous** sommes écrit. (écrire à + objet indirect)

Nous **nous** sommes écrit **ces lettres**. (nous = objet indirect, ces lettres = objet direct)
Voici **les lettres** que nous nous sommes écrit**es**. (les lettres = objet direct)

EXERCICES DE RENFORCEMENT

A Récrivez ces phrases au conditionnel présent.

1. Mes amis pensent que mon père est sympa.
2. J'aime ça.
3. On sort souvent ensemble.
4. Qui a une meilleure famille?
5. Veux-tu venir chez nous ce soir?
6. Vous êtes très aimable.
7. Nous achetons un cadeau pour maman.
8. J'ai faim.
9. Ils sont contents.
10. Elles ont des responsabilités au sein de la famille.
11. Nous avons une grande fête pour nos parents.
12. Je suis très content.

B Récrivez ces phrases au conditionnel présent.

1. On est ici.
2. J'ai de bons rapports avec ma famille.
3. Elles sont au cinéma.
4. Elles ont des leçons de patinage artistique.
5. Je ne suis pas paresseuse.
6. As-tu tes devoirs?
7. Tu n'es pas prête?
8. Elle a des difficultés.
9. Êtes-vous triste aujourd'hui?
10. Nous avons une réunion ce soir.
11. Nous sommes en retard.
12. Vous n'avez pas faim?

C Mettez ces phrases au conditionnel passé. Attention aux verbes ***avoir*** et ***être***.

1. Le chien a mangé son dîner.
2. Nous sommes toujours revenus à huit heures.
3. Nous avons vendu notre maison.
4. Vous y êtes allée toute seule, Madame?
5. Ils ont célébré leur anniversaire.
6. Mon ami est tombé sur la glace.
7. On a eu une fête à l'école.
8. Ils sont arrivés tout de suite.
9. Les familles ont fait un pique-nique.
10. Les filles sont parties pour la fête.
11. Vous avez choisi de bons cours.
12. Tu n'es pas sortie?

D Récrivez ces phrases au conditionnel passé.

1. Les parents n'ont pas aimé la musique rock de la danse.
2. Les enfants se sont amusés au tournoi.
3. Elle est revenue toute heureuse.
4. La salade? Je ne l'ai pas mangée!
5. Quels beaux livres qu'elle a lus!
6. Nous sommes tombés dans la neige.
7. Je ne me suis pas fait mal.
8. Ils sont vite rentrés.
9. C'est cette auto que le monsieur a achetée.
10. Quels films n'as-tu pas aimés?
11. C'est l'émission que j'ai regardée.
12. Madeleine, tu n'es pas rentrée?

E Complétez les phrases en mettant les verbes au conditionnel passé.

1. Qui (mettre) ______ du sel dans mon café?
2. Nous (ne... pas oublier) ______ son anniversaire.
3. Elle (tomber) ______ sur la pelure de banane.
4. Mon chien (attendre) m'______ avec patience.
5. Les élèves (choisir) ______ d'autres cours.
6. Ils (rentrer) ______ plus tôt, mais la partie était super!
7. Est-ce que tu (lire) ______ ça?
8. Vous (être) ______ malades?
9. On (avoir) ______ de la chance avec l'autre numéro!
10. Ma mère (ne... pas rester) ______ à la maison si elle avait su la nouvelle.
11. Je (devenir) ______ malade si je n'avais pas porté un chandail.
12. Est-ce qu'il (écrire) ______ cette lettre s'il n'avait pas été fâché?

F Complétez les phrases au conditionnel passé.

1. Si mon chien était disparu, je (pleurer) ______.
2. S'il avait fait mauvais hier, je (ne... pas sortir) ______.
3. Si on avait volé mon auto, je (téléphoner) ______ à la police.
4. Si ma mère avait eu besoin de moi, je (aider) l'______.
5. Si j'étais devenu malade avant les examens, je (rester) ______ au lit.
6. Si je n'avais pas vu la moto, il y (avoir) ______ un grave accident.
7. Si mes amis ne m'avaient pas téléphoné, je (ne... pas les attendre) ______.
8. Si ma famille n'était pas allée au cinéma, j'y (aller) ______ avec ma copine.
9. Si ma petite sœur avait été difficile, je (enfermer) l'______ dans sa chambre.
10. Si mes amies ne m'avaient pas attendue, je (être) ______ déçue.

G Mettez les verbes au plus-que-parfait.

1. Je serais allé à la police si je (avoir) ______ besoin d'aide.
2. On aurait préparé un bon café si on (savoir) ______ que vous arriviez si tôt.
3. Elle ne serait pas sortie si elle (être) ______ malade.
4. Nous serions tombés si nous (ne... pas voir) ______ la pierre.
5. Si je (gagner) ______ le prix, j'aurais été très heureux.
6. Si les garçons (rester) ______ plus tard, ils auraient eu de la difficulté à rentrer.
7. J'aurais fini mes devoirs cette fin de semaine si mes amis (ne... pas me visiter) ______.
8. Je serais allée avec mes copines à la danse si elles y (aller) ______ aussi.
9. Ma grand-mère serait arrivée à l'heure si mon frère (ramasser) l'______ plus tôt.
10. La classe aurait été très contente si le prof (ne... pas être) ______ là.

H Mettez les verbes aux temps qui conviennent (plus-que-parfait ou conditionnel passé).

1. Si Jeannine (ne... pas aimer) ______ Jacques, elle ne l'aurait pas épousé.
2. Nous aurions gagné le gros lot si nous (choisir) ______ l'autre numéro.

3. Si tu étais restée plus longtemps, tu (voir) ______ un coucher de soleil extraordinaire.
4. Mon amie (préférer) ______ aller au cinéma si sa mère lui (donner) ______ la permission.
5. Je (donner) ______ ma cassette à mon copain s'il me l'avait demandé.
6. Nous (rentrer) ______ à minuit si l'auto n'était pas tombée en panne.
7. Quelle chance! Si je (ne... pas prendre) ______ de l'argent supplémentaire, j'aurais été en difficulté.
8. Si on n'avait pas eu de fête pour la petite Maria, elle (être) ______ très malheureuse.
9. Si mes parents n'avaient pas trouvé les clés de la voiture, je ne sais pas comment nous (retourner) ______ chez nous.
10. Si les malades (prendre) ______ les médicaments, ils ne seraient pas morts.

I Imaginez les résultats aux conséquences suivantes, en utilisant ***si*** et les temps des verbes qui conviennent.

Exemple :

(je / manquer / examen) (le directeur / ne... pas être)
Si j'avais manqué un examen, le directeur n'aurait pas été content!

1. (je / endommager la voiture) (parents / être)
2. (nous / gagner la compétition) (les journaux / publier)
3. (tu / manquer la classe) (le prof / dire)
4. (Karine / arriver en retard) (le patron / attendre)
5. (la petite / tomber) (l'ambulance / venir)
6. (Chris / avoir un rhume) (elle / rester)
7. (nous / recevoir un cadeau) (nous / remercier)
8. (je / ne... pas avoir d'argent) (mes camarades / payer)
9. (vous / partir en avion) (vous / arriver)
10. (ils / monter au sommet) (ils / voir)

J Récrivez ces phrases au passé composé. Attention à l'accord du participe passé avec l'objet direct qui précède.

1. Je la mange.
2. On les regarde.
3. Voici les lettres qu'ils écrivent.
4. C'est la pièce de théâtre que nous aimons.
5. C'est Jacqueline que nous rencontrons.
6. Vous ne les écoutez pas?
7. Ils ne la finissent pas.
8. Je te la prête.

K Mettez les verbes indiqués au passé composé. Attention au verbe auxiliaire et à l'accord.

1. Nous (venir) ______ de bonne heure.
2. Ils (rentrer) ______ tard.
3. Elles (sortir) ______ sans moi.
4. Dieu merci que tu (ne... pas tomber) ______, Natasha!
5. Vous (monter) ______ par l'ascenseur, messieurs?
6. Claudia (rester) ______ une semaine chez nous.

L Dans les situations suivantes, déterminez si le pronom indiqué est un objet direct ou indirect. Puis, faites l'accord du participe si nécessaire.

1. J'ai parlé à Sylvie et elle m'a parlé. Nous **nous** sommes parlé______.
2. Marie a appelé Jacques et Jacques a appelé Marie. Ils **se** sont appelé______.
3. Ma mère a aimé mon père, et lui, il a aimé ma mère. Ils **se** sont vraiment aimé______.
4. Mon copain m'a téléphoné, et moi, je lui ai téléphoné aussi. Nous **nous** sommes téléphoné______ chaque soir.
5. Nancy **s**'est réveillé______ en retard pour l'école!
6. Les enfants **se** sont toujours brossé______ les dents après les repas.
7. Nous **nous** sommes arrêté______ à la première rue.
8. J'ai donné des cadeaux à ma petite amie et elle m'en a donné aussi. Nous **nous** sommes toujours donné______ des cadeaux pour nos anniversaires.
9. Nous **nous** sommes rencontré______, et puis nous **nous** sommes dit______ «bonjour».
10. Tous mes amis étaient au restaurant. On **s**'est très bien amusé______.

M Créez des phrases au passé composé. Attention à l'accord des objets directs.

1. Les enfants / se lever / tard.
2. Nous / se maquiller / avant de sortir.
3. Les clowns / se déguiser / pour l'Halloween.
4. Nous / se connaître / à Paris.
5. Elle / se débrouiller / dans une ville étrangère.
6. Après la dispute / ils / se calmer.
7. Depuis le premier jour / nous / s'entendre.
8. «Excusez-moi / je / se tromper» / a dit la jeune fille polie.

9. Vous / s'endormir / pendant le concert, Mme Martin?
10. Marianne et Marc / se marier / samedi dernier.
11. Maman / se mettre / en colère.
12. On / se rencontrer / dans la rue.

N Mettez les verbes au passé composé. Attention aux objets directs et indirects.

1. Elle (se couper) ______.
2. Elle (se couper) ______ les doigts.
3. Elle a mal aux doigts qu'elle (se couper) ______.
4. Ils (se raser) ______.
5. Ils (se raser) ______ la barbe.
6. Nous (se laver) ______.
7. Nous (se laver) ______ les mains.
8. Vous (s'écrire) ______ longtemps?
9. Vous (s'écrire) ______ des lettres ou des cartes postales?
10. C'est principalement des lettres que nous (s'écrire) ______.

O Complétez les phrases en accordant s'il y a lieu le participe passé.

1. Elle s'est (casser) ______ le bras.
2. Nous nous sommes (brosser) ______ les cheveux.
3. Elle s'est (déguiser) ______ en pirate.
4. Vous vous êtes (poser) ______ la question beaucoup de fois?
5. Nous nous sommes (envoyer) ______ des cartes postales.
6. Voilà les livres qu'elles se sont (prêter) ______.
7. C'est la question philosophique qu'ils se sont (poser) ______.
8. Que de poèmes romantiques que nous nous sommes (écrire) ______!
9. Elles se sont toujours (donner) ______ des cadeaux à Noël.
10. Après la réunion, ils se sont (donner) ______ la main.
11. On s'est (dire) ______ «au revoir».
12. Mais juste après, on s'est (revoir) ______ par hasard dans la rue.

P Créez une question au passé, et la réponse qui convient au passé.

Exemple :

Marie / se réveiller tard

— Est-ce que Marie s'est réveillée tard?

— Oui, elle s'est réveillée tard.

(ou) *— Non, elle ne s'est pas réveillée tard.*

1. Les jeunes / se promener sur la plage
2. Vous deux / s'amuser à la partie
3. Tom et Betty / se rencontrer au cinéma
4. Les enfants / se maquiller pour l'Halloween
5. Marianne / se brosser les dents
6. Le monsieur / se couper la barbe
7. La dame / se maquiller
8. Vous trois / se téléphoner
9. La police / se dépêcher
10. Les participants / se dire des compliments

Q Mettez les verbes de l'histoire suivante au passé. Attention à tous les temps différents du passé!

C'est déjà le printemps — la saison de l'amour! «Ah, si seulement j'avais une petite amie», pense Ronald, un peu triste.

Vendredi soir à la danse de l'école, il voit une nouvelle jeune fille, Juliette. Elle est belle et souriante. Il la regarde et elle le regarde. C'est le coup de foudre! Ils se rencontrent... ils se parlent... ils se regardent dans les yeux... ils se tiennent la main... ils se promènent un peu dans l'école... ils se donnent rendez-vous pour aller au cinéma le lendemain à 20 heures.

Samedi soir, Ronald et Juliette se préparent pour le rendez-vous passionnant. Ils s'habillent en jeans. Ils passent beaucoup de temps à se coiffer. Juliette se maquille. Ronald veut se mettre beaucoup d'après-rasage, mais il constate qu'il n'en a plus! Quelle malchance! Si seulement il n'avait pas oublié d'en acheter! Mais il sourit quand il pense à Juliette, gentille et souriante...

Soudainement, un bruit terrible surgit de nulle part! Son réveil se met à sonner et son rêve se termine!

OBSERVATIONS GRAMMATICALES

I. La formation du subjonctif

A Les verbes réguliers

On forme le présent du subjonctif en prenant le radical de la forme ***ils/elles*** de l'indicatif. On laisse tomber la terminaison ***-ent***, puis on ajoute les terminaisons du subjonctif ***(-e, -es, -e, -ions, -iez, -ent)***.

ils/elles **mang**ent ➡ que je mang**e**, tu mang**es**, il mang**e**,
nous mang**ions**, vous mang**iez**, ils mang**ent**

ils/elles **finiss**ent ➡ que je finiss**e**, tu finiss**es**, il finiss**e**
nous finiss**ions**, vous finiss**iez**, ils finiss**ent**

ils/elles **vend**ent ➡ que je vend**e**, tu vend**es**, il vend**e**,
nous vend**ions**, vous vend**iez**, ils vend**ent**

Ces terminaisons restent les mêmes pour presque tous les verbes au subjonctif.

Je suis triste que tu **restes, finisses, vendes...**
Elles regrettent que nous **restions, finissions, vendions...**
Nous sommes heureux qu'ils **reçoivent, lisent, conduisent...**

B Les verbes irréguliers

avoir	que j'aie tu aies il/elle/on ait	que nous ayons vous ayez ils/elles aient
être	que je sois tu sois il/elle/on soit	que nous soyons vous soyez ils/elles soient

aller ➡ que j'aille, nous allions, vous alliez
apercevoir ➡ que j'aperçoive, nous apercevions, vous aperceviez
apprendre ➡ que j'apprenne, nous apprenions, vous appreniez
comprendre ➡ que je comprenne, nous comprenions, vous compreniez
devenir ➡ que je devienne, nous devenions, vous deveniez
devoir ➡ que je doive, nous devions, vous deviez
faire ➡ que je fasse, nous fassions, vous fassiez
pouvoir ➡ que je puisse, nous puissions, vous puissiez
prendre ➡ que je prenne, nous prenions, vous preniez
recevoir ➡ que je reçoive, nous recevions, vous receviez
revenir ➡ que je revienne, nous revenions, vous reveniez
savoir ➡ que je sache, nous sachions, vous sachiez
surprendre ➡ que je surprenne, nous surprenions, vous surpreniez
tenir ➡ que je tienne, nous tenions, vous teniez
venir ➡ que je vienne, nous venions, vous veniez
vouloir ➡ que je veuille, nous voulions, vous vouliez

Remarque : Pour la conjugaison complète des verbes précédents, consultez la section des verbes (pp. 182-191).

II. L'emploi du présent du subjonctif

A Pour exprimer des émotions

Lisez les phrases suivantes et notez les verbes indiqués.

Mon ami est triste que je **sorte** sans lui.
Je regrette que tu te **sentes** malade.
Je suis content que Paul **finisse** ses devoirs maintenant.
Maman a peur que nous ne **partions** trop tard.
Nous sommes heureux que vous **vendiez** enfin votre moto.
Est-ce que tu regrettes que tes amis ne **veuillent** pas venir?

Ces phrases commencent par des expressions d'émotion. Après de telles expressions, il faut d'habitude employer le présent du subjonctif.

Voici d'autres expressions d'émotion :

- avoir honte que...
- c'est dommage que...
- déplorer que...
- être désolé(e), étonné(e), fâché(e), fier/fière, furieux/furieuse, ravi(e), surpris(e) que...

B Pour exprimer un souhait, un ordre, un conseil, une permission ou une défense

1. Examinez les phrases suivantes.

Je veux qu'il **fasse** son travail maintenant.
Permettriez-vous que nous **arrivions** en retard?
Les parents préfèrent que les enfants **finissent** leur dîner.
La police a défendu que les spectateurs **prennent** des photos pendant le concert.
On aimerait mieux que vous ne **fumiez** pas chez nous.
Je voudrais que mes amis **soient** toujours gentils.

Dans les phrases précédentes, on exprime une volonté, c'est-à-dire, on veut qu'une autre personne fasse quelque chose.

2. Voici une liste des verbes de volonté :

- aimer mieux que...
- défendre que...
- désirer que...
- exiger que...
- ordonner que...
- permettre que...
- préférer que...
- recommander que...
- souhaiter que...
- suggérer que...
- vouloir que...

3. Notez le sens différent des phrases suivantes.

a) Paul **aimerait sortir**.
b) Paul **aimerait** que son amie Marielle **sorte**.

a) Annie **veut aller** au cinéma.
b) Annie **veut** que toute la bande **aille** au cinéma.

Dans les phrases a), les deux verbes ont le même sujet. Par contre, dans les phrases b), les deux verbes ont des sujets différents. Dans ce cas, on doit employer le subjonctif.

4. Examinez les phrases suivantes.

Je demande **à** Paul **de sortir**. (plus poli)
Je demande **que** Paul **sorte**. (plus direct)

Les verbes suivants doivent être suivis d'un infinitif.

- conseiller à qqn de faire qqch.
- défendre à qqn de faire qqch.
- demander à qqn de faire qqch.
- ordonner à qqn de faire qqch.
- permettre à qqn de faire qqch.

5. Notez les conjonctions dans les phrases suivantes.

Je serais content **si** tu venais chez moi.
Je suis content **que** tu viennes chez moi.

On sera content **quand** le travail sera fini.
On est content **que** tu finisses bientôt.

On utilise le subjonctif uniquement après la conjonction ***que***.

EXERCICES DE RENFORCEMENT

A Conjuguez les verbes suivants au présent de l'indicatif et du subjonctif tel qu'indiqué.

	l'indicatif	**le subjonctif**
1. chanter	ils ______	que nous ______
2. finir	ils ______	que vous ______
3. attendre	ils ______	qu'il ______
4. écrire	ils ______	que je ______
5. partir	ils ______	que tu ______
6. lire	ils ______	qu'elle ______
7. conduire	ils ______	qu'ils ______
8. étudier	ils ______	que vous ______
9. choisir	ils ______	que tu ______
10. mettre	ils ______	que je ______

B Conjuguez les verbes irréguliers suivants au présent du subjonctif.

1. venir	que je ______	que nous ______
2. prendre	que tu ______	que vous ______
3. savoir	qu'il ______	que nous ______
4. vouloir	que je ______	que vous ______
5. aller	qu'elle ______	que nous ______
6. avoir	qu'ils ______	que vous ______
7. être	que je ______	que nous ______
8. pouvoir	qu'il ______	que vous ______
9. faire	qu'elles ______	que nous ______
10. être	qu'elle ______	que vous ______

C Commencez chaque phrase suivante par : ***Je suis surpris(e) que…***. Attention au subjonctif.

1. Ces fraises ont un goût de citron.
2. Le chat écrit des lettres.
3. La baleine peut communiquer avec l'homme.
4. La plante est morte.
5. Vous rêvez de vivre dans l'espace.

D Commencez chaque phrase suivante par : ***On est content que…***. Attention au subjonctif.

1. Il fait beau sur la lune.
2. Tu finis ton projet.
3. Vous servez le dîner sur le balcon.
4. Vous vous intéressez à l'art.
5. Ils veulent nous accompagner.

E Conjuguez les verbes suivants au subjonctif.

1. Il est content que je (faire) ______ le nettoyage.
2. Nous sommes tristes que vous ne (pouvoir) ______ pas venir demain.
3. Mon père est fâché que je (être) ______ en retard.
4. Je suis surprise que tu (avoir) ______ tant d'imagination!
5. Le peintre regrette que le public ne (comprendre) ______ pas son œuvre.
6. On est heureux que vous (venir) ______ à la partie.
7. Les parents sont ravis que leurs enfants (aller) ______ à l'université.
8. Es-tu fière, maman, que je (recevoir) ______ toujours de bonnes notes?
9. J'ai honte que tu ne (vouloir) ______ pas aider ce pauvre garçon!
10. Tout le monde est content que vous (être) ______ en bonne forme.

F Composez des phrases avec les indices donnés. Ajoutez d'autres expressions au besoin pour compléter les phrases.

Exemple :

Prof / content / élèves / être / présents.
Le prof est content que tous les élèves soient présents.

1. Ami / être / heureux / nous / aller / cinéma.
2. Je / être / choqué / vous / ne... pas regarder / télé.
3. On / être / content / vous / finir / exercices.
4. L'entraîneur / être / heureux / joueurs / faire / de leur mieux.
5. L'artiste / apprécier / le fait / public / vouloir / regarder / son œuvre.
6. Nous / avoir / peur / il / ne... pas faire / beau / demain.
7. Parents / être / fiers / enfant / être / créatif.
8. Je / être / très triste / tu / ne... pas pouvoir / venir / à la réunion.
9. Nous / être / étonnés / nouvelles / être / si mauvaises / ce matin.
10. La classe / regretter / voyage / être / annulé / aujourd'hui.

G Récrivez ces phrases au subjonctif en commençant chaque phrase par l'expression indiquée.

1. Ces fraises ont bon goût. Je suis content que...
2. Nous nous servons de notre imagination. Le prof apprécie que...
3. Les enfants sont créatifs. Les parents sont contents que....
4. Je fais de mon mieux. Mon patron est heureux que...
5. Nous regardons trop la télé. Mon père n'aime pas que...
6. Vous mangez trop vite. Maman est fâchée que...
7. Tu sais garder ton sang-froid. Je suis content que...
8. Vous vous dites bonjour. Nous sommes ravis que...

H Conjuguez les verbes indiqués au présent du subjonctif.

1. Chaque parent veut que son enfant (réussir) ______.
2. J'aimerais que Pierre ne (venir) ______ pas chez moi.
3. Le prof recommande que nous (étudier) ______ beaucoup.
4. La gérante voudrait que vous (rester) ______ après le travail.
5. Les profs préfèrent que nous ne (copier) ______ pas nos devoirs.
6. Mon père aime mieux que je (conduire) ______ sagement.
7. La police a ordonné que le voleur (sortir) ______ de la maison.
8. Ma mère préfère que je (prendre) ______ un taxi pour rentrer.
9. On suggère que nous (lire) ______ cet article.
10. Ton amie aimerait que tu ne lui (faire) ______ pas de surprise.

I Complétez les phrases suivantes. Faites attention au subjonctif.

1. Monsieur, pouvons-nous attendre ici? / Non, je préfère que ______.
2. Madame, puis-je vous aider? / Oui, j'aimerais que vous ______.
3. Monsieur, puis-je vous montrer mes devoirs demain? / Oui, mais j'exige que ______.

4. Madame, combien de fois devrons-nous travailler après les heures normales? / Je demande que ______.
5. Monsieur, je ne peux pas résoudre ce problème! / Je suggère plutôt que ______.
6. Monsieur le dentiste, faut-il vraiment se brosser les dents trois fois par jour? / Je recommande fortement que ______.
7. Madame, pour suivre les cours de dessin, est-il important de savoir dessiner? / Je suggère que ______.
8. Jacques, quand veux-tu jouer au tennis? / Je ne peux pas maintenant; je préfère que ______.
9. Maman, pouvons-nous avoir vingt dollars? / Vingt dollars?!? Je suggère que ______.
10. Papa, pouvons-nous jouer dehors maintenant? / Oui, mais je voudrais que ______.

J Composez des phrases complètes en utilisant les indices donnés. Attention au subjonctif.

1. Police / ordonner / on / savoir / règlements.
2. Chauffeur / préférer / touriste / ne... pas fumer / taxi.
3. Conseiller / suggérer / nous / étudier / arts.
4. Prof / recommander / nous / se préparer / test.
5. Serveuse / demander / on / payer / caisse.
6. Client / aimer / on / lui / servir / bon dîner.
7. Autorités / défendre / on / faire / bruit.
8. Directeur / exiger / vous / être / à l'heure.
9. Entraîneur / vouloir / tout le monde / dormir / bien / avant le match.
10. Joueurs / préférer / spectateurs / applaudir / beaucoup.

K Faites des phrases avec les mots suivants. Utilisez le subjonctif lorsqu'il y a lieu.

Exemples :

Marcel / vouloir / jouer / hockey.
Marcel veut jouer au hockey.

Marcel / vouloir / nous / jouer / hockey.
Marcel veut que nous jouions au hockey.

1. Nous / préférer / faire / devoirs / avant de sortir.
2. Nous / préférer / enfants / faire / devoirs / avant de sortir.
3. Vous / être / contents / rester / maison?
4. Vous / être / contents / nous / rester / maison?
5. Je / aimer / lire.
6. Je / aimer / mes enfants / lire.
7. Je / vouloir / aller / cinéma.
8. Je / vouloir / tu / aller / cinéma / avec moi.
9. Nous / être / heureux.
10. Nous / être / heureux / vous / recevoir / la bourse.

L Récrivez les phrases en utilisant un infinitif, comme dans l'exemple suivant.

Exemple :
Maman demande que Nicolas ne casse pas la fenêtre.
Maman demande à Nicolas de ne pas casser la fenêtre.

1. On conseille aux élèves qu'ils choisissent des cours intéressants.
2. La policière ordonne que le touriste observe la signalisation routière.
3. Le directeur défend que les employés fument sur les lieux.
4. Papa permet que Marielle sorte samedi soir.
5. L'artiste demande que nous fermions les yeux et que nous imaginions une belle scène.

M Choisissez le verbe qui convient. Attention aux conjonctions!

1. Je serais content si tu (viennes/venais) à ma partie.
2. Je suis content que tu (viennes/viens) à ma partie.
3. Nous n'avons pas peur parce qu'il (fasse/fait) déjà noir.
4. Nous avons peur qu'il (fasse/fait) déjà noir.
5. On sera heureux quand ce travail (sera/soit) fini.
6. On est heureux que ce travail (sera/soit) fini.
7. Nous sommes surpris parce que tu (n'es/ne sois) jamais en retard d'habitude.
8. Nous sommes surpris que tu (es/sois) en retard.

N Indicatif ou subjonctif? Conjuguez les verbes au temps approprié.

1. Sommes-nous sages, Papa? / Oui, mes enfants, je sais que vous (être) ______ toujours très sages.
2. Pouvons-nous regarder la télé, Papa? / Je préfère que vous (finir) ______ d'abord vos devoirs.
3. Ce siège, est-il disponible? / Je regrette, mais je ne (savoir) ______ pas s'il est disponible.
4. Hélène, veux-tu faire tes devoirs avec nous? / Oui, et j'aimerais que vous (expliquer) m'______ le subjonctif!

5. Si vous étiez conseillère, que diriez-vous aux étudiants? / Je leur dirais qu'il (être)______ important de faire de la recherche.
6. Comme agente de police, quels ordres donnez-vous le plus souvent? / Je demande souvent aux gens qu'ils (conduire)______ moins vite.
7. Si vous aviez un souhait pour la nouvelle année, quel serait-il? / Je souhaiterais que nous (rester) ______ en bonne santé.
8. Les artistes ont-ils beaucoup d'imagination? / En principe, je crois bien qu'ils en (avoir) ______ beaucoup.
9. Votre fille, fait-elle toujours attention en classe? / J'espère qu'elle (faire)______ toujours attention!
10. Votre fils, écrit-il toujours ses travaux à l'ordinateur? / Oui, je crois que son prof (exiger) ______ que tout le monde les (écrire)______ à l'ordinateur.

O Faites une phrase logique en combinant les deux phrases et en utilisant le subjonctif.

1. Le père est fâché. Son fils oublie d'aller aux cours.
2. Je suis fier de ma sœur. Elle a une bonne imagination.
3. C'est dommage. Il n'y a pas deux samedis dans une semaine.
4. Chaque membre du groupe a un désir. Tout le monde doit participer.
5. Le touriste exige quelque chose. Le chauffeur conduit plus vite.
6. Le chauffeur de taxi est content. Le passager se rend chez lui à pied.
7. Le capitaine a donné l'ordre. On se met en route.
8. Un conteur de légendes serait content. Nous utilisons notre imagination.

P Faites des phrases logiques avec chaque expression suggérée entre parenthèses. Attention aux modes des verbes : subjonctif, indicatif ou infinitif?

Exemple :

(Je suis content/Vous êtes heureux) vous venez nous voir.
Je suis content que vous veniez nous voir.
Vous êtes heureux de venir nous voir.

1. (Je pense que/Je suis content que) la vie est belle.
2. (On préfère/On dit) ce journaliste écrit toujours la vérité.
3. (Le prof aimerait/Tu ne sais pas si) tu connais cette fable.
4. (Vous êtes heureux/Nous regrettons) vous partez en vacances.
5. (César veut/Cléopâtre n'aime pas) César va à la guerre.
6. (Les vieux aiment/Les enfants aiment quand/Les enfants aiment que) les vieux racontent des légendes.

Q Lisez cet extrait, puis conjuguez les verbes aux temps appropriés.

Un soir en rentrant de ma leçon de piano, je (marcher)______ dans la rue quand soudainement, je (voir)______ un ballon rouler juste devant moi. Je (être)______ très surpris parce que je (ne... pas voir)______ d'enfants jouer au ballon. Je voulais continuer mon chemin quand je (entendre) ______ une voix.

— Monsieur, voulez-vous jouer avec moi?

J'ai regardé autour de moi. Il n'y (avoir) ______ personne! Qui me parlait? Le ballon? Impossible! Mais la voix (continuer) ______.

— Je suis si triste que personne ne (vouloir) ______ jouer avec moi.

Moi, je voulais répondre, mais je ne voulais pas qu'on (entendre) m'______ parler avec un ballon! J'ai regardé encore une fois autour de moi. Personne! Alors, je (répondre) ______ à voix basse :

— Tu es si joli; je suis content que tu me (parler) ______, mais je ne peux pas jouer avec toi. Comment se fait-il que tu peux parler?

— Ah, monsieur, vous m'entendez parce que je parle dans votre imagination. Je suis là juste pour vous. Je sais que vous (avoir) ______ une longue journée difficile, et maintenant vous voulez qu'on vous (laisser) ______ en paix, mais moi, je voudrais que vous (jouer) ______ avec moi pour vous détendre. Êtes-vous heureux que je (être) ______ là pour vous?

J'ai regardé ce beau ballon longuement, et puis j'ai répondu :

— Oui, je suis content que tu (être) ______ là! Merci, et maintenant, jouons ensemble!

OBSERVATIONS GRAMMATICALES

I. Le pronom relatif *lequel*

A La formation

Notez les quatre formes du pronom relatif ***lequel*** :

Voilà le livre sans **lequel** je ne peux pas faire mes devoirs.
Voilà les livres sans **lesquels** je ne peux pas faire mes devoirs.
C'est la récompense pour **laquelle** il a travaillé si fort.
Ce sont les récompenses pour **lesquelles** ils ont travaillé si fort.

Remarques : a) Le pronom relatif ***lequel*** se rapporte au nom qui le précède. Il s'accorde avec ce nom, qui est normalement une chose.

b) Le pronom relatif ***lequel*** est précédé d'une préposition.

B Formes spéciales

Attention aux formes spéciales du pronom ***lequel*** avec les prépositions ***à*** et ***de***.

C'est l'ami **auquel** j'ai donné ma bicyclette.
L'école **à laquelle** il va cette année est bien connue.
On parle des sports **auxquels** je m'intéresse.
Les clubs de science et d'échecs offrent les activités **auxquelles** elle participe le plus.

à + lequel ➡ auquel, à laquelle, auxquels, auxquelles
de + lequel ➡ duquel, de laquelle, desquels, desquelles

Remarques : a) D'habitude, le pronom ***où*** remplace la construction ***lequel***, précédée d'une préposition de lieu (***à***, ***dans***, ***sur***, etc.).

C'est le bureau **auquel** il va.
C'est le bureau **où** il va.

Voilà les magasins **dans lesquels** nous avons fait nos achats.
Voilà les magasins **où** nous avons fait nos achats.

b) Toute expression qui commence par ***de*** + une forme de ***lequel*** peut être remplacée par le seul mot ***dont***.

C'est le chien **duquel** elle a peur.
C'est le chien **dont** elle a peur.

Voilà les activités **desquelles** je m'occupe.
Voilà les activités **dont** je m'occupe.

c) Le verbe est-il suivi d'une préposition? Si oui, on utilise cette préposition.

d) Avec les personnes, on utilise généralement ***qui*** après une préposition.

C'est l'ami **avec qui** je m'entends très bien.
Voilà nos copines **pour qui** nous avons acheté ces cadeaux.
Ce sont mes frères **de qui/dont** je suis fier.

II. Le subjonctif

A Révision

1. Notez sa formation : on ajoute ***-e, -es, -e, -ions, -iez, -ent*** au radical de la forme ***ils/elles*** de l'indicatif :

que je finiss**e**	que nous chant**ions**
que tu vienn**es**	que vous perd**iez**
qu'il écriv**e**	qu'ils conduis**ent**

Consultez la Section I de l'Unité D pour une explication de la formation du subjonctif, y compris les verbes irréguliers.

2. On emploie le subjonctif pour exprimer :

a) une émotion : Je suis heureux que tu **fasses** tes devoirs.

b) un souhait : Nous voulons que vous **veniez** à huit heures.

c) un ordre : Ma patronne ordonne que tout **soit** prêt demain.

d) un conseil : Mon frère recommande que nous **fassions** des réservations bien à l'avance.

e) une permission : Je permets que ma petite sœur **assiste** au match de base-ball.

f) une défense : Il a défendu que je **conduise** la voiture ce soir.

B Les expressions impersonnelles

Lorsqu'une expression impersonnelle est suivie d'un nouveau sujet, on utilise le subjonctif, peu importe s'il y a une négation.

Il est nécessaire que tu viennes me voir.
Il faut que je m'en aille maintenant.
Il est possible qu'elle parte demain.
Il n'est pas bon que vous fumiez.

Notez la liste suivante des expressions impersonnelles.

Il est bon que...
Il est dommage que...
Il est essentiel que...
Il est étonnant que...
Il est important que...
Il est (im)possible que...
Il est (in)juste que...
Il est naturel que...
Il est nécessaire que...
Il est préférable que...
Il est temps que...
Il faut que...
Il vaut mieux que...

Remarques : a) Si l'expression impersonnelle est suivie d'un infinitif, on utilise la préposition ***de***.

Il est important **de** faire son travail.
Il est possible **de** trouver un emploi.
Il est bon **de** se tenir en forme.

b) On n'utilise pas la préposition ***de*** avec l'expression ***il faut***.

Il faut venir à huit heures.
Il faut se coucher tôt ce soir.

EXERCICES DE RENFORCEMENT

A Employez la bonne forme du pronom relatif ***lequel*** dans chaque phrase.

1. Où est l'enveloppe sur ______ j'ai écrit les adresses?
2. C'est notre avenir pour ______ il faut prendre des décisions environnementales importantes.
3. Est-ce la carrière de technicien à ______ il s'intéresse?
4. Le petit garçon veut toujours les jouets avec ______ joue sa petite sœur.
5. La route par ______ vous êtes venu est la plus courte.
6. Les professions pour ______ il a un grand intérêt sont dans le domaine de la technologie.
7. La formation personnelle et l'esprit d'équipe sont les compétences sans ______ on ne peut pas travailler.
8. Où est la lettre dans ______ j'ai fait référence à mes qualités?
9. Il me faut mes lunettes sans ______ je ne peux rien voir.
10. C'est une opinion avec ______ mon amie est d'accord.

B Combinez les deux phrases en utilisant la bonne forme du pronom relatif ***lequel***.

Exemple :

Les employés arrivent d'outre-mer. On doit travailler avec ces employés.
Les employés avec lesquels on doit travailler arrivent d'outre-mer.

1. Le magasin est très cher. J'achète mes vêtements dans ce magasin.
2. Je dois apporter les cassettes. On ne peut pas danser sans les cassettes.
3. Chaque métier devrait avoir des buts. On doit travailler pour ces buts.
4. Il faut une formation. On ne peut pas avoir de carrière sans cette formation.
5. On doit donner des outils aux apprentis. Ils doivent apprendre à travailler avec ces outils.

C Employez la bonne forme du pronom relatif ***lequel*** dans chaque phrase. (Attention à la préposition qui suit le verbe.)

1. (avoir besoin de) Je n'ai pas le résumé ______ j'ai besoin pour ma demande d'emploi.
2. (s'intégrer à) C'est le groupe de danse ______ elle s'est bien intégrée.
3. (assister à) Ne mentionnez pas tous les cas d'urgence ______ vous avez assisté.
4. (s'intéresser à) Est-ce les émissions d'aventures ______ ils s'intéressent?
5. (s'occuper de) Qui a pris les dossiers ______ je m'occupais?
6. (participer à) On offre les leçons d'informatique ______ il voudrait participer.
7. (s'intéresser à) Le concert ______ elle s'intéresse viendra le mois prochain.
8. (parler de) Ne mentionnez pas le scandal ______ tout le monde parle. J'en ai assez!
9. (apporter à) Comment s'appelle l'organisation ______ vous voulez apporter votre contribution?
10. (compter sur) C'est un travail ______ vous pouvez compter.

D Employez les pronoms relatifs ***où*** ou ***dont*** pour compléter les phrases.

1. Le lieu ______ je travaille, c'est ma chambre.
2. Les amis ______ il parle toujours sont très sympas.
3. C'est le mauvais travail ______ elle a honte.
4. Le cinéma ______ nous allons est près de chez nous.
5. C'est un été ______ je me souviendrai toujours.
6. C'est une entreprise ______ on est bien payé.

E Complétez la phrase par ***qui*** et l'idée suggérée.

1. C'est ma sœur avec ______ je (faire des achats) ______.
2. Voici mes amis pour ______ je (donner une fête) ______.
3. Où est mon partenaire sans ______ je (ne... pas pouvoir jouer au tennis) ______.
4. C'est un politicien contre ______ je (lutter) ______.
5. Ce sont mes meilleurs amis à ______ je (se fier complètement) ______.

F Combinez les deux phrases en utilisant le pronom relatif qui convient.

Exemple :

C'est un problème. Je n'ai pas pensé à ce problème.
C'est un problème auquel je n'ai pas pensé.

1. Voici mes collègues. Je travaille avec eux.
2. Où est mon stylo? Je dois écrire avec mon stylo.
3. La ville s'appelle Portage-la-Prairie. Je suis née là.
4. Je me souviens d'un voyage. Il était passionnant.
5. C'est maintenant ma pause-café. Je peux te téléphoner après ma pause-café.
6. C'est un patron superbe. J'aimerais travailler pour lui.
7. Je suis fier de mon emploi. Il est super!
8. C'est la musique moderne. Tu t'y intéresses?
9. Voici le centre-ville. On a construit un parc de stationnement là.
10. Mon avenir est important. J'y pense souvent.
11. Mes parents sont en Floride et moi, je suis ici à l'école. Je pense souvent à eux.
12. Je suis fier de mon copain. Il est super!

G Mettez les verbes au subjonctif.

1. Il est bon que tu (venir) ______ si tôt.
2. Nous sommes heureux que vous (arriver) ______ de bonne heure.
3. La mère suggère que l'enfant (mettre) ______ des vêtements appropriés.
4. Il est important qu'on (établir) ______ de bons rapports avec un patron.
5. Il n'est pas souhaitable que vous (se rendre) ______ à l'entrevue sans préparation.
6. Comme patron, je préférerais que les candidats (être) ______ bien habillés.
7. La patronne suggère fortement qu'ils (faire) ______ leur travail efficacement!
8. Tout le monde est content qu'on (pouvoir) ______ enfin partir.

H Écrivez des phrases complètes au subjonctif. Ajoutez d'autres mots pour former de bonnes phrases. Attention aux accords!

1. On / regretter / mère / être / malade.
2. Le candidat / être / heureux / patronne / vouloir / lui accorder / entrevue.
3. Les joueurs / regretter / il / ne... pas y avoir / match / demain.
4. Les enseignants / suggérer / nous / continuer / formation.
5. La photographe / déplorer / son assistant / ne... pas pouvoir / venir demain.
6. L'employeur / vouloir / candidats / savoir / conditions de travail.
7. Je / préférer / employé / recevoir / instructions tout de suite.
8. On / être / ravi / entreprise / permettre / des congés avec solde.
9. Le policier / exiger / touriste / faire attention aux feux de circulation.
10. Nous / aimer / vous / venir / avec nous ce soir.
11. On / préférer / participant / écrire / nom / lisiblement.
12. Les joueurs / être / content / tant de spectateurs / être / au match.

I Mettez les verbes au subjonctif.

1. Il est nécessaire que les élèves (faire) ______ leurs devoirs.
2. Il est important qu'on (recevoir) ______ une bonne formation scolaire.
3. Il est préférable que vous (se préparer) ______ pour une carrière.
4. Il est possible que nous (ne... pas compléter) ______ ce projet ce soir.
5. Il est bon que tu (vouloir) ______ venir avec nous.
6. Il est temps qu'elle (conduire) ______ sur l'autoroute.
7. Il est naturel qu'on (avoir) ______ peur du tonnerre.
8. Il faut qu'ils (aller) ______ chez le dentiste le mois prochain.

J Récrivez ces phrases en utilisant une expression impersonnelle et un verbe à l'infinitif.

Exemple :

(passionnant) On fait du ski nautique.
Il est passionnant de faire du ski nautique.

1. (bon) On se lave les mains.
2. (préférable) On va au cinéma ce soir.
3. (difficile) On réussit sans formation.
4. (temps) On commence à travailler.
5. (naturel) On s'inquiète avant une entrevue.
6. (important) On pense à l'avenir.

K Écrivez de bonnes phrases en utilisant une expression impersonnelle, le sujet ***on*** et le verbe au subjonctif.

Exemple :

préférable / faire le tour de la ville
Il est préférable qu'on fasse le tour de la ville.

1. nécessaire / apprendre un métier
2. important / s'entendre avec ses collègues
3. essentiel / faire de son mieux
4. bon / s'amuser au travail
5. faut / avoir de bonnes relations avec ses clients
6. possible / rester en contact avec le monde du travail
7. juste / recevoir une hausse de salaire
8. vaut mieux / savoir programmer un ordinateur
9. temps / accorder aux employés plus de vacances
10. injuste / ne... pas pouvoir prendre une pause-café

L Faites des phrases au subjonctif.

1. Ils / vouloir / nous / les / accompagner / ce soir.
2. Nous / préférer / vous / ne... pas fumer / chez nous.
3. Maman / être contente / que / sœur / pouvoir / venir.
4. Il / être / important / tu / finir / tes études.
5. Il / ne... pas être / nécessaire / vous / apporter / vos cassettes.
6. Les employeurs / suggérer / on / remettre / un curriculum vitæ avant une entrevue.
7. Le conseil / ne... pas aimer / membres / être / en retard.
8. Il faut / apprentis / faire / des travaux de tout genre.
9. Je / être / ravi / tu / aller / à la compétition la semaine prochaine.
10. Il / être / nécessaire / nous / apprendre / tout ça?

M Mettez les verbes à l'indicatif ou au subjonctif, selon le cas.

1. Je sais que tu (être) ______ malade.
2. Je regrette que tu (être) ______ malade.
3. Il est sûr qu'elle (aller) ______ réussir.
4. Il est possible qu'elle (réussir) ______.
5. Nous sommes certains que vous (pouvoir) ______ venir.
6. Nous sommes contents que vous (pouvoir) ______ venir.
7. Le patron voudrait que les apprentis (savoir) ______ changer les rubans.
8. Le patron sait que les apprentis (savoir) ______ changer les rubans.
9. Vicky est certaine qu'elle (être) ______ bien qualifiée.
10. La patronne préférerait que Vicky (être) ______ bien qualifiée.

N Écrivez des phrases au subjonctif en utilisant les idées ci-dessous et une expression différente qui requiert le subjonctif.

Exemple :

Il fait beau.
Je suis content qu'il fasse beau.
(ou) *Je voudrais qu'il fasse beau pour notre pique-nique demain.*
(ou) *Il est important qu'il fasse beau pour notre match demain.*

1. Vous êtes triste.
2. On sait réussir.
3. Elle fait un long voyage.
4. Nous continuons nos études.
5. Tu peux rédiger cette lettre.
6. Elle lit un long formulaire de demande.
7. Certaines personnes apprécient les animaux.
8. Il devient acteur.
9. Elle poursuit une carrière de rédactrice.
10. La mode l'intéresse.

O Mettez les verbes au subjonctif ou à l'indicatif, selon le sens.

1. J'ai peur qu'il ne (réussir) ______ pas.
2. Sais-tu quand il (venir) ______?
3. On veut savoir s'il (faire) ______ froid en Australie.
4. Il est important que cette entreprise (produire) ______ beaucoup.
5. Il faut que les concurrents (finir) ______ à temps.
6. Je suis certaine qu'il (aller) ______ sortir ce soir.
7. Nous sommes contents que votre avion (partir) ______ à l'heure.
8. Le rédacteur veut qu'on (remettre) ______ des lettres dactylographiées.
9. Je souhaite que tu (avoir) ______ de la chance lors de ton entrevue.
10. Il est nécessaire qu'on (savoir) ______ les réponses.
11. Depuis quand (conduire) ______-tu l'auto de ton père?
12. Il est bon que vous (dire) ______ toujours la vérité.

P Complétez cette lettre par les expressions et les verbes qui conviennent.

Messieurs,

Je viens de lire l'annonce dans ______ vous dites que vous êtes à la recherche d'un programmeur. Je voudrais que vous (considérer) ______ ma candidature à ce poste.

Mon intérêt pour les ordinateurs a commencé à l'école secondaire ______ j'ai appris mes premières notions de programmation. Je crois que celles-ci me (servir) ______ toujours aujourd'hui. Par la suite, j'ai fait des études à l'Université de Waterloo ______ j'ai reçu un baccalauréat spécialisé en informatique.

Je travaille actuellement dans une petite entreprise ______ je n'ai plus de possibilités de promotion. Je suis donc à la recherche d'un nouvel emploi parce qu'il est important que je (avoir) ______ de nouveaux défis.

Il est regrettable que je (se sentir) ______ sous l'obligation de quitter cet emploi, puisque je m'entends très bien avec la directrice et les autres employés. Ce sont des personnes sympathiques pour ______ on est prêt à tout faire. Je peux vous promettre le même dévouement.

Je vous serais très reconnaissant de bien vouloir m'accorder une entrevue, parce que je pense qu'il est important que nous (se rencontrer) ______ et (discuter) ______ plus longuement de ma candidature. Veuillez trouver ci-joint mon curriculum vitæ.

Dans l'attente de votre réponse, je vous prie d'agréer, Messieurs, l'expression de mes sentiments les plus sincères.

Martin Olivéri

Lexique

abîmer *v.* to damage, to spoil
aborder *v.* to take up, to touch on
aboutir *v.* **à** to end up at
accéder *v.* **à** to reach, to get to
accorder *v.* to grant, to award
accrocher (s') *v.* to cling to, to hang on
accroître *v.* to increase, to add to
accuser *v.* to show; **accuser réception** to acknowledge receipt
acharnement *n.m.* fierceness, relentlessness
acharner (s') *v.* **à** to work at
acquiescer *v.* to agree, to approve
adepte *n.m.,f.* follower
adonner (s') *v.* **à** to devote oneself to
affable *adj.* friendly
affaire *n.f.* matter, business; **les affaires** business; **grosses affaires** big business; **une bonne affaire** a good deal
affairé(e) *adj.* busy
affichage *n.m.* bulletin board (electronic)
affilée *n.f.* **d'affilée** at a stretch
affligé(e) *adj.* **de** afflicted with
affranchissement *n.m.* emancipation, freeing
agacer *v.* to irritate, to aggravate
âge *n.m.* age; **le troisième âge** retirement years
agiter *v.* to wave, to flap; **s'agiter** to move about
agrandir *v.* to enlarge, to increase
agricole *adj.* agricultural
ahuri(e) *adj.* stupefied, vacant
aiguiser *v.* to sharpen, to stimulate
aile *n.f.* wing, sail
ailleurs *adv.* elsewhere; **par ailleurs** otherwise, furthermore
aîné *n.m.*, **aînée** *n.f.* the eldest (child)
aléatoire *adj.* uncertain
aliment *n.m.* food
alimentation *n.f.* food industry, diet
alimenter (s') *v.* to feed, to nourish
aliter *v.* to confine to bed
allégresse *n.f.* elation, exhilaration
aller *v.* to go; **aller simple** *n.m.* one-way ticket; **aller-retour** *n.m.* round-trip ticket
allongé(e) *adj.* stretched out, lying
allumer *v.* to light, to turn on
allure *n.f.* look, appearance
amabilité *n.m.* kindness
amadouer *v.* to soothe
ambulant(e) *adj.* strolling
âme *n.f.* soul
aménagé(e) *adj.* groomed; developed
amende *n.f.* fine
amener *v.* to bring (along)
ami *n.m.*, **amie** *n.f.* friend; **ami/amie de cœur** boyfriend/girlfriend
amoureux, amoureuse *adj.* **(de)** in love (with)
ampoule *n.f.* light-bulb
ancien, ancienne *adj.* former, old
anciennement *adv.* formerly
âne *n.m.* donkey, ass
anguille *n.f.* eel
animé(e) *adj.* animated, spirited
animer *v.* to lead, to run, to animate
annexer *v.* to annex, to append
antérieur(e) *adj.* previous, prior to
apercevoir (s') *v.* to notice, to become aware of
aperçu *n.m.* insight
aplatir *v.* to flatten, to smooth down
apnée *n.f.* temporary cessation of breathing
appartenir *v.* **à** to belong to, to be a member of
appuyer *v.* to lean, to support
aquariste *n.m.,f.* marine life specialist
arbitre *n.m.* referee
arborer *v.* to wear, to display
arc *n.m.* arc, arch; **arc-en-ciel** rainbow
ardeur *n.f.* fervour, passion
ardu(e) *adj.* difficult, arduous
aride *adj.* sterile
arrière *n.m.* back, rear; **arrière-grands-parents** *n.pl.* great-grandparents
articulation *n.f.* joint
asperge *n.f.* asparagus
assainissement *n.m.* (environmental) clean-up
asservir *v.* to enslave, to master
assister *v.* to assist; **assister à** to attend
assortir *v.* to match
astiquer *v.* to polish
atout *n.m.* asset; **un atout de taille** an important advantage
attelage *n.m.* harness
atteler *v.* to harness, to hitch up
atterrissage *n.m.* landing, touchdown
aube *n.f.* dawn
aucunement *adv.* in no way
audace *n.f.* boldness, audacity
auprès *prép.* **de** with
autant *adv.* as much (as); **d'autant plus (que)** all the more so
autochenille *n.f.* half-track vehicle
autochtone *adj.* native, autochtonous
autrefois *adv.* in the past; **d'autrefois** of the past, of old
autrement *adv.* otherwise
avaler *v.* to swallow
avant *prép.* before; **l'avant-scène** *n.f.* the foreground
avènement *n.m.* arrival
aveugle *adj.* blind
aviser (s') *v.* to suddenly realize
avocat *n.m.*, **avocate** *n.f.* lawyer
avoine *n.f.* oats
avoisinant(e) *adj.* neighbouring, nearby
avouer *v.* to confess, to admit

B

baffe *n.f.* slap, hit
bagarre *n.f.* fight, brawl
bal *n.m.* ball, dance; **bal masqué** masked ball
balayer *v.* to sweep away
baleine *n.f.* whale; **baleine à bosse** humpback whale
ballon *n.m.* ball; **ballon-panier** basketball
bande *n.f.* group, band, strip; **bande dessinée** comic strip
barboter *v.* to splash about
barque *n.f.* small boat
barrer *v.* to bar, to block; **barrer le passage à qqn** to stand in someone's way
bassin *n.m.* deep, artificial basin
battre *v.* to scour, to comb; **se battre** to fight, to struggle
bavarder *v.* to chat, to gossip
bénéficier *v.* to benefit from

bénévolat *n.m.* volunteer work
benjamin *n.m.*, **benjamine** *n.f.* the youngest (child)
berceau *n.m.* cradle, birthplace
berceuse *n.f.* rocking chair
bêtise *n.f.* stupidity
béton *n.m.* concrete
bienvenu *n.m.*, **bienvenue** *n.f.* **soyez le bienvenu** you are very welcome
billard *n.m.* billiards
biplace *n.m.* two-seated vehicle or craft
blanchâtre *adj.* whitish, off-white
blottir (se) *v.* to curl up, to snuggle up
bonté *n.f.* kindness, goodness
bosser *v.* to work
bouffée *n.f.* puff
bouillie *n.f.* baby food, pablum
bourse *n.f.* expense, budget, prize money
bout *n.m.* tip, end; **au bout des doigts** at one's fingertips
bras *n.m.* arm; **les bras ouverts** with open arms
bref, brève *adj.* brief, short; **bref** *adv.* in short, in brief
brevet *n.m.* certificate, licence
brin *n.m.* bits and pieces; a bit
brio *n.m.* brilliance; **avec brio** brilliantly, with panache
bronzer *v.* to get a tan
brouillard *n.m.* fog
brouillon *n.m.* rough copy
brume *n.f.* fog, mist
bucolique *adj.* pastoral
buée *n.f.* steam, mist
butin *n.m.* spoils, loot

cachalot *n.m.* sperm whale
cache *n.f.* hiding place
cadre *n.m.* scope, context
cafetière *n.f.* coffee-maker
cahouteux, cahouteuse *adj.* bumpy, rough
cancre *n.m.* dunce
candidature *n.f.* application; **poser sa candidature** to apply for
canon *n.m.* gun, cannon; **canon à neige** snow-making machine
caoutchouc *n.m.* rubber
capteur *n.m.* electronic detection-device
carré(e) *adj.* square; **danse carrée** square dance
cascade *n.f.* waterfall
case *n.f.* hut, cabin
casque *n.m.* helmet
casquette *n.f.* cap
casser *v.* to break; **casser les oreilles** to deafen
castor *n.m.* beaver
causer *v.* to chat, to talk
cavalier *n.m.*, **cavalière** *n.f.* rider
caveau *n.m.* cellar
cavité *n.f.* cavity
céder *v.* to give in
ceinture *n.f.* belt
cendre *n.f.* ash, ashes
certes *adv.* certainly, of course
cervelle *n.f.* brain
cesse *n.f.* **sans cesse** continually
chacun(e) *pron. indéf.* each (one)
chagrin *n.m.* grief, sorrow
chahut *n.m.* uproar
chaleureux, chaleureuse *adj.* warm, hearty
cham *adj.* of Champa, an ancient kingdom of Indochina
champ *n.m.* field; **champ de glace** ice field; **champ fossilifère** fossil field; **sur-le-champ** at once
chancelant(e) *adj.* unsteady, wobbly
chansonnier *n.m.* singer and songwriter
char *n.m.* parade float
charbon *n.m.* coal; **mine** *n.f.* **de charbon** coal mine
chasse *n.f.* hunting
chauffer *v.* to warm up, to heat
chaussée *n.f.* road, roadway
chef *n.m.,f.* boss, chief; **chef de file** leader
cheminer *v.* to make its way (along)
chercheur *n.m.*, **chercheuse** *n.f.* researcher
chérir *v.* to cherish, to hold dear
chevauchée *n.f.* ride; **chevauchée à cru** bareback riding
chevronné(e) *adj.* experienced
chimérique *adj.* fanciful, imaginary
chiot *n.m.* puppy
chou *n.m.* cabbage
chou-fleur *n.m.* cauliflower
chouette *adj.* nice, great
chute *n.f.* fall
cinéaste *n.m.,f.* film-maker
citer *v.* to quote, to mention
claire(e) *adj.* bright, light
clairon *n.m.* bugle
clandestinement *adv.* secretly
climatiser *v.* to air-condition
clôturer *v.* to close
clou *n.m.* highlight
cochon *n.m.* pig
collier *n.m.* necklace
combattre *v.* to fight (against)
comble *adj.* **pour comble** to top it off
combler *v.* to fill
comédie *n.f.* play; **comédie héroïque** heroic play
commanditaire *n.m.* sponsor
commanditer *v.* to finance
commode *adj.* convenient
comportement *n.m.* behaviour
comporter *v.* to have, to include
comptant *n.m.* cash
compte *n.m.* count, account; **compte courant** current account; **compte rendu** account, book report; **tenir compte de qqch.** to take sth. into account
comptoir *n.m.* counter, trading post; **comptoir de fourrures** fur-trading post
concepteur *n.m.*, **conceptrice** *n.f.* creator
concevoir *v.* to design
concilier *v.* to reconcile
concourir *v.* to compete; **concourir à qqch.** to work towards something
concurrent *n.m.*, **concurrente** *n.f.* competitor, candidate
confection *n.f.* preparation
conférer *v.* to give, to endow
confier (se) *v.* **à qqn** to confide in someone
congédier *v.* to dismiss
consacré(e) *adj.* accepted, established
consacrer (se) *v.* **à** to dedicate oneself to
constater *v.* to notice
contenant *n.m.* container
contestataire *n.m.,f.* protester
conteur *n.m.*, **conteuse** *n.f.* storyteller
contrebandier *n.m.*, **contrebandière** *n.f.* smuggler
contredire *v.* to contradict, to refute
contrer *v.* to counter, to oppose
convaincre *v.* to convince
convenable *adj.* appropriate, correct
convenir *v.* to suit, to be suitable for
corail *n.m.* coral
corrida *n.f.* bullfight
côte *n.f.* coast
coteau *n.m.* hill, slope
côtoyer *v.* to mix with, to rub shoulders with
couche-culotte *n.f.* diaper
coucher *v.* to put to bed, to sleep
couchette *n.f.* berth, bunk
coude *n.m.* elbow; **coude à coude** shoulder to shoulder; **serrer les coudes** to stick together
couette *n.f.* duvet; **couettes** bunches

couler *v.* to flow
coulisse *n.f.* wing; **dans les coulisses** in the wings, behind the scenes
couper *v.* to cut, chop, break; **couper le souffle à qqn** to take someone's breath away
cour *n.f.* court; **faire la cour à qqn** to court someone
courageux, courageuse *adj.* brave, courageous
courant(e) *adj.* standard, ordinary; **être au courant** to be well-informed
coureur *n.m.*, **coureuse** *n.f.* runner, competitor; **coureur des bois** trapper
course *n.f.* race; **la course au bifteck** the rat race; **être à la course** to be in a hurry
coursier *n.m.* charger, steed
coussin *n.m.* cushion
couvent *n.m.* convent
couvre-feu *n.m.* curfew
cracher *v.* to spit out
craindre *v.* to fear, to be afraid of
creuser *v.* to dig out, to plough
crevé(e) *adj.* burst, punctured
crinière *n.f.* mane
crisper *v.* to clench
croisière *n.f.* cruise
croquer *v.* to crunch, to munch; **Que le grand crick me croque!** Well I'll be darned!
cueillir *v.* to pick (up), to pluck
cuivre *n.m.* copper
curriculum vitæ *n.m.inv.* résumé

débarquer *v.* to land, to disembark
débarrasser (se) *v.* de to get rid of, to rid oneself of
déboisement *n.m.* deforestation
débris *n.m.* fragments, pieces
débrouiller (se) *v.* to manage, to cope
débuter *v.* to start (out), to begin
décaler *v.* to shift forward or back
décennie *n.f.* decade
décerner *v.* to give, to issue
déchirer *v.* to tear up, to rip
décisif, décisive *adj.* critical, decisive
décollage *n.m.* takeoff
découler *v.* to ensue, to follow
décrocher *v.* to get, to land (a job)
déçu(e) *adj.* disappointed
dédier *v.* to dedicate
défense *n.f.* prohibition
défi *n.m.* challenge
défier *v.* to defy, to brave
défiler *v.* to march past, to parade
dégonfler *v.* to deflate
déguerpir *v.* to clear off, to drive off
déguisé(e) *adj.* disguised, hidden
délaisser *v.* to give up, to abandon
délire *n.m.* frenzy
démarrer *v.* to move off, to start up
déménagement *n.m.* move, change of residence
démentir *v.* to deny
demeurer *v.* to remain, to stay
dénouement *n.m.* conclusion
dentelle *n.f.* lace; **dentelle de papier** lacy paper
dépaysé(e) *adj.* disoriented
dépaysement *n.m.* change of scenery
dépérir *v.* to waste away, to fade away
dépistage *n.m.* tracking down, detection
dépit *n.m.* vexation, frustration; **en dépit de** in spite of
déplaire *v.* to displease
dépliant *n.m.* leaflet, folder
déploiement *n.m.* display
déployer *v.* to display
déposer *v.* to put down, to deposit
dépourvu(e) *adj.* **de** lacking in
déranger *v.* to disrupt, to put out of order
dérider *v.* to brighten up
dérouler (se) *v.* to take place, to unfold
désormais *adv.* henceforth
dessinateur *n.m.*, **dessinatrice** *n.f.* illustrator, designer
détendre (se) *v.* to relax, to calm down
détente *n.f.* relaxation
détroit *n.m.* strait
devancer *v.* to get ahead of
deviner *v.* to guess
dévoiler *v.* to reveal, to disclose
dévouement *n.m.* devotion, dedication
diététiste *n.m.,f.* nutritionist
directeur *n.m.*, **directrice** *n.f.* manager, director
directionnel, directionnelle *adj.* directional, determining direction
dirigeant *n.m.*, **dirigeante** *n.f.* director, manager
diriger *v.* to be in charge of, to conduct
disconvenir *v.* to deny; **je n'en disconviens pas** I don't deny it
disgracieux, disgracieuse *adj.* awkward, ungainly
disperser *v.* to scatter, to spread out
disposer *v.* **de** to have at one's disposal
disputer *v.* to contest, to argue
dissimuler *v.* to hide, to conceal
dissiper (se) *v.* to misbehave
dissocier *v.* to split up
divergence *n.f.* difference
divertir *v.* to amuse, to entertain
domicile *n.m.* place of residence
don *n.m.* gift, talent
doré(e) *adj.* gilded
dorénavant *adv.* from now on, henceforth
douleur *n.f.* pain, grief
dramaturge *n.m.,f.* dramatist, playwright
dresser *v.* to draw up (a list); to tame; **se dresser** to rise; **non dressé(e)** untamed
droit *n.m.* law
dur *n.m.*, **dure** *n.f.* tough person
durablement *adv.* on a long-term basis

éberluer *v.* to astound, to dumbfound
éblouissant(e) *adj.* dazzling
ébranler *v.* to rattle, to disturb
écart *n.m.* gap, interval
écarter *v.* to move apart, to open
échapper (s') *v.* to escape
échasse *n.f.* stilt
échéance *n.f.* expiry date, deadline
échelle *n.f.* scale
échouer *v.* to fail
éclairer (s') *v.* to light up
éclat *n.m.* ray
éclatant(e) *adj.* dazzling
éclater *v.* to break out
éclectique *adj.* eclectic
école *n.f.* school; **petite école** primary school
écraser *v.* to step on
écrin *n.m.* case, box; **dans l'écrin de** in the beautiful setting of
écriture *n.f.* writing
écurie *n.f.* stable
effarant(e) *adj.* alarming, worrying
effectuer *v.* to make
efficace *adj.* effective, efficient
effondrer (s') *v.* to collapse, to fall down
efforcer (s') *v.* **de faire** to try hard to do
effréné(e) *adj.* wild, frantic
effusion *n.f.* burst
également *adv.* also, as well
élancer (s') *v.* to hurl onseself, to dash
élargir *v.* to widen, to broaden

éloigner (s') *v.* to move away, to grow more and more distant
emballage *n.m.* packing, wrapping; **papier d'emballage** wrapping paper
embarcation *n.f.* (small) boat, craft
embêter *v.* to bother, to annoy
emblée *adv.* **d'emblée** at once
embouchure *n.f.* mouth
embrocher *v.* to impale
émerveiller *v.* to fill with wonder
émetteur *n.m.* transmitter
émettre *v.* to emit, to give off
emmener *v.* to take away, to take someone somewhere
empêcher *v.* to prevent, to stop
empiler *v.* to pile (up), to stack (up)
empoté *n.m.*, **empotée** *n.f.* awkward person, klutz
emprise *n.f.* hold, ascendancy (over)
emprunter *v.* to borrow, to take
encadrer *v.* to surround
encaisser *v.* to cash
enchanter *v.* to enchant, to delight
enchanteur, enchanteresse *adj.* enchanting
enclume *n.f.* anvil
encombrer *v.* to clutter (up)
endommager *v.* to damage
endosser *v.* to endorse
enfiler *v.* to slip on, to put on
enflammer *v.* to set on fire; **s'enflammer** to catch fire
enfoncer *v.* to stick in, to thrust
enfuir (s') *v.* to run away, to flee
engraisser *v.* to fertilize
enlever *v.* to kidnap
enregistrer *v.* to record
enseignement *n.m.* education, teaching
enserrer *v.* to hug tightly
entasser (s') *v.* to pile up; **s'entasser dans** to cram, pack into
entendre (s') *v.* to get along, to agree
entente *n.f.* agreement
entouré(e) *adj.* surrounded
entourer *v.* to surround
entraider (s') *v.* to help each other
entraînement *n.m.* training
entraîner (s') *v.* to train
entre-temps *adv.* meanwhile, (in the) meantime
entregent *n.m.* social skills
entreprendre *v.* to undertake
entretenir *v.* to converse (with)
entretien *n.m.* conversation; maintenance, upkeep
envergure *n.f.* scale, scope
envie *n.f.* envy; **avoir envie de faire qqch.** to feel like doing something
environnant(e) *adj.* surrounding
envoi *n.m.* shipment, dispatching; **coup** *n.m.* **d'envoi** kick-off
épais, épaisse *adj.* thick, deep
épanouissement *n.m.* personal enrichment
épargner *v.* to save
épave *n.f.* wreck, wretched person
éperdu(e) *adj.* distraught, overcome
épinard *n.m.* spinach
époque *n.f.* time, era, age
épouser *v.* to marry
époux *n.m.*, **épouse** *n.f.* spouse
épreuve *n.f.* (sports) event
éprouver *v.* to feel, to experience
épuiser *v.* to exhaust, to tire out
équiper *v.* to equip, to fit out; **équipé(e) de** equipped with
équitation *n.f.* horse-back riding
éroder *v.* to erode
errer *v.* to wander, to roam
escalade *n.f.* climbing, scaling
esclave *n.m.* slave
esquisse *n.f.* sketch, outline
essouffler *v.* to make breathless
estompé(e) *adj.* blurred, soft
étable *n.f.* stable
établir *v.* to establish
étalage *n.m.* display; **faire étalage de** to show off
éteindre *v.* to put out, to extinguish
étendre *v.* to expand
étoile *n.f.* star; **étoile de mer** starfish; **étoile filante** shooting star
étouffer *v.* to suffocate, to choke
étourdi(e) *adj.* thoughtless, scatter-brained
évader (s') *v.* to escape
évidemment *adv.* of course, obviously
éviter *v.* to avoid
évoluer *v.* to develop, to advance
exercer *v.* to fulfil, to play, to practise
exigence *n.f.* demand, requirement
exiger *v.* to demand, to require
expédier *v.* to send; to deal with
expérimenter *v.* to test, to try out

fabricant *n.m.*, **fabricante** *n.f.* manufacturer
fabriquer *v.* to manufacture, to make
façonner *v.* to shape, to make
facture *n.f.* bill, invoice
faible *adj.* weak
faire *v.* to make, to do; **faire partie de** to be a part of, to belong to
fait *n.m.* event, occurrence; **de fait** in fact
falaise *n.f.* cliff
familial(e) *adj.* family, domestic
fantôme *n.m.* ghost, phantom
farfelu(e) *adj.* eccentric, odd
faune *n.f.* wildlife, fauna
faunique *adj.* wildlife
fauteuil *n.m.* armchair; **fauteuil roulant** wheelchair
fébrile *adj.* feverish
féerique *adj.* magical, fairy
félicitations *n.f.pl.* congratulations
fer *n.m.* iron
féroce *adj.* ferocious, fierce
fêtard *n.m.*, **fêtarde** *n.f.* merrymaker, reveler
feu *n.m.* fire; **feux d'artifice** fireworks
feuilleter *v.* to leaf through, to skim through
feuilleton *n.m.* series; **publié en feuilleton** serialized
fidélité *n.f.* faithfulness, loyalty
filer *v.* to run, to fly
filet *n.m.* net
financier, financière *adj.* financial
flambeau *n.m.* torch
flanc *n.m.* side, flank
flèche *n.f.* arrow
fléché(e) *adj.* arrowed, marked with arrows
flocon *n.m.* flake
flots *n.m.pl.* waves
foi *n.f.* faith, trust
foire *n.f.* (trade) fair
folie *n.f.* fad
foncer *v.* to charge (at), to make a rush (toward)
fondre *v.* to melt, to dissolve
force *n.f.* strength, force; **à force de** by way of
forfaitaire *adj.* inclusive
formation *n.f.* training; **formation scolaire** education
fourmi *n.f.* ant
fourmillement *n.m.* swarming, milling
fourmiller *v.* de to be teeming with
frais *n.m.pl.* expenses, costs
franchir *v.* to clear, to jump over
frappant(e) *adj.* striking
frapper *v.* to hit, to strike
frayeur *n.f.* fright
frein *n.m.* brake
freiner *v.* to brake
frère *n.m.* brother; **demi-frère** half-brother

frontière *n.f.* border
fructueux, fructueuse *adj.* fruitful, profitable
frustré(e) *adj.* frustrated
fugueur *n.m.*, **fugueuse** *n.f.* runaway
fuir *v.* to flee, to avoid
fulgurant(e) *adj.* dazzling, blazing
fusée *n.f.* rocket
futur *n.m.* fiancé; **future** *n.f.* fiancée

gagnant *n.m.*, **gagnante** *n.f.* winner
gaillard(e) *adj.* strong, lively
gamme *n.f.* range
ganter *v.* to fit with gloves, to put gloves on
garder *v.* to look after, to watch
gare à qqch. watch it!, pay attention!
gargouillement *n.m.* gurgling, rumbling
gaspillage *n.m.* wasting, squandering
gâter *v.* to spoil
gaufre *n.f.* waffle
gérant *n.m.*, **gérante** *n.f.* manager
gérer *v.* to manage, to administer; **gérer son temps** to manage one's time
gibier *n.m.* game, prey
gîte *n.m.* shelter, home; **gîte d'étape** bed and breakfast
glisser (se) *v.* **dans** to slip into, to creep into
gonfler *v.* to pump up, to inflate
goût *n.m.* taste; **avoir goût de** to taste like
goutte *n.f.* drop
goyave *n.f.* guava
grâce *n.f.* grace, charm; **grâce à** thanks to
graisse *n.f.* fat
grandeur *n.f.* size; **grandeur nature** life-size
grandiose *adj.* imposing, grandiose
grandir *v.* to grow (up)
gras, grasse *adj.* fat, thick, bold (letters)
gratin *n.m.* **le gratin** the elite
grave *adj.* serious
gravir *v.* to climb
grès *n.m.* sandstone
grève *n.f.* shore, (river) bank
griffe *n.f.* claw
grillade *n.f.* grill, barbecue
grimpe *n.m.* rope-climbing
grincheux, grincheuse *adj.* grumpy
grommeler *v.* to mutter, to grumble
gronder *v.* to scold
guerrier *n.m.*, **guerrière** *n.f.* warrior
guetter *v.* to watch for, to be on the look-out for
guimauve *n.f.* marshmallow
guise *n.f.* **en guise de** by way of

habileté *n.f.* skill
happer *v.* to snatch (up), to grab
harnais *n.m.* harness
hebdomadaire *adj.* weekly (publication)
hébergement *n.m.* lodging
héberger *v.* to put up, to lodge
heurter *v.* to hit, to collide with
hideux, hideuse *adj.* hideous
hirondelle *n.f.* swallow
hivernal(e) *adj.* winter, wintry
honte *n.f.* disgrace, shame
hôtel *n.m.* hotel; **hôtel de ville** town/city hall
hublot *n.m.* porthole

illuminer (s') *v.* to light up
îlot *n.m.* small island
immobilier, immobilière *adj.* property; **agent immobilier** real estate agent
implanter *v.* to introduce, to set up
imprévu(e) *adj.* unforeseen, unexpected
imprimante *n.f.* printer
imprimé *n.m.* printed matter
imprudemment *adv.* carelessly
inattendu(e) *adj.* unexpected, unforeseen
inaugurer *v.* to inaugurate, to open
incommensurable *adj.* immeasurable
incontesté(e) *adj.* unrivalled
indice *n.m.* clue, sign
inexistant(e) *adj.* imaginary, non-existent
ingrat(e) *adj.* thankless
initier (s') *v.* to become initiated
inquiéter (s') *v.* to worry
inquiétude *n.f.* anxiety, restlessness
inscrire (s') *v.* to sign up for
insolite *adj.* unusual, strange
interdiction *n.f.* ban
interdit(e) *adj.* banned, forbidden
interposer (s') *v.* to intervene
intrépide *adj.* bold
issu(e) *adj.* **de** descended from
issue *n.f.* exit, end

jadis *adv.* formerly, long ago
jalon *n.m.* step, milestone
javelot *n.m.* javelin
joindre (se) *v.* **à** to join
journaliste *n.m.f.* journalist; **journaliste à la pige** freelance journalist
jumeau *n.m.*, **jumelle** *n.f.* twin
jumelles *n.f.pl.* binoculars
jument *n.f.* mare
juridique *adj.* legal

lâcher *v.* to let go of, to part with
laid(e) *adj.* ugly, unattractive
laideur *n.f.* ugliness, unattractiveness
laineux, laineuse *adj.* woolly
langouste *n.f.* crayfish
latérite *n.f.* red, porous stone
lauréat *n.m.*, **lauréate** *n.f.* (prize) winner
lecteur *n.m.*, **lectrice** *n.f.* reader
léger, légère *adj.* light, mild; **ultra-léger** extra-light
lessive *n.f.* laundry
libérer *v.* to release, to free
liberté *n.f.* freedom
libre *adj.* free; **donner libre cours à** to give free rein to
lien *n.m.* bond, tie; **liens de parenté** family ties
lieu *n.m.* place, scene; **avoir lieu** to take place
lilas *n.m.* lilac
lisse *adj.* smooth
littérateur *n.m.* author
livrer *v.* to deliver; **se livrer à** to take up an activity
logiciel *n.m.* software
longer *v.* to border, to run alongside
longue *adj.* long, lengthy; **à la longue** eventually, in the long run
lors *adv.* **de** at the time of
louer *v.* to rent
lourd(e) *adj.* heavy
lueur *n.f.* glimmer, light
lugubre *adj.* gloomy, dismal
lustre *n.m.* chandelier
lutin *n.m.* elf, goblin, sprite
lutte *n.f.* conflict, fight, wrestling

mâcher *v.* to chew
magnétoscope *n.m.* video-tape recorder
maillot *n.m.* vest, jersey
maître *n.m.* master; **maître à penser** leader, intellectual guide
malédiction *n.f.* curse
malfaisant *n.m.* trouble-maker, mischief-maker
malgré *prép.* in spite of, despite
mammifère *n.m.* mammal
manchot *n.m.* penguin found only in the Antarctic
manifestation *n.f.* event
manque *n.m.* lack, deficiency
manquer *v.* to miss
manufacture *n.f.* factory
maquilleur *n.m.*, **maquilleuse** *n.f.* make-up artist
marchand *n.m.*, **marchande** *n.f.* shopkeeper, merchant
marche *n.f.* walk, march, step
marché *n.m.* market; **le marché du travail** the labour market; **faire une entrée sur le marché** to come out on the market; **aller faire le marché** to go shopping
mariée *n.f.* bride; **robe de mariée** wedding dress
marin *n.m.* sailor
marmonner *v.* to mumble, to mutter
marrant(e) *adj.* amusing
médaillé *n.m.*, **médaillée** *n.f.* medal-holder
mêler *v.* **à** to mix with, to mingle with
ménage *n.m.* housework
ménager *v.* to treat with care
mériter *v.* to deserve, to merit
mésestimer *v.* to underestimate, to underrate
métier *n.m.* occupation, job
métis, métisse *adj.* of mixed ancestry
métropole *n.f.* metropolis, home country
mettre *v.* to put; **se mettre à** to start, to begin
mi- *préf.* half, mid; **la mi-janvier** mid-January
micro-onde *n.m.* microwave-oven
mignon, mignonne *adj.* sweet, cute
milieu *n.m.* middle; **au beau milieu de** right in the middle of
mirador *n.m.* watchtower
mite *n.f.* clothes moth
moche *adj.* ugly
mœurs *n.f.pl.* morals, customs, habits
moine *n.m.* monk, friar
monde *n.m.* world; **de par le monde** all over the world
mondial(e) *adj.* world, world-wide
moniteur *n.m.*, **monitrice** *n.f.* instructor
monoparental(e) *adj.* single-parent
montage *n.m.* assembly; **chaîne** *n.f.* **de montage** assembly line
montagne *n.f.* mountain; **chaîne** *n.f.* **de montagnes** mountain range
montée *n.f.* climb, ascent
monter *v.* to climb; to assemble; **monter un cheval** to ride a horse; **monter un spectacle** to put on a show
montgolfière *n.f.* hot air balloon
moquer (se) *v.* **de** to make fun of somebody, to mock
moteur, motrice *adj.* driving (force)
mou, molle *adj.* soft, gentle
moule *n.f.* mussel
moulin *n.m.* mill; **moulin à paroles** chatterbox
moulu(e) *adj.* bruised, worn-out

nager *v.* to swim; **nager dans l'argent** to be rolling in money
natal(e) *adj.* native, of birth
nauséabond(e) *adj.* nauseating
néerlandais(e) *adj.* Dutch, of the Netherlands
nippon, nipponne *adj.* Japanese
noblesse *n.f.* nobility
noces *n.f.pl.* **les noces** wedding
nocturne *adj.* nocturnal, night
nœud *n.m.* knot; **nœud de vipères** nest of vipers
noirceur *n.f.* blackness, darkness
nouvelle *n.f.* a piece of news; **les nouvelles** the news
noyade *n.f.* drowning
noyer *v.* to flood, to drown
numéro *n.m.* issue (of a magazine)

obliger *v.* to oblige, to bind; **obliger qqn à faire** to make it compulsory for someone to do
occasion *n.f.* opportunity, chance
océanographe *n.m.,f.* oceanographer
oisiveté *n.f.* idleness
ombre *n.f.* shadow, darkness
ombrelle *n.f.* parasol, umbrella
ongle *n.m.* nail
orage *n.m.* storm
ordinateur *n.m.* computer; **ordinateur de poche** pocket computer
ordonner *v.* to order
orignal *n.m.* moose
orner *v.* to decorate, to embellish
oser *v.* to dare
ossements *n.m.pl.* bones
otage *n.m.* hostage
ouïe *n.f.* hearing
ours *n.m.* bear; **ours polaire** polar bear
oursin *n.m.* sea urchin
ourson *n.m.* bear (cub)
outil *n.m.* tool
outre *prép.* as well as, besides
ouvre-boîte *n.m.* can opener
ouvrier *n.m.*, **ouvrière** *n.f.* worker, labourer

palefrenier *n.m.*, **palefrenière** *n.f.* (horse) groom
palmarès *n.m.* prize list, record (of achievements)
palmier *n.m.* palm tree
palpitant(e) *adj.* thrilling, exciting
panoramique *adj.* panoramic, all-encompassing
paquebot *n.m.* liner, (steam) ship
parapente *n.m.* parasailing
parapentiste *n.m.,f.* parasailer
parcourir *v.* to cover, to travel
parcours *n.m.* distance, journey, route
pareil, pareille *adj.* similar, of the sort, the same
pari *n.m.* bet, wager
partance *n.f.* **en partance** outbound, bound for
partie *n.f.* part, amount; **en partie** partly, in part
partir *v.* to leave, to go; **à partir de** from
parvenir *v.* to reach; to achieve; **faire parvenir qqch. à qqn** to send something to someone
parvis *n.m.* church square
passionnant(e) *adj.* exciting
passionné(e) *adj.* passionate, impassioned
passionner *v.* to fascinate, to be a passion with

pâte *n.f.* batter, dough; **pâte à pain** bread dough
patinage *n.m.* skating; **patinage de vitesse** speed skating
patineur *n.m.*, **patineuse** *n.f.* skater; **patineur artistique** figure skater
patrimoine *n.m.* heritage
patronner *v.* to give a patron to, to sponsor
paume *n.f.* palm
paysage *n.m.* landscape, scenery
péage *n.m.* toll, tollgate; **route** *n.f.* **à péage** toll road
pêcheur *n.m.*, **pêcheuse** *n.f.* angler
peigner *v.* to comb
peine *n.f.* effort, trouble; **à peine** hardly, scarcely; **il vaut la peine** it's worth the trouble
peloton *n.m.* cluster, group
pelouse *n.f.* lawn
peluche *n.f.* plush; **jouets en peluche** stuffed toys
pencher *v.* to lean over
pendant *prép.* during, for; **pendant que** *conj.* while
pendant(e) *adj.* hanging, drooping
pendu(e) *adj.* hung up, hanged
percevoir *v.* to perceive, to detect
père *n.m.* father; **beau-père** father-in-law
perpétuer *v.* to carry on
personnel *n.m.* staff, employees; **personnel de soutien** support staff
perte *n.f.* loss, ruin; **il court à sa perte** he is on the road to ruin; **à perte de vue** as far as the eye can see
peser *v.* to weigh
petit(e) *adj.* small; **petite-fille** *n.f.* granddaughter; **petit-fils** *n.m.* grandson
pétrin *n.m.* mess, tight spot
peupler *v.* to populate
phare *n.m.* headlight
phylactère *n.m.* speech bubble (in comic strip)
piaffer *v.* to fidget
piastre *n.f.* dollar (slang)
pièce *n.f.* play
piège *n.m.* trap; **jeu de pièges** trivia quiz
piéton *n.m.* pedestrian
piètre *adj.* mediocre
piger *v.* to pick (out)
pinceau *n.m.* brush
pingouin *n.m.* small bird found only in the Arctic
piquer *v.* to catch, to get
pirogue *n.f.* dugout canoe
piste *n.f.* track, trail
pitoyablement *adv.* pitifully
placard *n.m.* cupboard
plaindre *v.* to pity, to feel sorry for
plein(e) *adj.* full; **faire le plein** to fill up
pli *n.m.* envelope, letter; fold; **sous ce pli** enclosed, herewith
plier *v.* to fold
plongée *n.f.* diving, submersion; **plongée sous-marine** scuba-diving
plus *adv.* more; **en plus de** in addition to
plutôt *adv.* rather, instead
pneumatique *adj.* inflatable
poids *n.m.* weight
poignarder *v.* to stab
poil *n.m.* coat, fur (of animal)
point *n.m.* point, place; **point de départ** departure point; **point de repère** landmark, reference point
pointer *v.* to stick, to peep out
poisson *n.m.* fish; **poisson d'avril** April fool's trick
pont *n.m.* deck
portatif, portative *adj.* portable
porte-parole *n.m.inv.* spokesperson
portée *n.f.* range, reach; **à la portée de** within reach
portique *n.m.* crossbar
poumon *n.m.* lung
poursuivant *n.m.*, **poursuivante** *n.f.* pursuer
poursuivre *v.* to pursue, to continue
pourvu(e) *adj.* **de** provided with
poussière *n.f.* dust
pré *n.m.* meadow
précieux, précieuse *adj.* precious, invaluable
précis(e) *adj.* exact, accurate
prédire *v.* to foretell, to predict
préposer *v.* to appoint; **être préposé à** to be in charge of
pressant(e) *adj.* pressing, insistent
pressé(e) *adj.* hurried; **on est pressé** we're in a great hurry
pression *n.f.* pressure
prestance *n.f.* imposing presence
prestigieux, prestigieuse *adj.* prestigious, renowned
prétendant *n.m.* suitor
prêter *v.* to lend; **prêter foi** to believe in
prévision *n.f.* prediction, forecast
prévoir *v.* to foresee, to anticipate
prime *n.f.* free gift, bonus
primer *v.* to take precedence over, to dominate
priver *v.* to deprive
prodigieux, prodigieuse *adj.* incredible, phenomenal
progéniture *n.f.* offspring
programmation *n.f.* (computer) programming
projeter *v.* to plan
propice *adj.* favourable
propos *n.m.pl.* talk, remarks; **à propos de** about, concerning
propriétaire *n.m.f.* owner, proprietor
propriété *n.f.* property, estate
provision *n.f.* stock, supply; **provisions** *n.f.pl.* provisions, food
publicité *n.f.* advertising, publicity
puce *n.f.* flea; **puce électronique** microchip, computer chip
puiser *v.* to draw (from), to take

quadrille *n.m.* square dance
quadriller *v.* to mark out, to control
quasiment *adv.* almost, nearly
quête *n.f.* pursuit; **être en quête de** to be looking for
queue *n.f.* line; **faire la queue** to stand in line

racine *n.f.* root
raid *n.m.* long-distance trek
ralentir *v.* to slow down
ramer *v.* to row
ranger *v.* to tidy up
rapatrier *v.* to bring back home
rapporté(e) *adj.* indirect
rapporter *v.* to report, to quote
raquette *n.f.* racket, bat
raser *v.* to shave
rassasier *v.* to satisfy
rassemblement *n.m.* rounding up, assembling
rassembler *v.* to gather together, to assemble
rassurant(e) *adj.* reassuring, comforting
rater *v.* to miss, to fail; **il a raté son coup** he didn't pull it off
rattraper *v.* to recapture, to catch

ravi(e) *adj.* delighted
réalisation *n.f.* achievement
réaliser *v.* to realize, to fulfil
récemment *adv.* recently
récepteur *n.m.* receiver
réchauffer *v.* to reheat, to warm
recherche *n.f.* search, research; **à la recherche de** in search of
récolter *v.* to collect, to gather
récompense *n.f.* reward
recourir *v.* à to resort to, to turn to; **recourir à un truc** to resort to a trick
recouvrir *v.* to cover
récréatif, récréative *adj.* recreational
recul *n.m.* distance
reculer *v.* to back away
récupérer *v.* to salvage
rédacteur *n.m.*, **rédactrice** *n.f.* editor; **rédacteur/rédactrice en chef** editor in chief
redémarrer *v.* to start (up) again
réfugier (se) *v.* to take refuge
régaler (se) *v.* to have a delicious meal
régime *n.m.* diet
régir *v.* to govern
réjouir *v.* to delight, to gladden
relent *n.m.* foul smell
relever *v.* to take up, to accept; to rebuild; **relever de** to recover from
relief *n.m.* depth
relier *v.* to link up, to connect
remonter *v.* to go back up; **remonter la pente** to fight one's way back again
remporter *v.* to carry off, to win
remuer *v.* to move, to stir
renaissance *n.f.* rebirth
rencontrer (se) *v.* to meet, to play
rendement *n.m.* productivity, output
rendre (se) *v.* **à** to go to
renommé(e) *adj.* famous
renommée *n.f.* fame, renown
rentrer *v.* to come back (home)
renverser *v.* to knock over, to overturn
renvoyer (se) *v.* to send back, to return; **ils se renvoient la balle** they throw the ball to each other
répandu(e) *adj.* widespread
réparation *n.f.* restoration, repair
repérer *v.* to locate, to find
répétition *n.f.* practice, rehearsal
replier *v.* to fold back up
répondeur *n.m.* answering machine
reposer (se) *v.* to rest
repousser *v.* to repel, to push back, to put off
reprise *n.f.* occasion, time; **à plusieurs reprises** on several occasions
requérir *v.* to call for, to require
réseau *n.m.* network
réserve *n.f.* reservation
résoudre *v.* to resolve, to settle, to solve
ressentir *v.* to feel, to be affected by, to experience
ressourcer (se) *v.* to renew oneself
restauration *n.f.* catering or food service
retenue *n.f.* self-control, restraint
retirer *v.* to remove, to withdraw
retombée *n.f.* consequences
retordre *v.* to twist again; **donner du fil à retordre à qqn** to make life difficult for someone
réunion *n.f.* meeting
réunir *v.* to gather, to combine
revanche *n.m.* revenge
révolté(e) *adj.* rebellious
rien *pron. indéf.* nothing; **rien à voir** nothing to do with
rieur, rieuse *adj.* cheerful, merry
rigueur *n.f.* harshness
rivaliser *v.* to rival, to compete with
riverain *n.m.*, **riveraine** *n.f.* lakeside/riverside resident
robotique *n.f.* robotics
rocher *n.m.* rock, boulder
Rocheuses, les montagnes *n.f.* the Rocky Mountains
romancier *n.m.*, **romancière** *n.f.* novelist
rompre *v.* to break
ronde *n.f.* rounds, patrol
rorqual *n.m.* type of large whale
rosier *n.m.* rosebush, rose tree
roue *n.f.* wheel
route *n.f.* road, route, path; **en route pour** bound for, heading for
royaume *n.m.* kingdom, realm
rubrique *n.m.* heading
rude *adj.* harsh, rough

S

sacrer *v.* to crown
sage *adj.* wise, sensible
sagement *adv.* properly, quietly
sagesse *n.f.* wisdom
saigner *v.* to bleed
salin(e) *adj.* saline, salty
salir *v.* to (make) dirty, to soil
salver *v.* to greet
sang *n.m.* blood
sang-froid *n.m.inv.* calm, cool
sauvage *adj.* wild, savage
scène *n.f.* play
scientifique *n.m.,f.* scientist
seau *n.m.* bucket, pail
sécheresse *n.f.* dryness, drought
sécurisant(e) *adj.* safe
séduire *v.* to seduce, to charm, to captivate
sein *n.m.* breast; **au sein de** within, in the midst of
séjour *n.m.* stay, sojourn
séjourner *v.* to stay
sellette *n.f.* saddle
semblable *n.m.* fellow creature
semelle *n.f.* sole
sensibilité *n.f.* sensitivity
sentier *n.m.* path
sentir *v.* to feel
serein(e) *adj.* serene, calm
serment *n.m.* oath, pledge; **serment d'allégeance** pledge of allegiance
serre *n.f.* greenhouse; **l'effet** *n.m.* **de serre** the greenhouse effect
servir *v.* to serve; **servir de** to act as, to serve as
seuil *n.m.* threshold
siècle *n.m.* century, age
sifflet *n.m.* whistle; **au coup de sifflet** at the blow of the whistle
signer *v.* to sign
sillonner *v.* to cross
sinistre *adj.* sinister
soin *n.m.* care
solliciter *v.* to seek, to request
somme *n.f.* sum, amount
somme *n.m.* nap, snooze
sommeiller *v.* to be sleeping
sommet *n.m.* summit, top
sondage *n.m.* poll
songer *v.* to dream; **songer à** to think over, reflect upon
sorcière *n.f.* witch
sort *n.m.* curse, spell; **jeter un sort à qqn** to cast a spell on someone
souche *n.f.* **de souche** originally from
souci *n.m.* worry
souffler *v.* to whisper, to breathe out
soulager *v.* to relieve, to soothe
soulever *v.* to lift (up)
souligner *v.* to accentuate, to emphasize
soupeser *v.* to weigh up
source *n.f.* origin, source
sous-marin *n.m.* submarine
soutenir *v.* to support
souvenir (se) *v.* **de** to remember, to recall

souverain *n.m.f.* sovereign, monarch
sportif *n.m.*, **sportive** *n.f.* sports-person
stage *n.m.* training period; course; **stage d'initiation** course for beginners; **stage de perfectionnement** advanced course
station *n.f.* station, stop, resort; **station balnéaire** beach resort; **station de ski** ski resort; **station touristique** tourist resort
strie *n.f.* streak
strophe *n.f.* verse, stanza
stupéfiant(e) *adj.* astounding, staggering
subventionner *v.* to grant funds to, to subsidize
sueur *n.f.* sweat
suite *n.f.* continuation, sequel; **à la suite** one after the other
supplier *v.* to implore, to beg
surmenage *n.m.* overwork
surpasser *v.* to surpass, to outdo
survenir *v.* to take place, to occur
survoler *v.* to fly over, to skim through
susciter *v.* to arouse, to provoke

table *n.f.* table; **être à table** to be having a meal, to be eating
tableau *n.m.* painting
tache *n.f.* mark, spot; **taches de rousseur** freckles
tâche *n.f.* task, job
tailler *v.* to cut, to carve; **se tailler une place** to get a job
taire (se) *v.* to be silent, quiet; **faire taire** to silence
tapis *n.m.* carpet, rug
tapoter *v.* to tap, to pat
tarder *v.* to take a long time
tâter *v.* to feel
taureau *n.m.* bull
taurillon *n.m.* bull-calf
technicien *n.m.*, **technicienne** *n.f.* technician
technicité *n.f.* technical nature
télébanque *n.f.* bank machine
télécommande *n.f.* remote control
télécopieur *n.m.* fax machine
téléphone *n.m.* telephone; **téléphone cellulaire** cellular phone
tellement *adv.* so, so much
témoignage *n.m.* evidence, testimony; **témoignage d'appréciation** expression of appreciation
tendre *v.* **à faire qqch.** to tend to do something
teneur *n.f.* grade; **de faible teneur** low-grade
tentant(e) *adj.* tempting, inviting
tente *n.f.* tent
tenter *v.* to try, to attempt
tenue *n.f.* dress, clothing; **tenue de plongée** diving suit
terminer (se) *v.* to end
terrasser *v.* to bring down, to overwhelm
tête *n.f.* head; **en tête de** at the forefront, in the lead
tir *n.m.* shooting, firing; **tir à l'arc** archery
tiroir *n.m.* drawer
toile *n.f.* canvas, painting
torero *n.m.* bullfighter
toucher *v.* to touch, to reach
tour *n.f.* tower
tournée *n.f.* tour
trac *n.m.* stage fright, nerves; **avoir le trac** to have stage fright
tracasser *v.* to worry, to bother
tracer *v.* to trace
train *n.m.* train, pace; **être en train de faire qqch.** to be in the middle of doing sth.
traite *n.f.* trade; **traite des fourrures** fur trade
traité *n.m.* treaty
traiter *v.* to treat; **traiter de** to deal with; **traiter en adulte** to treat (somebody) as an adult
trajectoire *n.f.* path, trajectory
trajet *n.m.* route, path
tranchant(e) *adj.* sharp
transmettre *v.* to transmit, to pass on
transpirer *v.* to sweat over
travers *n.m.* across, crosswise; **à travers** across, through
traverser *v.* to cross, to go through
tremplin *n.m.* diving-board, spring-board
tresser *v.* to braid
tri *n.m.* selection
tribunal *n.m.* court
trille *n.m.* song (of a bird)
tripoter *v.* to fiddle with, to rummage about
trois-mâts *n.m.inv.* three-masted craft
tromper *v.* to deceive, to mislead; **se tromper** to make a mistake; **se tromper de route** to take the wrong road
trôner *v.* to sit imposingly
trouer *v.* to wear a hole in
troupe *n.f.* groupe, (theatre) company
troupeau *n.m.* herd
turbulent(e) *adj.* unruly, boisterous

ultérieur(e) *adj.* later, subsequent
usine *n.f.* factory

vague *n.f.* wave
vaincre *v.* to defeat, to overcome
vainqueur *n.m.* winner
vaisseau *n.m.* vessel, ship
vaisselle *n.f.* crockery, dishes
valeureux, valeureuse *adj.* brave
valoriser (se) *v.* to self-actualize, to increase one's standing
vapeur *n.f.* haze, vapour
veau *n.m.* calf
veille *n.f.* **la veille** the day before
veiller *v.* **à** to see to, to attend to; **veiller sur** to watch over
vélo *n.m.* bicycle, cycling
vénérer *v.* to revere, to venerate
venger (se) *v.* to take (one's) revenge
ventre *n.m.* stomach; **à plat ventre** face down
vers *n.m.* line, verse
vestige *n.m.* trace
vêtu(e) *adj.* dressed
vide *adj.* empty
vieillard *n.m.* old man
virage *n.m.* turn
virée *n.f.* drive, turn
virer *v.* to turn
viser *v.* to try and achieve; **attitudes visées** goals to be achieved
vivant(e) *adj.* lively
vocalise *n.f.* vocalisation
voguer *v.* to sail, to drift
voile *n.f.* sail, sailing
voile *n.m.* veil
voilier *n.m.* sailing ship
voisinage *n.m.* neighbourhood
volant *n.m.* steering wheel; **un coup de volant** a turn of the wheel
volatiliser (se) *v.* to vanish
volonté *n.f.* willpower
voyagiste *n.m.* travel agent
vraisemblable *adj.* likely, convincing, plausible
vue *n.f.* view, sight; **se perdre de vue** to lose sight of

Index

Acknowledgments
The publisher wishes to thank all the reviewers who contributed to the development of this project, in particular, Holly Bick for her valuable advice and suggestions.

The following persons and organizations have kindly granted permission to reproduce text and/or artwork.

p. 10: Mon pays, Gilles Vigneault; *pp. 14-15*: le Festival du Voyageur; *pp. 16-17*: Jean Jacques Sempé, Riley Illustration; *p. 19*: Pierre Gamarra, *La Mandarine et le mandarin*; *p. 22*: Le Pays de la Sagouine; *p. 23*: le Comité organisateur du Congrès mondial acadien; *p. 33*: Salma, *Mon premier tour du monde*, Casterman; *p. 38*: Maison de la France; p. *39*: Mary Glasgow Publications Ltd., London; *pp. 40-41*: © 1992 Scholastic Inc.; *pp. 50-51*: Conseil des Jeux du Canada; Sport pictograms © ERCO Leuchten GmbH; *p. 55*: © United Feature Syndicate; *pp. 59-61: Les enfants du bonhomme dans la lune*, Éditions Internationales Alain Stanké Ltée, 1979; *pp. 63-65: Diabolo Menthe*, Meulenhoff Educatief; *pp. 70-71*: Raymond Devos, *À plus d'un titre*, Olivier Orban, 1989; *pp. 76-77*: © The CRB Foundation/Canada Post Corporation; *p. 80: Tintin et les Picaros*, © Hergé/ Casterman; *pp. 99-101*: Sempé/Goscinny, *Une aventure du petit Nicolas*, Éd. Denoël; *p. 105*: Disques Trafic; *p. 111*: Robert Desnos, *Domaine public*, Éditions Gallimard, 1953; *p. 115*: © United Feature Syndicate; *p. 116*: Verkerke Copyright & Licensing GmbH; *pp. 118-119*: text translated with permission of CLB Publishing; *p. 124*: Pierre Gamarra, *Mon premier livre de poèmes pour rire*, Les Éditions de l'Atelier; *p. 127*: © Milan Presse; *pp. 134-137*: Gianni Rodari, *Histoire à la Courte Paille*, Hachette Jeunesse; *pp. 138-141*: Jean-Claude Dupont (artwork); *pp. 142-143*: © Milan Presse; *pp. 152-155*: © Bayard Presse; *p. 163*: *Perspectives canadiennes*, automne 1992, vol. 1, n° 1, Développement des ressources humaines Canada/Approvisionnement et Services Canada, 1994; *pp. 164-165*: *Agissons ensemble: À la recherche d'un emploi*, Développement des ressources humaines Canada/Approvisionnement et Services Canada, 1994; *p. 169*: *Professions: Entrepreneures*, Gouvernement du Québec

Illustrations
Harvey Chan *70-71*; Helen D'Souza *3*; Marcel Durocher *59, 61*; Andrea Eden *4-5*; John Etheridge *149*; Norman Eyolfson *118-119, 120*; Patrick Fitzgerald *133*; Sharon Foster *174-175*; Kevin Ghiglione *72*; Bob Hambly *158-159*; Michael Herman *68*; Laurie Lafrance *84-85*; Marc Mongeau *122-123*; Allan Moon *15, 16, 18, 20, 25, 27, 28, 36, 37, 58, 87, 89, 90, 95, 128, 132, 133, 145, 180*; Pierre-Paul Pariseau *42, 44-45*; Thom Sevalrud *93, 124-125*; Marion Stuck *19, 79*; Stephen Taylor *91, 92*; Craig Terlson *74-75*; Nick Vitacco *134-137, 172*; James Wilson *76*

Special Design
Gary Beelik *6-9, 106-109, 138-141*; Rob McPhail *38-41, 46-47, 62-65, 152-155, 176-179*

Photography
Sue Ashukian *116-117*

Photos
pp. 4-5: Pete Seaward/Tony Stone, J. Sylvester/First Light, Superstock, Pat Morrow/First Light; *pp. 6-7*: Claude Rodriguez/Publiphoto, G. Zimbel/Publiphoto, Paul G. Adam/Publiphoto, M. Ponomareff/PonoPresse Internationale; *pp. 8-9*: L. MacDougal/First Light (2), Alberta Tourism (2); *p. 10*: P. Aubendrauf/Publiphoto; *pp. 14-15*: Henry Kalen; *pp. 20-21*: P. Brunet/Publiphoto, Gord Johnston/PEI Tourism; *p. 22*: V. Boncompagni/ Publiphoto, Barrett & MacKay/N.B. Tourism, P. Quittemelle/Publiphoto; *pp. 24-25*: Michel Pissotte/ Publiphoto, J. M. Emporte/Publiphoto; *pp. 26-27*: Robert Galbraith/Valan Photos, H. Gloaguen/Rapho; *pp. 28-29*: Alain Evrard/Liaison International, Wolfgang Kaehler/ Liaison International; *p. 31*: Focus/Tony Stone, Tony Stone, Hugh Sitton/Tony Stone, Stephen Studd/Tony Stone; *p. 35*: Pascal Tournaire/Sygma-Publiphoto; *pp. 38-39*: Dale Wilson/First Light, Jean-Claude Hurni/Publiphoto; *pp. 40-41*: Owen Franken/Stock Boston (2), P. G. Adam/Publiphoto; *p. 47*: Dwight Carter/Masterfile, Peter Correz/Tony Stone; *pp. 50-51*: Canada Games Council; *p. 56*: Claus Andersen; *p. 57*: Canada Wide; *pp. 62-63*: Vandystadt/Allsport, Kieffel-Mons/Allsport; *pp. 64-65*: John Pierce/Allsport, Sygma/ Publiphoto, Billy Stickland/Allsport, Vandystadt/Allsport, S. Compoint/Sygma-Publiphoto, Kieffel-Mons/Allsport; *pp. 66-67*: Kim Robbie/Masterfile, R. Janeart/The Image Bank, Four By Five Inc./Superstock, Comstock; *p. 77*: Canapress Photo Service; *pp. 78-79*: Maarten Udema/ Tony Stone, Ph. de Foy/Explorer-Publiphoto; *pp. 80-81*: Maarten Udema/Tony Stone, B. Martin, Publiphoto, Rohan/Tony Stone; *pp. 86-87*: Peter Correz/Tony Stone, Dan Bosler/Tony Stone, Comstock (2); *pp. 88-89*: Superstock, Mark Lewis/Tony Stone, Comstock, Superstock; *p. 90*: Superstock; *pp. 94-95*: Office national du film du Canada; *p. 97*: Comstock; *pp. 102-103*: MCA Records Canada; *pp. 104-105*: D. Auclair/Publiphoto, P. Robert/ Sygma-Publiphoto, André Tremblay/ PhotoGraphex; *pp. 106-107*: B. Barbier/Sygma-Publiphoto (2), The Kobal Collection (1946); *pp. 108-109*: Sygma/Publiphoto, Shin Sugino/Canadian Opera Company; *p. 111*: Dale Durfee/Tony Stone; *p. 112*: Comstock; *pp. 118-119*: Superstock (2), The Granger Collection; *p. 126*: Art Resource; *p. 131*: René De Carufel; *pp. 142-143*: Pelton & Associates/West Light-First Light, Scott Morgan/West Light-First Light, Alan Marsh/First Light; *p. 144*: A.G.E. Foto Stock/First Light, Alan Marsh/First Light, Gary A. Bartholomew/West Light-First Light; *p. 146*: First Light; *p. 148*: Sawabe/ Sports; *p. 149*: Sylva Villerot/DIAF-Publiphoto; *pp. 150-151*: Phoenix Segaia/Sports, Sawabe/ Sports; *pp. 152-153*: P. Pitrou-Edimedia-Publiphoto; *pp. 154-155*: Edimedia-Publiphoto; *pp. 158-159*: Comstock; *pp. 160-161*: G. Bartholomew/West Light-First Light, Chuck O'Rear/First Light, Eiji Miyazawa/ First Light, E. Kashi/ Phototake NYC-First Light, S. Chenn/West Light-First Light, Chuck O'Rear/First Light; *p. 162*: Optical Artists/First Light; *p. 165*: Loren Santow/Tony Stone; *p. 169*: Claude Denis; *pp. 170-171*: B. Fuchs/First Light, First Light, J. Parker/First Light; *pp. 176-177*: Comstock; *pp. 178-179*: Spiro Photographie, Monic Richard